Tu le diras à ma mère

Joseph E. Mwantuali

Tu le diras à ma mère

Préface de Were-Were Liking

Présence Africaine Éditions
25 bis rue des Ecoles, 75005 Paris

Ce roman est basé sur l'histoire réelle de Coco Ramazani,
une des nombreuses victimes de viol de guerre
en République Démocratique du Congo.

ISBN : 978-2-7087-0885-3

Carte de la République Démocratique du Congo

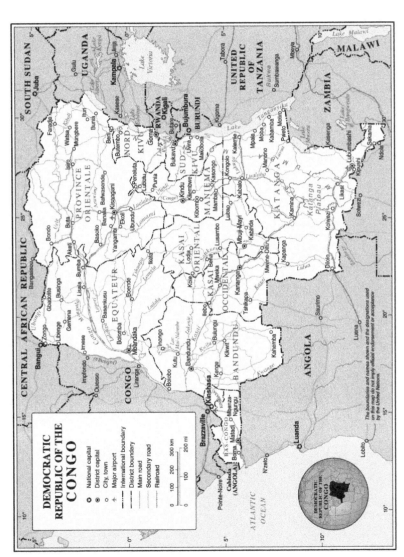

Department of Field Support
Cartographic Section

Map No. 4007 Rev. 10
UNITED NATIONS July 2011

PRÉFACE

En lisant certains mots, certains noms et certaines séquences de cette histoire, me reviennent en tête certaines phrases types, qui précèdent souvent les textes de fiction, du genre : « Cette histoire est une pure fiction. Toute ressemblance entre des personnes vivantes ou ayant vécu et des personnages de ce texte ne peut être que fortuite, pure coïncidence. »

Et, me mettant à la place de l'auteur Mwantuali, j'imaginais mon « préavis » à moi :

Cette histoire est un pur cauchemar. Toute ressemblance entre les personnages de ce récit et des personnes vivantes ou ayant vécu ne peut être qu'atrocement morbide, comme savent si bien l'être les cauchemars, dans le fin fond des subconscients traumatisés… Et toute personne vivante qui s'y reconnaîtrait ne saurait s'en prendre qu'à elle-même, d'avoir utilisé son libre arbitre à choisir d'être le cauchemar de ses semblables.

Les présidents, opposants, généraux ou simples hommes de troupe dont le nom coïnciderait et qui se plaindraient d'une éventuelle diffamation, et tenteraient d'en tirer quelque vindicte, répression ou revanche de quelque nature que ce soit se verraient honnis car nous serions tous alors en droit de penser qu'ils se reconnaissent pour avoir effectivement commis les atrocités relatées par cette « histoire », alors qu'aucun humain digne de ce nom ne devrait se reconnaître dans les personnages ici dépeints…

Même Lucifer, l'ange de Lumière, se fait pousser une queue et se munit de fourches pour jouer son rôle de Diable. Même les pires sorciers s'imposent de se métamorphoser, de se faire pousser des cornes, des griffes et des crocs pour nuire. Mais comment donc des aspirants au pouvoir politique, censés « sauver » ou « libérer » leurs peuples et les conduire au « développement », à la « démocratie », et des Forces de l'ordre censées protéger les populations, peuvent-ils à visage découvert commettre autant d'ignominies sur les femmes, leurs mères et sœurs, comme celles que nous relate cette histoire ? Extraits…

Ils m'en bourrèrent la bouche si abondamment qu'il était impossible d'émettre le moindre son. Ils me jetèrent rudement sur une espèce de sac de couchage et me déshabillèrent sans ménagement. J'étais sur le dos. Un soldat maintenait solidement mes avant-bras au sol, deux autres m'écartaient les jambes tandis qu'un troisième me pénétrait. Il le fit si brutalement que je sentis la déchirure. Il pompait en parlant dans leur langue, il pompait vite et fort. Il éjacula en moins de deux minutes. Je sentis un deuxième homme me pénétrer à son tour, puis un troisième, puis un quatrième, puis un cinquième. Certains éjaculaient plus vite que d'autres. Je crois que je perdis connaissance, mais je n'en suis pas sûre. Tout ce dont je me souviendrais après, c'est que mon compte s'était embrouillé au cinquième ou sixième homme. Je me souviendrais aussi que, à un moment donné, celui qui me tenait les bras se fit remplacer et vint me pénétrer, lui aussi. Combien de temps dura ce viol ? Je ne saurais le dire. Ni le nombre de mes violeurs. Quand ils terminèrent, ceux qui me tenaient au sol, ramenèrent mes cuisses l'une contre l'autre et mes bras le long du corps. Ils me maintinrent ainsi pendant une dizaine de minutes puis me mirent debout sans enlever le bouchon de tissu de ma bouche […] Et les viols continuèrent. À loisir. Comme si le camp entier s'était donné le mot sur ces jeunes femmes abandonnées sans défense dans leur forêt sauvage, les soldats nous violèrent chaque nuit. Nous savions que

« notre gentil » sous-officier non seulement était dans le coup, mais y participait. Nous savions qu'il allait nous violer avec tous les autres dans une Ndaki pour ne pas se faire identifier. Mais lui, semblait penser que nous ignorions son hypocrisie. Chaque nuit, chacune de nous était enlevée par un groupe différent. C'était facile de dire, d'après les mains qui vous conduisaient à travers la forêt, qu'on n'avait pas à faire aux mêmes soldats. De même les Ndaki n'avaient pas les mêmes odeurs. Le nombre des violeurs aussi variait, mais, en ce qui me concernait, je finissais par ne plus pouvoir compter, en sombrant dans une sorte d'évanouissement, une sorte d'« expérience hors du corps ». Mais il y en avait, j'en suis sûre, toujours une dizaine au moins. Ils étaient probablement bien plus nombreux. La nature du tissu qu'on me mettait dans la bouche pour la boucher aussi changeait. Ce qui ne changeait pas, c'était le goût infect de crasse et de sueur, et cette odeur nauséabonde. Le plus dur c'était d'endurer cela nuit après nuit, alors qu'on avait les parties génitales blessées. J'ai saigné des semaines après avoir quitté ce camp. Une chose curieuse dont je me souviendrai bien aussi : ils me violaient en m'insultant. » (p. 214, 215).

Comment des politiciens qui visent à prendre le pouvoir pour diriger des dizaines voire des centaines de millions de leurs concitoyens peuvent-ils ne même plus se faire admirer par des gamines « de rien du tout » en les violant à visage découvert si impunément ?

Comment certains dirigeants africains peuvent-ils envahir aussi impunément d'autres pays africains avec l'aide des Corporations et Multinationales au su de tous les autres dirigeants africains et sous l'œil bienveillant des Maîtres du monde, donneurs de leçons, provoquant autant d'atrocités et leur permettant de prospérer, sans pudeur ni soucis pour toute l'Histoire de l'Humanité qu'ils font ainsi régresser ?

Même le professeur Mwantuali qui présente son livre sous forme d'un témoignage vécu d'une cruauté au-delà de toute mesure, en citant des noms réels de personnes vivantes ou ayant vécu, des lieux historiques, des faits avérés rapportés par des milliers de témoins, n'a pas pu s'empêcher de tronquer aussi d'autres noms, pour créer la confusion entre le vécu et la fiction, comme parfois saisi par une pudeur ou un irrésistible dégoût – rejet que ceci puisse être concevable et surtout pratiqué au quotidien sur des millions de femmes au Congo et, hélas, aussi un peu partout dans le monde en plein vingt et unième siècle, au vu et au su de ceux qui gouvernent ce monde et se donnent en modèles… Quand ceci finira-t-il, quand ? Comment ?

Heureusement, la narratrice est une sorte de « surviveuse » décidée à tout braver, même le sida qu'on lui a inoculé, et y compris les constats d'échec les plus cuisants. Elle ose même proposer des issues ! Extraits…

> Je voyais de l'intérieur les rejetons de cette race de voleurs et de maffiosi qui nous dirigent depuis les indépendances. Deux ans durant, j'avais vu à l'œuvre des hommes malades, viscéralement atteints, pourris jusqu'à la moelle des os, et qui cherchaient par tous les moyens à aller prendre en charge 60 millions d'âmes ! Cela aussi m'effrayait terriblement. Oui, ils étaient éduqués ; beaucoup dans les meilleures écoles de l'Occident. Mais mon petit cœur de petite fille de rien du tout me disait qu'ils étaient déjà malades au départ du Congo ; qu'aucun savoir, fût-il de la meilleure école du monde, ne pouvait guérir une telle pourriture. Et mon petit cœur de rien du tout concluait que c'était de l'exorcisme qu'il leur fallait (p. 129).

> Dis à ta maman que, aussi longtemps que j'aurai encore un peu de force, je continuerai à me battre pour elle, pour toi et pour tous tes petits copains et toutes tes petites copines afin que jamais personne ne vous fasse du mal (p. 166).

Oui, il fallait que cette dame se raconte pour faire partager au monde cette ineffable souffrance des femmes violées en zones de guerre, originellement porteuses de vie, désormais esclaves sexuelles transformées en dépotoir de la haine, de la barbarie et de l'indignité. Pour quelle humanité aujourd'hui et demain ? Qui s'en soucie pendant cet acte infect ? Qui est encore humain à ce moment ? Et surtout, qui de tous ces « Observateurs internationaux », ces « Représentants » qui mènent des enquêtes, se soucie du résultat de leurs si savants rapports plus ou moins complaisants qui sont rangés dans les tiroirs juste le temps d'une ligne dans les agences de presse et si vite oubliés…

Mais l'auteur Mwantuali a promis à la narratrice que son histoire serait entendue à l'ONU, à la Maison Blanche et partout ailleurs. Et avec ce texte déjà publié en anglais et qui sort maintenant en français, il tient sa promesse. Il faut que cette histoire s'introduise en millions de langues, de versions et d'exemplaires au cœur des cercles de décideurs, de concepteurs et planificateurs de développement et des démocraties avec leurs inséparables marchands de drogues et d'armes… Qu'elle parvienne aux oreilles des écoliers et revienne à celles de leurs parents paysans et bergers si prompts à se laisser manipuler et qui ne tardent jamais à servir de levain aux guerres ethniques, au mépris de la sagesse ancestrale… Qu'elle hante tous ces mâles qui crânent de toutes leurs forces, mais qui ne peuvent plus trouver le moindre plaisir au bout de leur phallus qu'en violant barbarement les femmes et à la chaîne, insouciants de leur saleté et de leur lâcheté, bourrés de stupéfiants à noyer toute conscience, parce qu'accablés par leur véritable impuissance, ils sont devenus incapables désormais de séduire normalement même « une simple petite fille de rien du tout » comme se désigne la narratrice… Exemple :

> En réalité, de nuit comme de jour, elle dormait, cette forêt-là ; ou plutôt, faisait semblant. Tout comme là dehors le monde faisait semblant de ne pas entendre nos longs pleurs nocturnes. Pour la nuit qui faisait semblant, pour le monde qui faisait la sourde oreille, je disais alors dans mon petit cœur : « Tu finiras

par reprendre tes bons sens et sentir et voir et entendre. » Et nous laissâmes donc nos longs pleurs librement remplir la forêt au gré du vent, puis s'envoler par-dessus les arbres. Et je me disais aussi, toujours dans mon petit cœur de rien du tout. « Qu'ils marquent les cimes des arbres de la Forestière en rouge sang, qu'ils aillent marquer les cieux à l'encre de Chine. Que le monde, tôt ou tard, en voulant admirer le bleu du ciel, puisse y voir ce que la femme de l'Est du Congo a dû endurer tandis qu'il avait, lui, les yeux et le dos et les oreilles tournés. Et que la pluie de sang, que la pluie de nos sangs un jour lui dise, à ce Grand Monde, l'histoire de ces milliers d'hommes, venus d'ailleurs, violant des femmes et des fillettes qui ne leur avaient rien fait. Que chaque larme, que chaque corde liquide tombant du ciel chante nos pleurs et dise à tous ceux qui ont des oreilles pour entendre : « Ci-gisent leurs sangs et leur dignité humaine ; et là descendent les pistes de ceux qui, là dehors, courent encore, criminels actants et criminels commandants, dans une totale impunité. » (p.217)

Et qu'est donc finalement ce texte ?

Pour les Gouvernants de ce monde, il est le miroir de l'Histoire que bâtissent leurs règnes déshumanisants, afin qu'ils ne disent jamais un jour qu'ils ne savaient pas et n'essaient point de se la rejouer à la Ponce Pilate ! Qu'ils sachent que toute ressemblance entre les personnes ici citées et des personnes vivantes ou ayant vécu qui ne semble pas du tout fortuite est une honte pour elles et une malédiction pour leurs descendants. Et surtout qu'ils tentent tout leur possible pour rectifier le tir et arrêter ces massacres.

Pour toutes les femmes du monde entier que les enfants sortis de leurs ventres blessent et souillent si atrocement, c'est une consolation de savoir que ces souffrances sont entendues et connues, ne dit-on pas qu'« une peine partagée diminue » ? Car des millions de femmes et, Dieu merci, d'hommes également se battent désormais chaque jour pour que cesse cette boucherie, motivés qu'ils sont par les cloches grinçantes déclenchant les ruptures exorcistes de silence que sont les témoignages de ce genre.

Mais en fait, pour tout le monde littéraire, ceci est un roman. Une fiction intelligente et puissante qui arrache constamment des larmes, autant de révolte que d'espoir, savamment menée par des astuces de conte philosophique, de journal intimiste, d'essai tonitruant et de poésie déchirante, pour parler d'une pratique atrocement généralisée qui témoigne d'une telle décadence de notre humanité qu'il est vraiment temps qu'un exorcisme général soit convoqué et que de nouvelles utopies s'inventent pour notre survie à tous, ne fût-ce déjà que dans la littérature… Extraits :

Le téléphone a sonné, me tirant d'une rêverie profonde comme seuls les hivers du UpState New York savent en créer. J'avais à peine fini mon « hello ! » lorsque Coco m'a annoncé à brûle-pourpoint qu'elle était en train de sombrer dans la folie.

— Pourquoi crois-tu cela ?

— Je viens d'être à nouveau hospitalisée.

— Encore ! C'est quoi, cette fois-ci ?

— J'ai lu avec intérêt la première partie de ton roman sur mon histoire.

— C'est pourquoi tu appelles ?

— Qui est ce personnage, ce vieux monsieur que tu appelles Nganga ? Je ne connais personne de ce nom ici, et je n'ai jamais parlé de cette histoire à personne d'autre qu'à toi !

— N'oublie pas que…

— Qui est Nganga ? Qui est ce vieux médecin à la retraite ?

— Il a toujours existé.

— Où ?

— Partout où il y a des sans-voix.

— Sans blague… l'as-tu inventé ?

– C'est lui qui invente l'écrivain et lui évite d'écrire en vain.

– Que vient-il faire dans mon histoire ?

– C'est un exorciste.

– Tu crois que j'ai besoin d'exorcisme ?

– Tu ne le crois pas ? (p.296)

La lecture d'un tel texte absorbe la totalité de l'être et oblige à revenir à sa divinité, c'est-à-dire, à la liberté du choix, à la responsabilité individuelle. Elle libère de l'apathie installée par la consommation passive de la télé et des hamburgers ou autres fast food du monde qui altèrent notre créativité, nous tuant silencieusement d'obésité, de tension, de diabète et autres maladies du siècle dont l'ennui qui conduit à la perversité n'est pas des moindres. Ce texte vous invite à la reprise en main de votre humanisme et partant, de l'avenir de toute l'humanité. Bonne lecture.

Werewere-Liking
Abidjan, ce 25 août 2013

À Coco et à toutes les *Lignorez* du Congo :
« *Mbala misato nabeti phase, eloko ezali ! Eloko ezali !* »

Ô Da' Lignorez[1]

Hyènes! Hyènes!
Cries-tu en vain
Même ces herbes sont dures d'oreille
Crie quand même pleure c'est toqué
Crie Da' crie
Veau d'or laissé aux charognards déments
Et cri et cra
Crie même si ta musique mouillée de rouge
Se perd dans la nuit de ce monde sourd qui sourd
Apparemment à l'aise au Hadès de l'Ego
Isthme pontophobe entre humains loupés
Ou peu ou prou
Pleure Da' fonds de ta gorge la boule amère
Ô Toi Sans Détroit
Femme noire femme seule femme abandonnée
Vox Clamantis in Deserto
Pleure *Lignorez* pleure quand même
Ta musique mouillée et rouge
Tire sur le vide provoquant ces hoquets toqués
Jour et nuit autour de toi
Bien souvent en toi et en elles
Ça tac ça tac et ton cri a sens unique
Car le monde a de plus urgents cas
Il te répondra quand il en aura le temps
Ton chant maintenant Da' nul ne l'écoute
Tu es seule offerte en pâture
Dans ce désert infesté des hyènes
Qui hurlent que tu es délicieuse et gratis
Tandis qu'au loin l'Ogre sourit et ronronne

---

1. Da': forme abrégée du mot swahili « dada » qui signifie « sœur ».

En se grattant l'insatiable et rond ventre
Plein de coltan d'or et de cassitérite
Ô Da' Femme chose
Hyènes ! Hyènes !
Tu cries on se tait
Pleure quand même Femme holocauste
Pleure pour toi Femme noire oubliée
Là-bas au loin il y a des montagnes
Tshibinda Nyamuragira Mitumba Kahuzi-Biega
Nyiragongo Sabyinyo ou Visoke
Karisimbi Ruwenzori
Elles te renverront tes sons salis

Comme tu pleurais femme esseulée
Sous ton bâillon sale et malodorant
Avalant sans défense leur crasse nauséeuse
Tandis qu'entre tes cuisses écartelées et rouges
Des vagues d'hyènes se succédaient ricanant de plaisir
Comme tu criais femme étouffée
De peine et de colère *ô Toi Sans Toit*
Hyènes ! Hyènes !
Et personne n'écoutait
Tandis que ta nuit vomissait l'Être
Ta longue nuit vidée de Dieu même

Hyènes ! Hyènes !
Ton chant Da' vide
Ce sera pour les montagnes frondeuses
Nyiragongo Ruwenzori et tout l'Est pointu
Toutes ces montagnes des sangs des femmes
Qui se dressent inaudibles et hautes
Qui se dressent invisibles et rouges
Là-bas au lointain incarnat de chez toi
Du côté de Virunga et de Garamba.

Karibuni ! Bienvenu(e) !

Ami(e),

Je vais vous raconter l'histoire d'une muette qui avait à dire. C'est l'histoire de Coco, une jeune femme du Congo, qui croyait bien faire en fuyant loin, bien loin au-delà de l'Atlantique, la cruauté des Seigneurs de guerre. Elle était entrée aux États-Unis d'Amérique par Newark, dans l'État de New Jersey, en provenance de la zone troublée de l'Est du Congo-Kinshasa, via Kampala, capitale de l'Ouganda. Au sortir de l'aéroport de Newark, ses yeux, son nez, sa bouche et même sa peau, oui, sa peau desséchée par la peur, tout en elle, tout elle, dévorait l'air pacifique de ce monde « paradisiaque » dont elle avait tant rêvé de son enfer de l'Est du Congo-Kinshasa. Tout en elle mangeait goulûment ce silence assourdissant d'un ciel sans obus. Ses yeux s'extasiaient sur ces gratte-ciel endimanchés qui ne connaissaient pas d'éraflures de balles rebelles, et dans le ventre desquels, se disait-elle, la nuit devait dormir en paix d'un vrai sommeil, gorgée de rêves autres que les cauchemars de viols des femmes et de mort. Une nuit qui, au réveil, accouchait normalement d'un matin bien mûr. Pas un de ces matins mort-nés qu'elle venait de laisser là-bas, aux bords des lacs Kivu et Albert, ou des chutes Wagenia, abandonnés en plein air sous un temps *bombé*, éclaté, dispersé. Ses yeux s'extasiaient sur ces routes plates et noires à lécher, qui semblaient posées là, pour elle, la veille même de son arrivée, afin de l'amener tout droit et vite à la Maison Blanche pour raconter de sa propre bouche toutes les horreurs que, là-bas sous le ciel à ras de sol d'où elle venait de s'échapper, on faisait subir aux femmes et aux enfants. « Si les Anges gardiens existent encore, eh bhé, tôt ou tard, Elle m'écoutera, la Maison Blanche. Ne fût-ce que pendant une minute, se disait-elle encore. Car je ne La retiendrai pas longtemps, la Maison Blanche. Je Lui dirai une chose très simple, à la Maison Blanche, je Lui dirai : les nœuds de serpents ont beau être nombreux, les têtes, on les compte facilement. Ils sont bien connus, les vrais responsables des crimes que nous subissons au Kivu et dans la Province Orientale. Dites seulement un mot, et les serpents et leurs nœuds ramèneront le venin dans leurs trous pour que chez nous la femme et les enfants vivent en paix. Ils ne demandent pas autre chose. Même pas l'aumône. Seulement vivre en paix comme tous les autres enfants et toutes les autres femmes du monde », se disait Coco, toujours par-devers elle.

Bref, c'est enveloppée dans ce nuage féerique qu'elle a fait sa première entrée dans son *American dream*. Cela n'a pas duré, malheureusement. Le rêve américain a éclaté dès qu'elle y a mis les pieds pour s'y installer. Comme une bulle de savon au contact d'un ongle pointu. Et cet ongle, c'était une courte phrase sortie comme une sentence de mort de la bouche d'un médecin de Boston : « *Sorry, I have bad news, you've got HIV* » - « Je suis désolé, mais les nouvelles ne sont pas bonnes : vous êtes séropositive. » Elle ne maîtrisait pas bien l'anglais, néanmoins le mot fatidique avait suffi : HIV. Même prononcé ainsi à l'envers comme les anglophones le font de tout, le VIH, « virus de l'immunodéficience humaine », en français, n'avait pas manqué de causer l'effet initial qu'il cause sur tous ceux qui reçoivent la fatidique nouvelle : désespoir profond avec sentiment d'indescriptible impuissance, d'être pris au piège de la mort, vite suivi d'une révolte envers la Force qui vous aurait choisi pour poser ainsi sur vous cet acte d'injustice : « Pourquoi moi ? Pourquoi moi ? »

criait Coco. Mais pour la jeune femme, c'était pire. Le virus prenait aussitôt l'image monstrueuse de la multitude d'hommes qui avaient abusé d'elle, tout au long de sa vie d'orpheline, et semblaient tous participer à un cruel destin qui n'a pas hésité un instant, un seul instant, à la poursuivre jusqu'à cette terre américaine où l'ironie lui avait fait miroiter la Paix tout simplement pour que ce gentil médecin à la barbe bien taillée lui apprenne qu'elle était venue pour y être enterrée.

Ce n'est pas sûr que cette jeune femme sera encore en vie à la sortie de ce roman. Car, en réalité, elle est arrivée en Amérique déjà morte. Tuée par un troupeau d'hommes qui, chez elle, occupent ou voudraient occuper de gros postes dans le gouvernement. Des postes de gardiens du Temple. Tout comme des hyènes en charge de l'étable des agneaux. C'est mon ami Nganga qui m'a dit tout cela. Oui, j'ai dû recourir à lui car faire parler la jeune fille sur ce qu'elle venait de vivre au front était presque impossible. Il fallait être un psy chevronné. Nganga est un vieux médecin à la retraite, doublé d'une espèce de griot traditionnel. Certainement le don d'un vieil ancêtre de son village de la forêt équatoriale d'Afrique. Ici en Occident, tout le monde le consulte. Surtout depuis qu'il est à la retraite. Par téléphone, par email ou de visu, le Vieux Nganga répond « présent ! ».

Coco me parlait de tout sauf de ce qui réellement la turlupinait. Ce qui réellement avait fait qu'elle contracte cette maladie. Entourloupettes, faux-fuyants, blocages et pleurs incontrôlables, apparemment sans raisons, longues digressions, etc. Toutes les tactiques d'une traumatisée qui ne peut pas s'ouvrir étaient manifestes. Coco qui parlait, parlait, de tout et de rien, de sa vie banale, tout en évitant de répondre aux questions sur son expérience de « fille soldate », par exemple. Lorsqu'elle était sur un sujet moins incommodant comme la polygamie, elle était intarissable. Dès que je l'amenais à me parler des abus des femmes en territoires occupés, elle n'avait plus de mots, se mettait à pleurer, et vite changeait de sujet. Au comble de la frustration, j'ai appelé le vieux Nganga qui, heureusement, habitait comme la jeune femme la ville de Manchester dans le New Hampshire. Il a fait sauter en une soirée le bouchon qui m'avait résisté trois mois durant. Grande donc a été ma « joie » lorsqu'il m'a appelé le lendemain de ma requête pour m'annoncer que la jeune fille avait parlé, et pour me donner des instructions sur la manière dont je devais faire répéter à la jeune femme cette histoire accouchée dans la douleur. Tout comme il faisait le diagnostic de ses malades, le vieux médecin, avait procédé de manière impressionnante. Patiemment, il avait pu remonter littéralement jusqu'à la source de la vie de cette « damnée » – qui, soit dit en passant, est un peu aussi la vie de toutes les femmes et de tous les enfants vivant présentement dans l'enfer d'où elle sort. « L'histoire de la vie de cette jeune femme, a conclu Nganga, est un défi qui nous est lancé ; un défi qu'on devrait appeler *osez-entrer-pour-mourir-avec-mes-morts.* » En un tour de langue, Nganga m'a raconté ce que lui avait dit Coco avec cette verve qui justifie sa fonction de griot-exorciste. Cette verve dont le mot écrit, ce mauvais conducteur d'émotions, ne peut qu'essayer de produire des contrefaçons. Heureusement, il m'a également recommandé d'écrire l'histoire à ma manière, et de ne me référer à lui, le cas échéant, que pour mieux cadrer mes questions.

En tout cas, ami lecteur, amie lectrice, vous voilà donc informé(e) du défi qui vous est lancé dans cet univers fait, non de fleurs-alléluia, mais d'horreurs et de roses saignantes. Osez, donc ! Entrez-y « à vos risques et périls » – ce sont les mots de Nganga. Car ce griot – comme vous allez le voir dans le préambule qui suit – n'avait qu'un souhait : que nous garantissions, autant que faire se peut, moi « avec des mots électriques et *branchés* », et vous, avec votre quote-part de *liseron*, que plus jamais les mains sales ne touchent à Celle qui donne Vie. Celle sans qui même les mains sales ne seraient rien d'autre que Saleté. Elle, c'est la femme, notre sœur, notre mère à tous. En la servant au lieu de l'asservir, il jaillira, en nous et autour de nous, vie et amour en abondance. Oui, même de ces cœurs pétrifiés de la Saleté.

C'est bien là le grand souhait de Nganga.

Quant à moi, simple transcripteur de fortune, que pouvais-je dire d'autre sinon cette affirmation d'affidé : qu'il en soit ainsi !

Le préambule de Nganga

Cette histoire – nom de Nzakomba ! – est née par césa-rienne. Au milieu de cris, de larmes, de sueurs et de sang. La jeune femme qui l'a enfantée n'en voulait pas, mais les histoires n'avortent que sous les plumes. Pas des ventres. À quelque point de la vie, chacun de nous devient enceinte de son his-toire. Beaucoup d'elles restent non enfantées et meurent avec leur sujet. Beaucoup d'autres, racontées par des voix igno-rées, passent un séjour terrestre inouïes ou ignorées – ce qui revient au même. Comme si elles avaient vécu dans un monde déserté. D'autres, opportunistes, gonflées d'air chaud par des fabulistes-commerçants, vivent comme toute bonne illusion, l'espace d'une lecture, et au prix de négoces. D'autres encore, comme celle qui se raconte ici, s'enfantent toutes seules. Que leur porteur veuille d'elles ou non…

Mais elle était bien grosse, celle de la jeune femme que j'ai aidée à accoucher, disais-je, par césarienne. Trop gosse pour s'enfanter toute seule. Et beaucoup trop grosse pour que la porteuse l'ignorât ou s'en débarrassât naturellement.

Elle, c'est Coco. La fille qui a douloureusement enfanté l'histoire que tu vas lire. Elle et moi, nous mettons, via la plume de l'écrivain, cette histoire à ta disposition pour deux raisons : d'abord pour Coco elle-même car, par Nzakomba, cette fille, comme tu t'en rendras compte, aurait pu soit être asphyxiée par les démons, dont on lui a bourré le ventre, si elle ne s'était pas ainsi laissé éventrer, soit sombrer dans la démence. La deuxième raison, c'est toi. Notre vœu est que, dans ce partage, il naisse en toi un désir de folie. Seule arme qui nous reste pour reprendre contrôle de ce monde dément qui ment à la santé par mauvaise foi. Dans cette chambre noire, tu verras l'accouchement tel qu'il s'est fait. Détaillé. Sans fards. Dans cette chambre noire, l'histoire sera retournée pour qu'elle ne sorte pas par les pieds. Nzakomba aidant, tu y naitras, ou mourras (c'est selon) en accouchant encore avec et pour cette jeune fille. Entre donc. À tes risques et périls.

I

Mona prit la main de sa petite sœur dès que l'infirmière les laissa seules dans le cabinet de consultation en disant : « Le docteur sera là dans un petit instant. » Mona avait senti une tension dans le langage corporel de sa sœur. La pression de la main confirma son intuition.

« Tu as peur, Coco ? demanda Mona.

– Un peu, oui.

– De quoi ?

– Je ne sais pas. Un… un pressentiment.

– Du calme. Tu sais bien que Dieu est avec toi.

– Dieu ? Dieu, là-bas n'a pas semblé…

– Hello ! » fit le docteur, qui venait d'entrer.

La cinquantaine. Taille moyenne, plutôt petit pour un Américain. Cheveux grisonnants, barbe bien taillée, grise elle aussi. Il portait des lunettes en argent aux verres si clairs qu'ils accentuaient son regard perçant mais bienveillant. Écrit en rouge sur sa blouse blanche, au côté gauche de la poitrine, son nom, dont l'ambiguïté fit sourire Coco : *Dr Gabriel Angels, Internal Medecine.*

D'une voix calme et douce, l'homme à la blouse blanche annonça le virus du SIDA aux deux sœurs, en ajoutant tout de suite qu'elles étaient aux États-Unis, et qu'il y avait lieu que Coco vive une vie plus ou moins normale, qu'elle pouvait même, en prenant quelques précautions, se marier et avoir des enfants… Mais, déjà, Coco et sa sœur ne l'écoutaient plus. L'une pleurait bruyamment, tandis que l'autre se battait pour l'empêcher de se jeter à terre.

« C'est pas vrai, c'est pas vrai, je ne vais donc jamais trouver de repos ! disait-elle en swahili. *Mama, mama mi nakufa* ! Maman, maman, je suis morte.

— *Uatche tu, Mungu atasaidia*, laisse faire, Dieu t'aidera, dit Mona pour calmer sa sœur.

— Dieu ? Quel Dieu ? Celui qui a envoyé le Dr Gabriel ou celui qui, là-bas, dans la jungle, faisait la sourde oreille à toutes mes prières ! »

Coco criait, pleurait en explosion de hoquets. Mona finit par craquer. Elle se mit à pleurer, elle aussi. Les bras croisés, le docteur Angels regardait les deux jeunes femmes avec un air d'impuissance. D'autres médecins et infirmiers s'étaient joints au trio et assistaient à la scène la bouche ouverte.

« La poisse, la poisse mortelle des hommes… ne pourrai-je donc jamais me débarrasser de toi ? »

Ces mots énigmatiques résumaient en fait la pelote compacte d'une vie, dont le fil va à présent se dérouler pour nous.

Le téléphone sonna. Je décrochai et reconnus aussitôt la voix de mon amie Coco. Elle m'appelait de Manchester où on l'avait installée comme refugiée. Cela faisait presque trois ans qu'elle avait quitté l'Est du Congo, avec dans son for intérieur des plaies mortelles.

J'avais à peine fini mon « hello ! » lorsqu'elle lança : « Je viens de rater mon premier vrai suicide. » Elle l'avait dit le plus calmement, le plus simplement du monde. Comme on annonce une autre neige en janvier sur Manchester dans le New Hampshire. Comme on rapporte une pluie en avril sous les tropiques.

« Tu as fait ça ce soir même ?

— Il y a trois jours.

— Qu'est-ce que ça veut dire ton « premier vrai » suicide ?

— Mais, puisque je recommencerai…
— Tu as vraiment attenté à ta vie ?
— Oui.
— Mais pourquoi ?
— Pour en finir… n'est-ce pas pourquoi les gens se tuent ? »

J'avais connu Coco, quelque six ans auparavant, à Manchester justement. Plus précisément le 10 avril 2000. Chez des amis communs. Elle habitait alors chez sa sœur Mona, où elle avait débarqué une semaine plus tôt, en direct du Nord-Est de la République Démocratique du Congo, où s'affrontaient trois armées d'invasion : les milices du MLC-L (Mouvement de Libération du Congo, tendance Lumumbiste), dirigées par un homme appelé Bemba, celles du RCD-Kisangani de Monsieur Wadiamba (Rassemblement Congolais pour la Démocratie, aile Kisangani) soutenues et armées par l'Ouganda, et celles du RCD-Goma (Rassemblement Congolais pour la Démocratie, aile Goma) soutenues et armées par le Rwanda. Initialement établi à Kisangani, le MLC-L avait progressé et s'était implanté d'abord dans la région de Bunia au nord-est, pour s'établir finalement à Gbadolité, dans le village de l'ancien dictateur Mobutu à la frontière avec la République Centrafricaine. Le RCD, de son côté, s'était scindé en deux lorsque le Rwanda et l'Ouganda se mirent à se disputer la domination de la province orientale, dont Kisangani est la capitale. Cette guerre avait deux particularités étranges : primo, elle se passait presque entièrement à l'est du pays et avait donc divisé le Congo en deux. D'une part l'Ouest où régnait un jeune homme appelé Joseph Kabila, qui avait succédé à Laurent-Désiré Kabila, assassiné en 2001, mais avait perdu la province de l'Équateur, envahie par les milices du MLC-L. Le jeune homme lui-même tenait en place grâce aux armées angolaise, namibienne, zimbabwéenne et tanzanienne. D'autre part l'Est, où se déchiraient essentiellement les deux RCD. Secundo : l'invasion du Congo par le RCD en 1998 était une récidive. C'est bien eux qui deux ans auparavant étaient allés implanter de force le premier Kabila. Il paraît qu'ils changèrent d'avis tout de suite après, et décidèrent d'attaquer le Congo une deuxième fois pour faire les choses plus « correctement ». C'est-à-dire, expliquait la rue, prendre le butin de l'invasion. « A-t-on jamais vu un envahisseur rentrer bredouille ? » demandait encore la rue congolaise.

C'est de ce deuxième mouvement d'invasion que la jeune fille appelée Coco sortit presque miraculeusement pour se retrouver, donc, dans la petite ville de Manchester, aux États-Unis, dans la région de la Nouvelle Angleterre. Cela tombait bien pour moi parce que je me trouvais justement en pleines recherches sur ce conflit horrible, afin de produire un article pour un journal de la place. Avoir, comme cela, devant moi, une personne venant tout droit du front, une si jeune femme en plus, alluma dans mon ventre la faim intense d'en savoir plus.

La rencontre fut un hasard. Moi, j'arrivais de New York, où je me suis établi depuis bientôt vingt ans et j'étais en route pour les chutes de Niagara. Je m'étais arrêté à Manchester, chez des amis pour dire bonjour. La jeune Coco y était, elle aussi, pour la même raison. Je dus passer la nuit dans la ville à cause de mon entretien avec elle qui dura très tard dans la nuit. C'était la première fois que je rencontrais quelqu'un qui avait réellement participé à cette guerre et qui m'en donnait une version de témoin oculaire. « Fille soldate ! fis-je, c'est le vocabulaire en vogue, non ? Il paraît que le gros des armées est fait d'enfants soldats appelés *Kadogo* ? » Elle sourit tristement avant de répondre. Elle avait une jolie voix fort touchante.

« Ils ont recours à eux parce qu'un enfant, ça ne demande pas beaucoup. Ça ne sait pas ce que ça veut, ça ne se pose pas de questions et, par conséquent, ça se bat avec plus d'ardeur. » Et d'ajouter :

« Mais, moi, je n'ai pas été enfant soldate, à proprement parler, je n'ai jamais tiré sur quelqu'un. Je l'ai été d'une autre manière, mais, pardon, je préfère ne pas en parler.

— Peux-tu au moins me dire la fonction que tu avais dans la rébellion ?

— Bien sûr. J'étais la secrétaire au bureau du Porte-parole et ami de Wadiamba.

— Vous en aviez donc, vous aussi, des enfants soldats ?

— Cela va de soi. C'est, comme je te l'ai dit, leur mode d'opération. Tant que les enfants seront là, disponibles et sans défense, ils s'en serviront. Les nôtres étaient presque tous ougandais.

— Pourquoi ?

— Parce que Wadiamba n'avait pas d'armée à lui. Il était pris en charge à cent pour cent par l'armée ougandaise.

— Je suis sûr que tu as plein de souvenirs de là-bas. Mais peux-tu, s'il te plaît, m'en raconter un ? Celui qui hante tes nuits… »

Sans hésiter Coco raconta, l'air absent, les yeux dans le vide : « Une image : un enfant de treize ans, m'éclaboussant du sang qu'aspergent ses intestins mis à découvert par une balle qui lui a ouvert le ventre finement comme le scalpel tranchant d'un médecin. Et l'enfant qui essaie de retenir ses intestins en place, de ses deux mains, comme pour les remettre dans son ventre béant. Et qui crie, qui crie. Deux phrases en swahili : *'Mama, mi na kufa uku ; sidjue minakufia nini'* (maman, je me meurs ici ; j'ignore jusqu'à la cause pour laquelle je donne ma vie). Il est mort dans mes bras au milieu de la deuxième phrase, alors qu'il la répétait pour la troisième fois. »

Je demandai pourquoi cette phrase tragique hantait ses nuits et reçus cette explication détaillée et impressionnante :

« Les enfants soldats, j'en ai vu revenir du front morts, blessés, mutilés. J'en ai aussi vu pourrissant sur la chaussée.

Mais celui qui disait ces mots, je le connaissais personnellement parce qu'il servait souvent de garde devant nos bureaux. Je lui rendais souvent les clés le soir, parce que fréquemment c'est moi qui fermais. Il s'appelait Kitu. C'est drôle parce qu'en swahili cela veut dire 'chose', c'est-à-dire rien. Il faisait bien ses treize ans, avec son corps maigrelet qui nageait dans son uniforme très replié aux poignets et aux chevilles. Il semblait ployer sous son AK-47. Presque tous les enfants soldats utilisent cette arme russe de la famille des Kalachnikov, à cause de son prix modique et de son maniement et de son entretien faciles. Souvent, tout ce qu'on leur apprend c'est comment charger l'arme et comment appuyer sur la détente. Ajoutés à cela quelques rudiments du langage militaire pour qu'ils comprennent quand il faut attaquer et quand battre en retraite. En une demi-journée, les enfants sont prêts pour aller se faire tuer au front. À cause de Kitu, j'ai fait des recherches sur Internet pour comprendre cette arme. Lorsqu'il est chargé un AK-47 pèse 5,117 kg. Ses 870 millimètres de longueur rivalisent en taille avec la plupart de ces enfants appelés à juste titre *kadogo* en swahili. C'est-à-dire « tout petit ». Kitu faisait à peine un mètre cinquante. Il était pitoyable sous son AK-47 qu'il était obligé de porter en permanence. Certains jours, lorsqu'il rentrait du front, on avait envie d'aller l'aider à porter ce lourd fardeau sur la pente de son Golgotha invisible. Kitu ne souriait jamais. Il avait constamment un air d'enfant perdu ; sa face complètement dénuée d'expression ressemblait à celle d'un amnésique. Kitu me rappelait un tableau effacé sur lequel se voyaient à peine des traits illisibles. Mon petit plaisir, toutefois c'était de voir ses yeux s'allumer au contact des miens. Notre communication en swahili se limitait à des bouts de phrases : « *Jambo, habari ? Mzuri. Habari zingine ? Mzuri. Habari zinginezingine ? Mzuri.* » « Bonjour, des nouvelles ? Ça va. D'autres nouvelles ? Ça va. Et d'autres *autres* nouvelles ? Ça va. » L'ajout de la question « *zinginezingine* » était ma propre création. J'aime bien cette formule du swahili de chez moi au Kivu, qui demande « d'autres nouvelles » après la réponse qu'il n'y en a pas. Alors pour amuser mes interlocuteurs, j'ajoute toujours cette question dans le but de m'enquérir d'« autres *autres* nouvelles », mais j'aime aussi la sonorité de cette langue musicale qu'est le swahili. Malheureusement, même mon « *zinginezingine* », qui immanquablement fait rire ceux que je salue ainsi, n'arrivait pas à arracher le moindre sourire à Kitu. Dieu merci, ses yeux, eux, me parlaient. Ils me racontaient un tas d'histoires que j'imaginais horribles, mais dont il refusait de parler chaque fois que je lui posais la question. J'ai pris mon temps. J'y suis allée par petites touches. Puis, un jour, comme je quittais le bureau la dernière, je l'ai trouvé sur les marches de l'escalier devant l'entrée. Il mangeait des cacahuètes, tête baissée, son AK-47 sur les cuisses. Je lui ai demandé s'il allait bien. Il a répondu que non.

« Parle-moi, mon ami, ai-je fait en m'asseyant à ses côtés.

– Te parler de quoi ?

– Des choses que vous faites au front, et qui, j'en suis sûre, te font mal au cœur quand tu es seul. »

À ma grande surprise, il a parlé. À voix basse, en regardant constamment tout autour. Il craignait un séjour dans le *mabusu*, si jamais une oreille traîtresse l'entendait.

Une cruelle et étrange pratique de l'armée ougandaise, que ce fameux *mabusu*. Dès qu'elle arrive à l'endroit choisi pour camper, l'armée ougandaise monte en un temps record ses tentes. Ces petites tentes, appelées *ndaki*, peuvent abriter à l'étroit un maximum de deux hommes de taille moyenne. Elles se plient et se déplient en plus ou moins cinq minutes. Lorsqu'ils installent leur camp mobile, ils doivent impérativement creuser un *mabusu* par unité. C'est en fait un trou rectangulaire de plus ou moins cinq mètres sur trois, et d'au moins trois mètres de profondeur. On le couvre de bâches posées sur des sticks transversaux.

On pose ensuite d'autres branches d'arbres sur les bâches puis on recouvre le tout avec de la terre. Une ouverture d'un mètre carré environ est aménagée dans un coin de cette dalle de terre sur bâche. Les herbes ont vite fait de pousser, si bien que l'on passe dessus sans problème. Voilà le cachot militaire. Cachot-tombe. De jour comme de nuit, vingt-quatre heures sur vingt-quatre, c'est le noir total. On peut passer et même rouler dessus en jeep sans se douter, si l'on n'est pas informé, qu'il y a un prisonnier en dessous. On fait sortir les officiers une fois le soir. Les simples soldats peuvent y passer jusqu'à une semaine n'en sortant que rarement pour vider leurs poubelles remplies d'excréments et de restes de nourriture. En effet, pour eux, un demi-tonneau est placé dedans pour les besoins naturels et pour servir de poubelle, car on leur descend à manger dans des feuilles. Les militaires sont jetés dans le *mabusu* suite à diverses infractions, après avoir été fouettés jusqu'au sang. J'ai été témoin oculaire d'une de ces séances de bastonnade. C'était horrible. Un soldat avait quitté son poste pour aller boire un coup avec les autres. On a demandé à son camarade de lui donner soixante coups de bâton, tandis que quatre autres soldats le maintenaient au sol par les quatre membres. Le pauvre criait comme un porc qu'on égorge. Chaque coup de bâton faisait jaillir du sang sur son derrière à travers l'uniforme. J'ai appris par la suite que le bastonneur doit y mettre le plus de force possible car, au moindre soupçon de complaisance, c'est lui qui y passe. Après la bastonnade, le pauvre a donc été descendu dans le *mabusu*, qui était juste à côté de mon bureau. Il y en avait qui, au bout de quelques jours, devaient être amenés au service des urgences car leur santé n'avait pas pu supporter les dures conditions de cet « enterrement ». D'autres y mouraient tout simplement. Kitu m'a dit que la journée, la température là-dedans peut atteindre 49 degrés, et la nuit il y fait un froid glacial.

Je comprenais donc très bien la peur du petit *kadogo*. Mais c'était l'heure du dîner. Les bureaux étaient déserts. Il m'a parlé comme quelqu'un qui voulait se décharger d'un lourd fardeau moral pour recommencer à zéro. Il m'a raconté des choses horribles. Des séances de viols auxquelles on l'avait obligé à prendre part sur des femmes qui lui rappelaient sa mère, et parfois sa grand-mère. Les actes de certains de ses camarades fous qui tiraient une balle dans le vagin de la femme qu'ils venaient de violer à plusieurs. Des villages entiers qu'ils incendiaient. Parfois avec des gens dans les maisons. « J'entends souvent dans ma tête les cris des femmes et des enfants en train de brûler vifs, me dit-il. Ça nous arrive, à nous tous, cette culpabilité, quand les effets du chanvre sont partis. » Il me parla des cas de certains *kadogo* qui, ayant fui l'armée, revenaient d'eux mêmes car on ne voulait pas d'eux dans leur propre village. La raison étant que, pour les garder indéfiniment, les adultes, qui les recrutaient de force, leur faisaient faire des choses horribles comme violer leur sœur ou leur mère ou d'autres villageois bien connus. Le village refuse de reprendre de tels enfants. Certains sont même tués par les leurs s'ils osent revenir.

Je connaissais toutes ces histoires, mais les entendre d'un *kadogo* qui y avait pris part, me retournait le cœur. J'ai beaucoup pleuré cette nuit-là. J'ai pleuré pour les victimes innocentes de telles cruautés, mais aussi pour les *kadogo*, dont aucun psy ne saura réparer la tête fêlée pour le reste de leurs jours. C'est deux jours après cet entretien que nos bureaux ont été attaqués par l'armée rwandaise. L'attaque a commencé la nuit, vers neuf heures du soir. Il y a eu des tirs nourris aux AK-47 et à l'arme lourde. C'est le lendemain vers 16 heures qu'on a ramené le petit Kitu tenant ses intestins de ses maigres bras. Je n'oublierai jamais ce jour-là. Nous nous préparions à recevoir le ministre sud-africain de l'Agriculture, envoyé par son président, Tabho Mbeki, pour venir voir exactement qui, de nous ou des Rwandais, contrôlait la ville de Kisangani. J'étais chargée de préparer la salle. Je m'apprêtais à prendre place dans un camion plein de chaises à destination de la salle des fêtes où allait se tenir la réunion lorsque la jeep a amené Kitu. Il est donc mort, comme ça, tout bêtement, dans mes bras. Tu peux imaginer mon désespoir. Tout ce que je pouvais faire pour lui, c'était prier en silence. En silence aussi, dans mon cœur, je l'ai prié de faire une commission pour moi. Un message à donner à ma mère, que je n'ai jamais connue. « Bon voyage, Kitu. À présent, tu es libre. La Saleté ne te fera plus de mal. Elle ne saura plus t'atteindre. Bon voyage. Dis ce qui suit à ma mère dès que tu arrives… »

Je ne sais pas pourquoi, mais je n'arrive pas à me souvenir du message que j'avais murmuré pour ma mère aux oreilles de cet enfant détruit. Chaque fois que j'essaie de me le rappeler, ce sont les plaintes de cet enfant, appelant sa mère restée en Ouganda, qui me remplissent la tête.

Il n'y avait aucun doute que cette fille qui m'avait parlé venait, elle-même, de vivre des choses horribles. En la quittant cette nuit-là, je me promis de faire de mon mieux pour que son histoire fût connue du monde. Je l'appelai au bout de deux jours et, après avoir tourné autour du pot, j'abordai prudemment la question de son expérience au front. Dans un premier temps, elle me parla. Mes questions visaient à savoir comment elle s'était retrouvée dans le RCD de Wadiamba.

« C'est la faute de mon père », me dit-elle.

Cette réponse inattendue me prit au dépourvu.

« Comment ça, je le croyais mort depuis longtemps, ton père !

– Oui, mais tu ignorais qu'il avait épousé cinq femmes, qu'il leur a fait vingt-deux enfants, et qu'il est mort en nous laissant dans la plus abjecte misère.

– C'est la misère qui t'a fait t'enrôler dans la rébellion ?

– C'est une longue histoire.

– Parle-moi du chemin qui t'y a amenée. »

Elle poussa un profond soupir puis entama l'histoire ; mais j'ignorais alors combien de patience il me faudrait, pour gagner la confiance de cette enfant atteinte au plus profond de son être.

Elle commença son récit à brûle-pourpoint, comme s'il s'était agi d'un soliloque.

« C'est curieux, je fête mon anniversaire le 10 avril, mais je sais que c'est faux. Personne ne connaît ma vraie date de naissance parce que ma venue au monde fut un fait divers. Personne ne s'en était préoccupé outre mesure. Certainement pas mon fornicateur de père. Aujourd'hui, par exemple, la sœur qui me suit, du ventre de ma mère, le garçon qui la suit et moi-même avons sur papier la même année de naissance. Cela, parce qu'on nous a dispersés à la mort de mon père. Et, curieuse coïncidence, ceux qui nous ont recueillis ont choisi pour nous arbitrairement la même année de naissance. »

Après avoir griffonné quelques notes rapidement, je m'ap-prêtais à poser une question lorsqu'elle m'interrompit. « Es-tu en train d'écrire mes paroles ? » Elle raccrocha en me disant poliment qu'elle voulait garder sa vie pour elle. Mes deux autres coups de fil rencontrèrent un silence de tombe. Je tournai donc la page, conscient du fait que j'avais affaire au genre de trauma-tisme dont seul un psychologue savait faire sauter les verrous.

Voilà pourquoi il tombait bien son coup de fil choquant qui m'annonçait sa tentative de suicide.

« Dis-moi ce qui s'est passé, Coco.

– Ce qui s'est passé ? Ce qui s'est passé, c'est que j'en ai marre de me battre dans le monde injuste et décevant, où mon salaud de père m'a lâchement introduite.

– Attends, attends, attends, Coco. Commençons par la der-nière déception qui t'a amenée au suicide.

– Tu écris ce que je dis ? »

Sa question me décontenança, car j'avais en effet instinctivement pris un stylo et, le combiné du téléphone coincé entre mon menton et mon épaule gauche, je griffonnais des notes vaille que vaille, en faisant attention pour qu'elle ne s'en rende pas compte. Le moment était à la fois tragique et éminemment excitant pour un écrivain. Je sentais que les verrous de son blocage se desserraient. Qu'elle avait décidé de s'ouvrir à moi. Il était hors de question que je fasse une bêtise et qu'elle me ferme au nez, probablement pour de bon, la porte de sa confiance. Aussi décidai-je de mentir.

« Non, je n'écris rien.

– Va donc vite chercher un stylo, étourdi ! N'est-ce pas ce que tu voulais ? » fit-elle d'une voix étonnamment tendre.

Je courus à ma table de travail, empoignai un bloc-notes et revins m'installer, le cœur battant.

« Tu es toujours là ? »

Silence. Une seconde de panique, puis réassurance. Elle est là, je le sais. Je l'entends respirer. Je relance.

« Coco ?

– Je suis là. Et lasse. »

« Et lasse » ou « hélas », c'était bon signe, elle avait encore un sens de l'humour.

« Content de voir que tu n'as pas perdu ta poésie !

– Je ne suis pas poétesse… je ne suis rien.

– Ne dis pas ça.

– C'est la vérité !

– Et c'est pourquoi tu veux te tuer ?

– …

– Coco ?

– Oui.

– Oui, quoi ?

– Oui, c'est pourquoi.

– Cela n'explique encore rien. Tu as dit que tu venais de rater ton « premier vrai suicide »…

– C'était mon deuxième essai. La première fois, c'était chez ma sœur Mona. J'ai raté une noyade dans la rivière Merrimack.

– Mais, pourquoi ?

– Parce que.

– Je veux dire pourquoi en es-tu arrivée là ? Et ne me dis pas 'parce que', car alors c'est moi qui vais me suicider. »

Elle rit doucement. Un ange aux longues ailes passe le long de la ligne téléphonique pendant trois bonnes minutes. Je laisse faire, j'ai lu cela quelque part dans un livre de psychologie. Il faut la laisser « venir » à son rythme. Lorsqu'elle reprend, sa voix est encore plus calme, lointaine, triste.

Lorsque l'avion qui m'a amenée ici aux États-Unis a décollé de Kampala, j'ai senti un soulagement que je ne saurais te décrire. Je me suis dit : « Je vais enfin pouvoir me reposer. » Je ne me suis jamais reposée depuis ma naissance. Sans blague. De toutes mes sœurs, celle qui représentait l'espoir pour moi, c'est Mona. Elle s'est toujours battue pour moi. C'est grâce à elle que j'ai pu faire des études. Son grand désir d'excellence, son indépendance et son intelligence ont toujours été pour moi une source d'inspiration. Même pendant les grands dangers dans les zones de guerre, elle m'envoyait son soutien financier et surtout moral. Dans cet avion, donc, je me disais : « Je vais aux États-Unis, le Ulaya des Ulaya, l'Occident des Occidents. Je vais chez la sœur qui est mon héroïne. Celle qui représente la réussite, la sécurité. Celle en qui j'ai une confiance totale. Celle chez qui je pourrai dormir, me reposer, me rattraper en sommeil et en énergie, chez qui je vais me réapprovisionner en affection, en chaleur humaine, en respect de femme, d'être humain. »

L'accueil à l'aéroport de Newark fut plus que chaleureux. Mona était là, avec son époux Déo. Mais l'arrivée à leur domicile a été un choc. D'abord culturel : en Afrique on associe les maisons en planches à la pauvreté. À partir de la classe moyenne, on construit en briques, blocs de ciment pour ceux qui ont peu de moyens, petites briques cuites ou pierres pour les nantis. Or les maisons d'habitation aux États-Unis étaient presque toutes en planches ! Choc personnel ensuite : la maison était d'une saleté et d'un désordre écœurants. Ma sœur et son mari ont beaucoup d'enfants ; quatre à mon arrivée. Un garçon de neuf ans, une fille de sept ans, et deux garçons de cinq et quatre ans. On s'attend à un peu de désordre dans un tel foyer. Mais, tout de même ! On entre par un salon minuscule trop meublé. À chaque pas on manque de tomber en trébuchant sur des livres du père et des jouets des enfants qui traînent partout. Une vieille moquette brune, poussiéreuse couvre tout le parquet. À côté, une salle prévue comme salle à manger fait office de bureau pour monsieur. Elle est tellement bourrée de livres qu'ils menacent de se déverser par la porte mitoyenne dans le salon. Je me demande quelle manœuvre il effectue chaque fois qu'il veut atteindre son ordinateur qui étouffe là-bas sur une table ployant pitoyablement sous le poids des livres en désordre. Une cuisine assez spacieuse sert aussi de salle à manger. Dans l'évier, de vieilles casseroles sales font mauvais ménage avec des verres et des tasses graisseuses. Des taches d'huile badigeonnent murs et plafond. Un petit escalier mène à l'étage. Deux chambres à coucher s'asphyxient sous un trop plein de vêtements qui semblent, comme les livres d'en bas, menacer de ficher le camp.

Tout d'un coup, mes épaules s'écrasent, mon dos se voûte. « Bienvenue aux travaux de ménage, Coco », me dis-je intérieurement. Ma naïve image du paradis américain vient de s'envoler par la fenêtre. J'ai l'impression d'avoir atterri dans une autre espèce de zone de guerre. Si je ne doute aucunement de la bonté de ma sœur préférée qui m'a tirée de l'enfer des guerres de l'Est du Congo, quelque chose me dit, néanmoins, que je vais devoir payer très chèrement leur aide.

La galère a commencé dès le lendemain. Déo, mon beau-frère, se comporte chez lui comme l'Africain traditionnel d'un village du fin fond de la brousse. C'est-à-dire comme le roi. En pleins États-Unis ! Si j'en crois mes modestes connaissances scolaires, le nom Déo vient du latin et signifie Dieu. Eh bien, chez lui, monsieur mon beau-frère s'est mis à se prendre pour le Bon Dieu. Il ne travaillait pas, pour des raisons que je n'ai jamais pu m'expliquer. Seule ma sœur Mona sortait à cinq heures pour aller travailler et ne revenait qu'à la tombée de la nuit. Lui, il restait là, collé à l'écran de son ordinateur toute la journée jusque tard dans la nuit. Il faisait la grasse matinée jusqu'à onze heures ou midi. Lorsqu'il sortait du lit, j'avais déjà préparé son repas, il mangeait vite sans dire merci et allait retrouver son ordinateur. Quant à moi, la routine était endiablée : j'étais debout à cinq heures et demie, je préparais les petits-déjeuners, je réveillais et nettoyais les quatre enfants l'un après l'autre. Le bus scolaire venait chercher les deux premiers à sept heures et demie. Les deux autres n'allaient plus à la garderie depuis mon arrivée. Le couple m'informa que mon arrivée leur permettait d'économiser « de précieux dollars. » Évidemment, on ne m'a pas consultée pour savoir si j'étais d'accord avec l'idée d'être la baby-sitter plein temps. Comme on le fait chez nous avec des enfants non instruits, on a pensé que j'allais le faire naturellement, en échange du manger et du logement. Le bus parti, j'attaquais le nettoyage de la maison. Aspirateur : salon, escalier et les deux chambres – pour celle de monsieur et madame, j'attendais le réveil du roi, bien sûr. Torchon : salle de bains et cuisine. Brosse à dépoussiérer : tout le fatras de meubles ramassés à la brocante. Éponge : marmites et assiettes.

Venait ensuite la lessive. La machine à laver était dans le sous-sol de la maison. Pour laver et sécher les vêtements, toujours nombreux, il fallait faire au moins une douzaine de voyages. Un grand choc à mentionner en passant : je devais nettoyer les sous-vêtements de mon beau-frère. Chose inacceptable dans notre culture ! Et quand on débarque à peine du pays, on prend une telle demande comme une humiliation. Venait ensuite la préparation des repas. Oui, au pluriel ! Les enfants mangeaient américain, c'est-à-dire des pâtes ou des frites. Le père aimait la viande au riz, mais un riz presque cru qui craque sous les dents, la mère était végétarienne. Je pouvais partager la casserole de viande avec mon beau-frère, mais je devais me faire du fufu ou me préparer un riz à moi. Pour ma sœur, on m'avait appris comment cuisiner tout un tas de plats végétariens, générale-ment à base de fromage ou d'œufs et, souvent, mélangés avec des épinards. Au moins quatre cuisines différentes pour quatre goûts, et cela quotidiennement. Le soir se passait à nourrir tout le monde avec les restes des différents repas, à apprêter le repas de ma sœur qui, comme je l'ai dit, revenait tard, et à mettre les enfants au lit, après avoir donné un bain à chacun. Pendant tout ce temps, mon beau-frère était tranquillement collé à son ordi-nateur ou regardait la télévision. Le seul service qu'il me ren-dait, c'était de jeter un coup d'œil sur les deux gosses pendant mes voyages au sous-sol pour la lessive. J'ai vite commencé à ressentir l'impression d'avoir échoué dans un trou noir. Le même sentiment de désespoir que celui qui m'habitait nuit et jour pendant la rébellion.

Cette impression d'échec était exacerbée par le fait que, étant venue pour rester – car il était hors de question pour moi de retourner dans cet enfer du Congo –, j'attendais vainement que ceux qui m'avaient recueillie commencent des démarches pour mes papiers auprès des services d'immigration améri-cains. J'écoutais avec envie les histoires des cas régularisés pour des gens qui avaient débarqué ici sans avoir vécu l'enfer que je venais de vivre, tandis que moi, j'étais transformée en domestique par ma propre sœur. Domestique non rémunérée par-dessus le marché. J'avais déjà entendu des histoires d'esclavage de filles que l'on amenait en Europe en leur faisant miroiter le mythique paradis. J'avais aussi vu le film *La Noire de…* d'Ousmane Sembène. Mais jamais je n'aurais pensé que cela m'arriverait à moi, chez ma propre sœur.

Le vase a débordé lorsque, trois mois après mon arrivée, j'ai appris que ma sœur était enceinte. Je l'ai appris de la bouche même de son mari, qui ne s'adressait d'ailleurs pas à moi. Il taquinait sa femme. Comme ça, tout bêtement, un matin où ils avaient le temps de prendre ensemble le petit déjeuner que je servais, je l'ai entendu dire : « Mona s'est permis de tomber enceinte parce que sa sœur est arrivée. » Un coup d'œil rapide au visage de ma sœur m'a assuré que le roi de la maison n'était pas en train de blaguer. Je suis montée dans les toilettes et j'ai pleuré pendant une bonne quinzaine de minutes. L'égoïsme est aveugle : le couple n'a même pas remarqué mon air assombri et mes yeux rougis, ils ont continué à échanger des blagues sur leur futur cinquième enfant. J'ai continué à pleurer toute la journée dès que je pouvais me trouver seule, aux toilettes, dans la chambre ou à la buanderie. C'est le lendemain que j'ai décidé de me suicider.

C'était un samedi chaud de fin juillet. Un de ces week-ends où toute la famille était à la maison. L'habitation de ma sœur n'était séparée de la rivière Merrimack que par une route à grande circulation. J'allais fréquemment faire de la marche le long de la rivière. Je les ai informés que je sortais. S'ils avaient fait attention – mais on ne faisait jamais attention à moi –, ils auraient remarqué que je m'étais habillée exactement comme je l'étais le jour de mon arrivée chez eux, et que ma promenade allait se faire bien tard, car le soleil d'été venait de se coucher. J'ai traversé la route en provoquant des coups de Klaxon, car je me fichais éperdument du flot de voitures à ce moment-là. J'ai longtemps longé la rivière à la recherche d'un endroit parfait. Au niveau de Manchester, la rivière Merrimack a un parcours fort irrégulier. Ses eaux vert foncé languissent à un endroit, entrent en furie à un autre. La rivière fait une courbe ici, s'ouvre en un vaste bassin là. Je marchais le long de l'un de ces bassins, en face de la maison de ma sœur. Dans des circonstances normales, c'était fort divertissant : à bord de leurs bateaux à moteur, des pêcheurs à la ligne me surprenaient en remettant à l'eau leurs prises, et me faisaient penser à ceux qui, là-bas, sous les balles, mangeaient des racines ; des amoureux fricotaient les pieds dans l'eau, indifférents aux regards réprobateurs ou jaloux ; des canards, toujours nombreux et sûrs de leur vieillesse, me rappelaient, eux aussi, les racines et les balles... Tout cela me faisait également goûter à la liberté, à la paix, à l'émerveillement de m'entendre fréquemment murmurer : « C'est donc ça, vivre ! » Pénible contraste avec le Congo que je venais de quitter, avec l'infernale angoisse de vivre au jour le jour, en jouant à cache-cache avec la mort. Oui, depuis mon arrivée, il y avait de cela trois mois, je regardais ces pêcheurs, ces amoureux, ces canards en me disant chaque fois : « Voici des êtres qui vraiment peuvent s'amuser avec les poissons, ou se baigner en se becquetant, ou s'embrasser, ou même dormir, vraiment dormir, vivre, en somme, centrés complètement sur ce qu'ils font, sûrs qu'ils sont du fait que, là dehors, le système fonctionne. » Je me rendais compte que depuis ma naissance, je n'avais jamais connu ce genre de paix, que je n'avais jamais vécu. C'est sur ces sentiments positifs que je venais me réconforter, en m'échappant chaque soir de la prison où j'avais échoué.

Mais ce soir-là, tous ces sentiments paisibles s'étaient volatilisés. Tout comme les pêcheurs et leurs hors-bords ; tout comme les amoureux et les canards. Il n'y avait que l'eau verdâtre, qui m'appelait, qui me disait : « Vas-y, ce ne sera qu'une question de minutes. » Il faisait déjà nuit. Il devait être vingt-deux heures au moins. Combien de temps suis-je restée là, à aller et venir ? Je l'ignore. Devant moi, une espèce de pont naturel de pierres entrait dans l'eau sur une dizaine de mètres et permettait aux promeneurs et à ceux qui ne savent pas nager comme moi de s'approcher du lit de la rivière. Je m'étais arrêtée derrière un bosquet. Il faisait froid. Un petit vent frais s'était levé et créait de petites vagues dont le clapotement me faisait penser à un tam-tam funèbre. Je me suis déchaussée, puis je me suis engagée sur le petit pont en marchant prudemment sur les pierres mouillées par les vagues. Il ne fallait surtout pas glisser et perdre pied à mi-chemin. Car cela m'aurait amenée à reconsidérer mon acte et probablement à changer d'avis. J'ai avancé jusqu'au bout et me suis arrêtée sur la dernière pierre. Elle était grande, plate et polie. « Voici mon tremplin de la mort. » Devant moi, les eaux du Merrimack maintenant lourdes et compactes comme du plomb fondu s'offraient à moi. J'ai tendu les bras en croix. J'ai regardé le ciel et me suis mise à compter jusqu'à dix. J'en étais à sept lorsqu'une voix est partie de là où j'avais laissé mes chaussures. « *Don't do it !* », a dit la voix (Ne fais pas ça !) « *Don't do it, it's not worth it !* » a-t-elle répété. « Ne fais pas ça, cela n'en vaut pas la peine ! »

C'était une femme. Une policière. Uniforme complet, blanc, sifflet pendant sur la poitrine au bout d'une chaîne, revolver dans son étui sur le côté droit. Elle m'a fait un signe gracieux de la main, pour me demander de la rejoindre. Quand je suis revenue, elle s'est approchée et, sans me toucher, m'a demandé si j'allais bien. J'ai fait oui de la tête. Elle m'a demandé où j'habitais et a voulu me raccompagner. J'ai dit que ce n'était rien.

J'ai ramassé mes chaussures et je suis partie en courant. Et puis quelque chose d'inexplicable s'est passé. Dans ma course, je me suis retournée une première fois, elle était toujours là, à me regarder, les bras croisés. Quelques mètres plus loin, peu avant de monter vers la grand-route, je me suis retournée encore... pas de policière ! Cela m'a arrêtée net, interdite. Sur ce tronçon de la rive sablonneuse de la Merrimack, il n'y avait qu'un seul accès vers la route, celui devant lequel je me trouvais. Le reste était clôturé. La belle policière semblait s'être volatilisée ! En des circonstances normales, ce fait m'aurait terrifiée. Mais j'étais une épave sur le plan émotionnel. J'ai haussé les épaules et repris ma course. Arrivée devant chez ma sœur, je me suis assise sur les marches de l'escalier de sa porte d'entrée. L'image du jeune *kadogo* ougandais mourant, intestins dehors, m'assaillait. Celle de ma mère a suivi... Et si la mystérieuse policière, c'était ma mère venue m'empêcher de faire une bêtise ?...

Je ne l'ai jamais vue, ma mère. Elle m'a quittée alors que je n'avais que cinq ans. Aujourd'hui il n'y a pas de photo d'elle. Même pas une photo de passeport. En tout cas je n'ai pas de doute : ou c'était elle, la mystérieuse policière du bord de la rivière Merrimack, ou c'est elle qui me l'avait envoyée. C'est elle encore, j'en suis persuadée, qui m'a évité le deuxième suicide il y a trois jours.

— Ta mère est morte quand tu avais cinq ans ?

— Non, on l'a chassée en l'obligeant à laisser les enfants.

— C'est ton père qui l'a chassée ?

— Je déteste mon père.

— Pourquoi a-t-il chassé ta mère ?

— Ce n'est pas lui qui a chassé ma mère. Les membres de sa famille l'ont fait.

— Je ne comprends pas.

— Le salaud venait de mourir en laissant cinq femmes et vingt-deux enfants. Il épouse cinq femmes, puis il leur fait faire vingt-deux enfants, tu te rends compte ? D'ailleurs, à mon avis, le fornicateur n'avait aucune intention d'arrêter.

— Tu le détestes parce qu'on a chassé ta mère ou à cause du nombre des femmes et des enfants ?

— Les deux. Mais surtout parce que je suis dans toute cette merde à cause de lui. Je n'ai pas demandé à naître.

— Tu t'en es rendu compte, quand ta sœur Mona t'a fait vivre ce que tu viens de décrire ?

— Toute ma vie a été de la merde. Par exemple, ce que ma sœur et son mari m'ont fait vivre chez eux m'a donné une preuve que ce calvaire ne s'arrêtera pas. La preuve que je me trompais en croyant que ce que j'ai vécu dans la guerre était le fond de ce trou. La preuve que je me faisais des illusions dans cet avion, en me disant que l'enfer était fini, que j'avais vu le centre du foyer de Lucifer, et que Dieu me laissait enfin entrer au paradis pour me reposer.

— Qu'est-ce que tu as vécu dans la guerre ?

— Je préfère arrêter ici pour aujourd'hui, s'il te plaît.

— Quand est-ce que tu pourras me parler de cette histoire de manière ouverte ? Tu veux bien que je l'écrive, non ?

— Je ne sais pas. Ce n'est pas facile, tu sais ! »

Je suis née à Zingu, un petit village au cœur de la forêt équatoriale, dans le Buréga, au Sud Kivu, à l'est de la République démocratique du Congo. Comme ça, tout bêtement, je suis née là. Pour faire partie d'un troupeau de vingt-deux enfants. D'un père et d'une mère que je ne connaîtrai jamais. Elle, c'est mon obsession, depuis l'âge où l'on m'a parlé d'elle. Lui, je ne veux pas le voir. Mieux, j'aimerais bien aller le tirer de sa tombe pour lui dire deux mots, ou même trois, sur ce qu'il m'a fait. Sur ce qu'il nous a fait, à ma mère, à moi, à mes frères et sœurs.

Il paraît qu'il était riche, mon père. Riche : le mot me fait rire, car chacun a sa définition de la richesse. J'ai dû grandir très vite. Comme tous les enfants sans parents, je suppose. J'ai passé mes premiers neuf ans au village. Les riches, j'en ai vu de toutes sortes. J'ai vu des hommes riches de deux chèvres, qui tous les soirs les pourchassaient à travers le village en criant des mots grossiers, mécontents des feintes que les chèvres en mal de liberté leur faisaient pour éviter d'aller se faire enfermer dans l'étable exiguë de roseaux. Ils répétaient ce rituel comique chaque soir après les travaux champêtres, puis, ayant enfermé les chèvres, ils allaient se coucher avec dans le ventre un repas sans protéines, fait de légumes verts et de *fufu*. J'ai vu des hommes riches d'un magasin de « commerce général », avec deux ou trois étagères en bois, garnies d'une dizaine de boîtes de sardines, de barres de savon coupées en petits bouts et d'un fût de pétrole vendu par petites doses dans une boîte de tomate (furieusement battue au cul pour maximaliser le profit), de vieux bonbons, et des fournitures scolaires pour écoliers. Ces riches-là étaient les plus riches. Tous les soirs, ils allaient se soûler à la bière de banane appelée *kasikisi*. Puis, alors que tout le monde dormait dans son lit, ils rentraient chez eux en titubant, criant dans les oreilles sans défense des paisibles dormeurs : « Vous avez de l'argent ? C'est nous les riches ! » Ramazani, mon père était de cette dernière catégorie de riches, moins l'alcool. Un peu plus riche qu'eux, il possédait deux fermes et deux ou trois de ces magasins. Il avait travaillé dans la ferme d'un Grec et avait acquis de cette expérience son fonds de commerce ainsi que le savoir dans la gestion de telles affaires. Plus « riche » parmi les « riches », il pouvait se permettre une vie de « luxe ». Son statut de « riche » lui donnait certains droits inaliénables. Par exemple épouser cinq femmes et les engrosser chaque année. Oh, non, il ne les engrossait pas par calcul. Il les montait comme le coq dominant de la basse-cour monte ses poules. Il faisait son travail d'homme. Et comme résultat, nous naissions. Comme des pourceaux. Tout le monde mangeait bien dans sa maison. Ses femmes nourries, habillées chacune avec un ou deux pagnes, rivalisaient pour les faveurs du roi. Nous étions à plus de deux cents kilomètres au sud de Bukavu, la capitale de la province du Kivu. Pour aller chercher la marchandise, Ramazani prenait le transport public. C'est-à-dire le camion de quelque autre riche, dans lequel se mêlaient êtres humains, moutons, chèvres, feuilles et racines de manioc. Les premiers étaient les plus hauts perchés. L'Est du Congo est un pays montagneux. Les camions doivent être pilotés par de vrais kamikazes. Chaque aller-retour accompli est un exploit et l'on rend grâce à Mungu, le Dieu de nos ancêtres. Mais le jour arrive toujours où, Mungu ennuyé, se tape une sieste et – boum ! – les génies des ravins s'occupent des voyageurs.

Ce matin-là donc, mon père dit au revoir à ses épouses en leur demandant d'être sages. Il est endimanché et, son gros sac à l'épaule, ils s'en va prendre un de ces gros camions, suivi comme son ombre par Machozi, la plus jeune de ses épouses. Il voyageait toujours avec elle. L'ironie arrange bien les choses : cette dernière acquisition était stérile. Sans enfants, elle était donc la compagne idéale pour s'occuper des petits désirs du roi lors de ses déplacements. Ironique aussi le fait que la première et la dernière des femmes de mon père s'appelaient toutes deux Machozi. Ce nom swahili veut dire « larmes ». Or ce jour-là donc, le camion qui transportait Ramazani et Machozi dérapa. Chèvres et feuilles de manioc, racines de manioc et bananes plantains, passagères et passagers, Machozi et Ramazani, les uns sur les autres, tous s'écrasèrent dans un ravin, faisant la triste expérience d'un pays sans routes ni lois de transport. Mon père y perdit la vie. Machozi s'en tira avec un œil en moins. Quand on la retrouva sous le camion, elle vacillait entre la vie et la mort, le sac d'argent de son mari serré contre sa poitrine, intact. J'imagine d'ici les quatre autres épouses et leurs progénitures se jetant dans la poussière en hurlant. Les quatre épouses surtout. Je suis presque sûre que ce n'est pas la perte de leur grand amour qui les faisait pleurer, mais plutôt la tragique réalité de se retrouver brusquement sans soutien aucun. Comme un pagayeur ne sachant pas nager qui aurait perdu sa pirogue en plein milieu d'un fleuve turbulent, infesté de méchants sauriens.

J'avais cinq ans environ. Ce qui nous arriva après les funérailles de mon père, je ne l'apprendrai que bien plus tard, vers l'âge de neuf ans, lorsque l'une de mes sœurs, jugeant le moment venu, me raconta la tragédie qui eut lieu le jour du partage des biens du grand polygame. Elle me la raconta avec force détails, au point qu'aujourd'hui je revois constamment la scène avec une atroce clarté. Comme si je l'avais vécue adulte. Je me la décris avec des yeux de peintre. Cette histoire m'a depuis mise en conflit direct avec mon père. Quant à moi, autant dire que le drame qui m'a amenée jusqu'ici avait déjà commencé au jour de ma naissance.

*

Les cousins de mon père venaient de Kolula, son village d'origine. Ils arrivèrent le dos voûté, l'air grave, les joues rabotées par la pauvreté et les yeux gourmands. Six au total. Ils se mirent l'un à côté de l'autre sur des chaises alignées, en se saluant de la tête. Dès qu'ils furent assis, ils commencèrent à se murmurer à l'oreille des mots du pays, comme des larrons montant un plan. Leurs pantalons rapiécés et leurs chemises délavées finissaient de mettre la dernière touche à ce tableau du congrès d'Ali Baba. Ils se disaient frères de mon père. Le concept de *frères*, nous le savons tous, cela englobe tout. Cousins et cousins des cousins. Cousin manches courtes et cousin manches longues. Les manches longues spécialement se raccourcissent au deuil d'un riche. Plus le mort a de biens, plus les manches s'écourtent du jour au lendemain, au point de devenir des maillots de corps. Tout le monde fait du zèle, tout le monde devient l'ancien confident le plus écouté du défunt. Et comme l'autre ne peut pas démentir…

Tout autour de ce jury-juge, nous, le troupeau de Ramazani. Bouches cousues. De Tina, l'aînée, vingt-cinq ans, et son puîné, Pierre, vingt-quatre ans, au bébé de deux mois qui tète sur le sein exposé de ma mère, nous observons tous, impuissants, l'air perdu, totalement à la merci des redoutables « frères » du mort. Les vrais propriétaires de ses biens. La culture ! En face de ceux-ci, assises à même le sol, dos au mur comme pour s'y coller à vie, les quatre veuves. Il manque la cinquième, l'autre Machozi. Elle lutte toujours entre la vie et la mort quelque part dans un centre médical. Nul ne pensera à elle. Et, comme elle n'a pas d'enfants, elle a une valeur zéro. Même tout cet argent qu'elle a pu protéger, elle n'en verra pas un centime.

On peut facilement deviner ce que se dit chacune de ces quatre épouses, blottie là, comme un oiseau pris au piège :

« Qu'est-ce qu'ils vont décider sur mon cas ? Me laisseront-ils au moins mes enfants ? Dans ce cas, ô *Mungu Baba*, Dieu le Père, me donneront-ils un peu d'argent pour que je les élève en faisant au moins un petit commerce ? Et si l'on me force à épouser l'un d'eux ? *Mungu wangu*, mon Dieu, j'espère que ce crasseux de Matope ne me choisira pas moi… Et s'ils ne me donnent rien ? *Mungu wangu*, qu'allons-nous devenir, mes gosses et moi ? »

Ça bouge. Cinq des six hommes se sont levés et ont formé un demi-cercle autour de Matope, justement. C'est le plus vieux. Et le plus sale. Il a les pieds gonflés par un début d'éléphantiasis, investis par des colonies de chiques qui empestent l'air, les transformant en une piste d'atterrissage pour les mouches qui les prennent d'assaut par vagues successives. Matope est le cousin le mieux connu dans la famille à cause de ses fréquentes visites du vivant de mon père. Visites que tout le monde souhaitait courtes à cause de l'odeur de ses pieds, mais qu'il prolongeait à loisir tant que la dernière bière n'avait pas été décapsulée. Il était difficile de dire exactement son âge, puisque la dure vie du village fait vieillir les gens prématurément. Le conciliabule a pris une bonne dizaine de minutes. Tout le monde s'est assis, puis Matope est venu se mettre debout au centre, entre ses congénères et les veuves. Celles-ci ont à présent l'air manifestement terrifiées. Comme des condamnées à l'attente de leur sentence.

« Un homme qui fait des enfants ne meurt pas, fait Matope en guise d'introduction. Notre frère bien-aimé nous a laissé une richesse encore plus durable : vingt-deux enfants ! Ce Ramazani-là, c'était un homme, un vrai. Nul ne peut le contester ! Nous avons trouvé sur la jeune Machozi tout l'argent qu'amenait notre frère pour aller acheter les marchandises. Cet argent, nous le confierons à son fils Pierre. Car en tant que seul homme adulte de la famille, il saura venir en aide à ses sœurs et à ses jeunes frères. La maison de Ramazani, ses fermes, ses boutiques et tout leur contenu nous reviennent, à nous, membres de sa famille initiale, qui venons de perdre à jamais le seul arbre fruitier du clan. Quant à vous femmes, nous ne vous retiendrons pas. Chacun de nous ici présent a au moins six femmes déjà. Moi-même j'en ai huit. Le dos du crocodile est confortable, mais quand commence la queue, il n'y a plus de place pour d'autres passagers. Vous rentrerez donc dans vos familles respectives. Tous les enfants restent. Seules, celles parmi vous qui ont un bébé de moins de deux ans l'emmèneront avec elles. Vous êtes libres, mesdames. Ne prenez que ce qui vous appartient. Je vous bénis, *Mungu awe naniye ! Mungu awe naniye !* Puisse Dieu vous protéger ! »

Elles se sont levées une à une, puis sont allées dans leurs chambres respectives ramasser le peu de vêtements, les mêmes pour toutes, que le roi leur a achetés. On entend de petits pleurs étouffés. Ce n'est pas le roi qu'elles pleurent. Non, on vient de leur arracher une partie d'elles-mêmes. Et elles n'y peuvent rien. Quelques petites phrases sorties idiotement de la bouche tartreuse de Matope ont suffi pour les jeter dehors, sans leurs enfants et bredouilles, après toute une vie de travail sans salaire. La plupart pleurent aussi parce que, honnêtement, elles n'ont pas de famille capable de les accueillir.

Du jour au lendemain, les voilà livrées à la rue. Matope, lui, salive déjà en pensant aux magasins cadenassés de Ramazani. Toutes ces femmes le savent. Elles se disent qu'il les a lorgnés toute sa vie, en souhaitant peut-être la mort de son frère ?... Elles savent que dès qu'il aura expédié tout ce monde indésirable, ce sera la fête. Ses huit épouses vont l'admirer, ça c'est sûr. Elles, elles espèrent seulement, pour les huit coépouses, que le vieillard s'occupera au moins de ses pieds infects. Et de ses dents. « Le bien mal acquis, à ce qu'il semble, profite bien. Espérons-le », se disent-elles avec cynisme. Mais au fond elles savent que l'acquéreur n'a jamais géré quoi que ce soit dans sa vie ; que ce magasin ne tiendra pas longtemps.

On nous distribua, nous les gosses, à notre frère et à celles de nos sœurs qui étaient mariées. Disons plutôt qu'on nous imposa à eux. Trois de nos sœurs et un frère habitaient en ville, à Bukavu : Tina, l'aînée de la famille, Pierre, le deuxième, Mathie et Mareine. Celle-ci était jeune et célibataire. On la laissa tranquille. Les trois premiers reçurent chacun au moins trois enfants. On les leur donna sans se préoccuper outre mesure de savoir si leurs conjoints étaient d'accord ou si chez eux il y avait de la place. Les pauvres eurent tout d'un coup leur famille doublée ou triplée en effectif. Beaucoup d'enfants partirent donc pour la ville. Moi et Moza, une demi-sœur de cinq ans comme moi, on nous confia à Zaza, qui était mariée dans un village voisin appelé Mapimo. Il se situait à une quinzaine de kilomètres de Zingu, le village où nous étions nés. « À toi dont les sorciers ont mangé l'enfant, on te confie ces belles petites fillettes de cinq ans chacune, tu as de la chance ! » dit Matope en souriant, toutes dents pourries dehors. En effet, Zaza venait de faire une fausse couche, comme je l'apprendrai après. Elle et son mari nous adoptèrent immédiatement, si bien que nous la prîmes bien vite pour notre mère biologique. En plus de Zaza et de Tunza, son mari, il y avait Régine, la fille que ce dernier avait eue avec une première épouse et qu'il avait cachée jusqu'à un mois avant d'épouser Zaza. Régine était une jeune femme d'environ quinze ans, c'est-à-dire, pour le village, l'âge du mariage. Tous les trois vivaient alors en harmonie.

Tunza, le mari de Zaza était commerçant. Il avait une boutique qui, dans un premier temps, fut en fait une chambre de la maison. Il avait aménagé une grande fenêtre qui donnait sur la rue. Les clients n'entraient pas dans la boutique. Ils achetaient du dehors en commandant les marchandises par la fenêtre. C'était une pratique courante chez les petits commerçants de la région. Zaza et son mari vendaient des biens de première nécessité : du pétrole pour lampes tempêtes, du sel, du sucre et du savon. Ils vendaient aussi des haricots qui, chez les Warega, étaient plutôt un légume de luxe. En effet, les haricots venaient de Bukavu et pour qu'ils arrivent à Mapimo, il fallait aller les chercher à Kamituga, à environ soixante kilomètres. En tout cas, ce choix bien calculé de marchandises fit que ses affaires furent prospères, assez rapidement. Bientôt la boutique dans sa maison en pisé devint trop petite. Il fit construire un grand magasin en planches un peu à l'écart de la maison principale.

*

J'ai vécu quatre ans avec Zaza, en la prenant pour ma mère biologique. Moza mourut quelques mois après notre arrivée chez Zaza. Évidemment mes souvenirs de l'incident sont fort vagues. Je me rappelle jouant avec elle dans le sable un jour, et puis le lendemain, elle avait disparu pour de bon. Pour me protéger, on ne me montra pas le corps de Moza. J'apprendrai peu après qu'elle était morte brusquement. Comme vous le savez, chez nous on meurt tout le temps « subitement » ou de « mort naturelle », et c'est la fin de l'histoire d'une vie. Moza, disais-je, n'avait que cinq ans et elle mourut « brusquement ». Je me rappelle encore la peine dans mon petit cœur de cinq ans, souffrant en silence. Cette peine en réveillait temporairement une autre, plus vague, plus indéfinie : celle qui m'avait étreint la poitrine le jour où l'on m'avait amenée à Mapimo, chez Zaza.

Je me souviens encore de la tristesse que je ressentis pendant des mois à jouer seule dans la maison après la disparition de Moza. Je me souviens aussi de la confusion qu'avait créée en moi la réponse de Zaza lorsque j'avais demandé où était Moza. « Elle est morte, elle est partie au ciel rejoindre papa. » Évidemment, pour moi, l'idée de la mort ne voulait rien dire. Ce qui disait beaucoup, c'était cette peine que je n'arrivais pas à localiser, qui m'étreignait à la fois la poitrine, la gorge, le ventre et le front. Le ventre surtout. Comme aux premiers jours où j'étais arrivée chez Zaza, je m'étais beaucoup parlé, à moi-même, pendant mes jeux solitaires. Aujourd'hui, je me rends compte que beaucoup d'adultes ne se doutent pas de la capacité d'observation des petits enfants. Moins encore des dégâts que causent en eux des incidents malheureux tels qu'être séparé des parents, la mort des êtres proches ou encore les abus. En Afrique où, nous le savons tous, l'enfant n'a pas le droit de parler aux adultes – à moins que permission soit donnée – les adultes devraient se méfier du silence des enfants. Ma sœur Zaza n'a pas beaucoup étudié, mais c'est une vraie psychologue. Par intuition. Après ce « départ » de Moza, elle déversa sur moi de l'amour comme seule une bonne mère sait en déverser. À y penser rétrospectivement, maintenant que j'ai tous les éléments qui me manquaient alors, je comprends que Zaza a joué parfaitement son rôle de mère à mon égard. Mais une mère qui avait peur de perdre la seule fille qui lui restait, après en avoir perdu deux. J'ai appris aussi plus tard pourquoi elle ne pouvait plus avoir d'enfants. Lors de sa fausse couche, le médecin l'avait mal soignée. Une infection subséquente avait nécessité d'enlever l'utérus. Quoi qu'il en soit, cet amour maternel de Zaza a fait que pendant mes quatre années chez elle, je ne me suis jamais doutée qu'elle n'était pas ma mère, mais plutôt ma sœur. Jamais elle ne cria sur moi. Jamais elle ne me battit. Sauf une fois.

Sa mère venait de mourir dans le village où elle s'était réfugiée après son renvoi du toit de l'époux défunt. Je me souviens très bien de cette période. J'avais neuf ans. Deux malheurs s'étaient tour à tour abattus sur Zaza. D'abord son mari avait pris une deuxième femme. Peu avant l'arrivée de la coépouse, j'avais entendu Zaza discuter avec son mari dans leur chambre. Je n'entendais pas ce que disait Zaza à voix basse, mais j'entendais bien son mari crier : « Tu veux que je quitte ce monde sans laisser de fils ! Même Sarah a permis à Abraham d'aller chercher un enfant ailleurs ! » Là-dessus, j'entendis clairement Zaza répliquer : « Excuse-moi, mais tu devrais aller relire ta Bible. » Deux semaines après la coépouse arriva. Elle occupa la « chambre des parents ». Zaza emménagea dans la chambre où Régine et moi dormions. Régine, quant à elle, se mit à dormir dans l'ancienne boutique que l'on avait transformée en dépôt. Le visage de Zaza s'était assombri, mais son amour et ses attentions à mon égard restèrent constants. Malheureusement, sa mère mourut deux mois après le coup dur du mariage.

Zaza, qui devait aller assister aux funérailles, voulait me laisser, comme elle le faisait depuis un temps, sous la garde de Régine et de sa coépouse. Mais moi, je refusai catégoriquement de rester. J'implorai qu'elle ne me laisse pas, qu'elle m'emmène avec elle. Je tapai des pieds, pleurai et m'accrochai désespérément à ses vêtements. Excédée, elle me donna une fessée, de sa main ouverte. Je me tus soudain, surprise par cet acte dont je croyais Zaza tout à fait incapable. Je m'essuyai les yeux avec mes poignets et la dévisageai comme pour lui demander ce qu'elle avait fait, *ma* Zaza. Bizarrement, je vis le même étonnement dans ses yeux. Je tournai le dos et docilement, je me dirigeai vers le seuil de la porte où, debout, les deux femmes, Régine et la coépouse, observaient la scène comme un spectacle. Zaza s'éloigna d'un pas rapide, sans se retourner. Je ne lui ai jamais avoué pourquoi j'avais tant pleuré ce jour-là.

Comme je l'ai dit, ce n'était pas la première fois qu'elle me laissait là. Souvent, c'était lorsqu'elle allait à Kamituga avec un groupe de porteurs pour chercher la marchandise du magasin, qu'ils ramenaient à pied sur le dos ou sur la tête. La dernière fois qu'elle m'avait laissée avec ces deux femmes – Régine et la deuxième épouse –, celles-ci m'avaient emmenée aux champs et, au retour, elles avaient chargé mon panier de manioc et de bananes plantains en si grande quantité que j'avais eu du mal à me mettre debout. J'avais huit ans et demi. Je leur dis que le panier était trop lourd, mais elles se mirent à me gronder, en me traitant de paresseuse. J'ai essayé encore de porter le panier, mais c'était impossible. La coépouse de Zaza a voulu me fouetter. J'ai fait pipi dans mes vêtements devant elles. C'est alors seulement qu'elles ont diminué le contenu de mon panier. Je crois que Zaza, en me laissant de force avec ces deux méchantes femmes, avait senti quelque chose d'étrange dans mon attitude : le soir même, une femme – sans doute quelque cousine de mon père – est venue de Kolula me chercher pour m'emmener chez elle. Une vieille femme bien gentille qui vivait seule. Elle s'occupa de moi avec beaucoup de douceur jusqu'au retour de Zaza. Dès lors, Zaza ne me laissa plus qu'avec cette femme lorsqu'elle devait s'absenter.

Mais, pour revenir à l'arrivée de la coépouse, je fus surprise de voir un jour arriver chez nous un groupe de gens qui chantaient en frappant des mains et des pieds. Ils entouraient une jeune femme qui portait sa valise sur la tête. Ils burent beaucoup en dansant au son du tam-tam, puis s'en allèrent en « oubliant » la jeune femme chez nous.

Dans un premier temps cela m'amusa. Puis j'en fus profondément troublée. La première chose qui me frappa, ce fut de voir que Zaza était la seule personne qui ne prenait pas part à la fête et restait dans son coin avec des larmes sur les joues. J'ai alors détesté cette fête et cette nouvelle venue qui faisait pleurer celle que j'appelais ma mère. La deuxième chose qui me frappa, fut de voir que Zaza et la nouvelle venue s'étaient mises à s'habiller de la même façon. Je comprendrais plus tard que les hommes polygames, du moins ceux des villages, non seulement choisissent les vêtements pour leurs épouses sans demander leur avis, mais qu'ils achètent la même chose pour toutes leurs épouses. La logique dans leur tête de polygames, apprendrai-je, est qu'ainsi ils coupent court à tout conflit dû aux comparaisons. Quelle qu'en soit la vraie raison, cette pratique qui faisait que Zaza et sa coépouse ressemblaient à des camarades d'école, me donnait mal au ventre.

Au cours de cette première année, Zaza pleura beaucoup. Elle le faisait discrètement, mais elle ne pouvait pas me le cacher, à moi qui étais toujours à ses côtés. Sa décision de quitter cet homme vint, à mon grand plaisir, au moment même où, dans ma petite tête d'enfant de neuf ans, je commençais à me demander si ma fantastique Zaza était aussi stupide que cette autre idiote qu'on avait amenée chez nous comme une chèvre au marché. Tout ce temps que je la vis pleurer, je priais secrètement que Dieu sorte Zaza de ce mariage. Puis un jour j'ai entendu des cris au salon. Voulant savoir ce qui se passait, je suis sortie de notre chambre et j'ai trouvé Zaza et sa coépouse agrippées, chacune poussant la tête de l'autre en arrière par le menton. Et, pour les séparer, leur mari s'était muni de sa ceinture et fouettait furieusement les deux femmes comme des gosses.

« Nous partons pour Bukavu demain. Viens emballer tes affaires », me dit Zaza d'une voix tellement calme qu'elle me surprit, étant donné ce qui venait de se passer. La joie m'envahit. Je mis mes deux ou trois robes dans un sac en chantant.

*

Bukavu était alors, la capitale de la province du Kivu. Nous arrivâmes très tôt le matin, après un long voyage nocturne dans un camion. J'avais la bouche ouverte d'émerveillement. Je n'avais jamais vu une ville auparavant. Les lampadaires des rues étaient encore allumés. Je ne connaissais les voitures que par les photos des magazines et des journaux. Maintenant je les voyais de mes propres yeux, qui allaient et venaient en files ininterrompues. Ma sœur me dit que ça, ce n'était encore rien, que dans la journée il y en aurait des centaines et des centaines. Je souhaitai entrer dans l'une d'elle pour aller à notre destination, mais Zaza me dit qu'elles coûtaient trop cher et que, de toute façon, nous étions très près de chez « bi'Tina », celle chez qui nous allions loger. Je compris que Tina était la sœur de Zaza parce qu'elle l'appelait « *bibi* Tina » ou « *dada* Tina ». En swahili, *bibi* veut dire « dame » et *dada* veut dire « sœur ». Ainsi par respect, le terme « *bi'* » (*bibi*) ou « *da'* » (*dada*) doit précéder le nom de chaque sœur plus âgée. Zaza avait profité du long voyage pour tout me dire sur notre famille. Je savais donc désormais qu'elle était ma sœur et non ma mère. Je crois qu'elle avait aussi voulu me préparer à cette rentrée dans le cercle familial.

Nous arrivâmes chez bi'Tina vers huit heures, après une demi-heure de marche. La nouvelle de notre arrivée nous avait précédées. Plusieurs autres *bibi* nous y attendaient. On nous accueillit comme les rescapées d'une guerre. Je compris que toute notre famille, que je ne connaissais pas, vivait là. Le sentiment que nous n'étions pas seules au monde, Zaza et moi, me remplit de joie. Je passai la journée en étant au centre de l'attention de tous. Pour une fois, l'absence de Zaza ne m'effrayait pas. Un tas de gamins et de gamines de mon âge me menèrent dans les rues pour me faire découvrir le quartier, et plus particulièrement deux autres maisons familiales. La première maison se trouvait à plus ou moins quinze minutes de celle de bi'Tina. Elle appartenait à celui que certains des enfants qui m'entouraient appelaient *kaka* Pierre et beaucoup d'autres *baba* tout simplement, sans ajouter Pierre. *Kaka*, c'est du swahili pour « grand frère » et *baba*, c'est « papa ». Pierre était, comme je l'apprendrais plus tard, le premier fils de la famille. Celui à qui Matope avait donné l'argent trouvé sur Machozi après la mort de notre père. Il venait, vous le savez déjà, après Tina. Mais chez celle-ci comme chez Pierre – et pour mes autres sœurs, d'ailleurs – la confusion était totale quant au titre d'appellation des maîtres de logis : ils étaient *baba* et *mama* pour leurs propres enfants et pour leurs frères et sœurs de moins de dix ans. Je constatai en effet que nos aînés de Bukavu avaient choisi d'attendre un âge plus avancé pour raconter aux jeunes Ramazani l'histoire de ce qui s'était passé à Zingu. Moi, qui venais d'« entrer dans le secret », je m'étais vite mise aux conventionnels *bibi*, pour toutes mes grandes sœurs, et *kaka*, pour Pierre.

La dernière maison était, à ma grande surprise, quelques parcelles plus loin dans la même rue que celle de bi'Tina. Je me dis que logiquement mes sœurs et cousins auraient dû commencer par celle-là. Cependant tout s'expliqua de soi-même. D'abord je me rendis compte en y arrivant que les enfants n'avaient pas pris d'assaut la maison comme cela avait été le cas chez bi'Tina et chez Kaka Pierre. « C'est la maison de Barbe bleue, le mari de bi'Mathie, m'expliqua une de mes cousines. Son mari est très méchant, nous ne l'aimons pas. » Nous restâmes dans la cour et jouâmes pendant une demi-heure à peu près, puis rentrâmes chez bi'Tina. C'était l'heure du déjeuner.

Je n'oublierai jamais ce déjeuner. Nous étions une trentaine de gamins et gamines. On nous installa par terre autour de petites bassines remplies de riz au curry mélangé avec des haricots rouges. Nous mangions par groupes de cinq par bassine. Toutes les *bibi*, mes grandes sœurs, donc, mangeaient la même chose autour de trois grosses bassines. Elles étaient une bonne dizaine. L'ambiance était festive.

Trois hommes arrivèrent presque au même moment. Ils s'installèrent dehors, sous un gros parasol de piscine. C'étaient Pierre, mon frère, un jeune homme d'environ vingt ans qu'on appelait « Tanzanien » – j'apprendrai après qu'il était le fiancé de Gemanie, une autre sœur à moi – et Roger, le redoutable mari de ma sœur Mathie. C'était lui le monsieur Barbe bleue, dont les enfants m'avaient parlé dans la matinée. Barbu, il l'était en effet, mais, bien qu'impressionnante, sa barbe était bien noire. Ce sobriquet singulier m'étonna mais, sur le champ, je n'en demandai pas la signification. La journée était déjà trop émouvante. Pendant longtemps, je l'ai appelé moi aussi Barbe bleue. En secret comme tout le monde, bien sûr. Je n'en comprendrais cependant la signification que deux mois plus tard lorsque à l'école nous lûmes le fameux conte de Charles Perrault.

Deux femmes interrompirent leur déjeuner pour aller servir les trois hommes. Tout le monde mangeait à la main, sauf eux. On les servit dans des assiettes en porcelaine et avec des cuillers et des fourchettes en argent. Dès la fin du repas, notre petit groupe criard reprit les rues. Mes petites camarades de jeu n'en finissaient pas de me faire découvrir les recoins du quartier, plus particulièrement un champ en jachère qui se trouvait derrière l'école de filles. Une école catholique. Il y avait des goyaviers pleins de fruits. Il était interdit d'accès, évidemment. Mais les enfants s'étaient aménagé un trou dans la grille en fil de fer, qu'ils recouvraient soigneusement après « usage » pour éviter qu'on ne le répare. Je les impressionnai avec mes aptitudes de grimpeuse. Et, pour un dessert de goyaves, j'en eus un bien inoubliable dès ce premier jour !

Le soir vint et la réalité me frappa de plein fouet. La réalité d'un drame que je ressentais confusément depuis notre arrivée. En effet, tout au long de nos ébats d'enfants, une question m'était de temps en temps passée par la tête : où dormait tout ce monde dans ces trois maisons qui avaient chacune si peu de chambres ? Ma crainte, c'était que l'on me séparât de Zaza. C'est malheureusement ce qui arriva. « Tu iras passer la nuit chez Mathie », me dit-elle après m'avoir aidée à prendre mon bain. Je priai alors que ce ne fût qu'une séparation temporaire, le temps pour Zaza de trouver une maison pour nous deux. Mais, un mois plus tard, j'étais toujours chez Mathie. À ma question de savoir quand on pourrait à nouveau habiter ensemble, Zaza me dit qu'elle ne savait pas, que l'on n'était plus au village et qu'il allait falloir s'adapter aux nouvelles conditions de vie. Que de toute façon j'étais mieux logée qu'elle car nous n'étions que cinq personnes chez Mathie avec trois chambres, alors qu'eux, chez Tina, ils étaient dix dans une maison de deux chambres. Chez notre grand frère Pierre, c'était pareil : quatorze personnes, dont neuf enfants et cinq adultes, partageaient trois chambres à coucher.

Dès mes premiers jours chez Mathie, je me mis à regretter mon village de Mapimo.

La nourriture d'abord. Au village, nous allions au champ cueillir des feuilles de manioc, des bananes. Nous allions en forêt ramasser les champignons, qui y poussaient en abondance.

Même nous, les enfants, nous allions à la rivière d'à côté pêcher des crevettes. Le riz poussait à profusion et on en avait toujours en stock, ainsi que bien d'autres grains. Quelle ne fut pas ma surprise de constater que tout s'achetait à Bukavu ! Tout, même l'eau. Le riz, une nourriture des plus ordinaires à Mapimo, était ici un luxe que l'on servait avec une attention ridicule. C'est tout juste si l'on n'avait pas recours à un grattoir pour recueillir le moindre grain. Même l'*ugali* – cette pâte de farine de manioc, de maïs ou de sorgho que l'on appelle ailleurs *fufu* – était de l'or en ville. Les haricots, en revanche, étaient ici le repas le plus fréquent. À tel point que j'en vins à être malade, puis je compris pourquoi on en mangeait tant. Ils étaient plus consistants dans l'estomac. En effet, le jour des haricots aux patates douces ou à l'*ugali*, était le seul jour où l'on sentait, en quittant la bassine du repas, que l'on avait réellement mangé. Les autres jours, on avait constamment faim. Une faim chronique que l'on amenait à table et que l'on reprenait avec soi en la quittant. Le jour où on mangeait du poulet ou du poisson, c'était la grande fête. C'était généralement à la fin du mois, lorsque Roger, le mari de Mathie, venait de toucher son salaire du mois. Il était enseignant d'école primaire. Roger adorait manger. À Mapimo, jamais je n'avais vu Tunza, le mari de Zaza, interférer avec la gestion de la nourriture. Roger, lui, contrôlait tout à la cuisine. C'est lui qui mangeait le mieux dans la maison, que la nourriture soit suffisante ou non pour nous tous. Il avait des bols en céramique avec couvercles où l'on gardait sa part de nourriture. Des bols de forme et de couleur bien distinctes. Comme pour s'assurer que nul ne puisse manger la nourriture de Barbe bleue, même par erreur. Avant de servir tout le monde, on remplissait les bols de Roger avec les meilleurs morceaux de poulet ou de poisson. Il arrivait, mangeait seul à table. S'il en restait, on devait bien garder le bol sacré, car Monsieur allait le réclamer plus tard. Il nous arrivait, à nous, enfants, d'aller au lit avec dans le ventre une simple soupe, tandis que le bol de Monsieur Roger était là, plein de viande. Lorsque, pris au travail, Roger n'avait pas pu revenir pour le déjeuner, il voulait voir le soir ses deux parts à sa table : celle de midi et celle du soir.

Manger comme à Mapimo me manquait furieusement. Les poissons ou la viande boucanés préparés dans la sauce au *kokoliko*, une pâte de graines de courge ou de tournesol. Les boules de manioc ou de bananes plantains, la *chikwangue*. Le poisson frais cuit lentement, patiemment à l'étouffée, dans des feuilles sauvages, le *sombe* ou feuilles de manioc pilées et cuites dans la sauce au *kinda-kinda* ou beurre d'arachide, le poulet braisé, le gibier légèrement fumé, gardé dans une grande marmite et dont on pouvait se servir à tout moment, la bouillie onctueuse de soja que l'on prenait généreusement au petit déjeuner… Tous ces souvenirs de mon village renforçaient le sentiment de prison que je ressentais dans la maison de Barbe bleue.

Ma souffrance ensuite, c'était le manque d'affection. Depuis que j'étais chez Roger, j'avais bien compris pourquoi on l'appelait Barbe bleue. L'homme ne souriait jamais, ne parlait que pour aboyer des ordres. J'eus dès le départ la nette impression que pour lui je n'existais pas. Il ne me voyait qu'au moment de me donner des ordres ou de me gronder. Des ordres secs et non répétés. Des remontrances insultantes et humiliantes.

Mon enfance à Mapimo me manquait atrocement. L'affection désintéressée et sincère de Zaza, le respect de son époux, mes petites copines avec qui je gambadais au dehors, avec qui j'allais pêcher des crevettes ou m'ébattre dans le clair ruisseau, avec qui je dansais autour du feu pendant les nuits de clair de lune. Il me manquait les couleurs multiples jetées par le soleil sur la forêt touffue qui entoure le village, les journées toujours animées par les jacassements des *kizegele*, les oiseaux tisserands, qui dans des poses d'acrobates se surpassent dans la construction des nids.

Ce grand contraste entre mes deux vies créait en moi une déchirure qui faisait que ma mère, dont je ne connaissais l'existence que depuis peu, devenait mon seul espoir, une vraie obsession. Je me posais toutes sortes de questions : pourquoi n'est-elle pas revenue me chercher ? Ne m'aime-t-elle pas ? Pourquoi suis-je orpheline de père et de mère si celle-ci est encore en vie ? Où est-elle ? Souffre-t-elle comme moi ? Peut-être qu'à deux nous souffririons moins ? Je regardais souvent la route, spécialement quand s'approchait une inconnue, dans l'espoir que c'était ma mère qui venait me sauver. Mais elle ne venait pas. Et mon enfer ne faisait que commencer.

L'enfer, c'était enfin et surtout l'exploitation. Lorsque ma sœur Mathie avait épousé Roger, celui-ci avait une fille d'un premier mariage qui avait échoué. Elle s'appelait Gisèle. À mon arrivée chez eux, j'appris que Gisèle avait dû, à l'âge de quatorze ans, fuir chez des cousins de sa mère parce que Barbe bleue la battait souvent. J'ai trouvé dans la famille un seul enfant, ma cousine Georgette. Elle avait neuf ans comme moi. Mais j'ai remarqué que tous les travaux de la maison étaient devenus ma responsabilité. Avant de venir habiter chez Mathie, je n'avais jamais fait de lessive ni de grande cuisine, tellement Zaza me protégeait. Chez Mathie, j'étais, sans relâche, sous le commandement de Barbe Bleue : « Coco, viens repasser cette chemise », « Coco, va puiser de l'eau ! », « Coco, ta casserole bout trop lentement, tu ne vois pas ? Va attiser le feu », « Coco, le linge sale s'est accumulé, voici de l'argent, va vite acheter du savon et lave-moi tout ça », « Coco, il y a quelque chose qui cloche dans ta tête ! Tu as encore oublié d'essuyer les lignes avant de pendre le linge ; regarde, ma chemise blanche est toute marquée ! relave-moi ça ! »…

Ma cousine Georgette, elle, en revanche, disait non à tout ce qu'on lui demandait de faire, et personne n'insistait. Ma révolte venait surtout du fait qu'on me demandait même de nettoyer les vêtements de Georgette, tandis que celle-ci jouait dehors avec les autres fillettes de notre âge. Souvent, j'étais à bout de force. Je me plaignais que j'étais fatiguée, mais Barbe Bleue m'insultait en disant que j'étais une *mzee mwana mke*, une « vieille femme paresseuse ». Mathie vendait des tomates au marché et était donc absente une grande partie de la journée. À neuf ans, je me trouvais ainsi avec sur le dos la charge de toute une maison. Je passai brusquement d'une enfance paisible et insouciante à une vie d'esclave. Dans ma tête aussi, il se fit une transformation : j'avais fini par accepter ma situation d'orpheline. Mes visites chez Zaza avaient confirmé ma situation : une geôle. Elle avait en effet trouvé une petite maison d'une pièce dans un quartier sale qui sentait mauvais, et tout un monde l'y avait rejointe. La nourriture y était encore plus triste que chez Mathie. Ma belle Zaza s'était mise à vieillir à vue d'œil. Bref, je restai chez Mathie et me mis à compter les semaines et les mois comme une condamnée sachant la date de la fin de son emprisonnement. Ma sœur Tina vint me prendre pour me mettre à l'école. Elle m'acheta un bel uniforme et les fournitures scolaires. Septembre vint et j'allai à l'école en trépignant d'excitation. L'école devint vite pour moi plus qu'un lieu d'apprentissage. C'était à la fois un « chantier », comme on parle d'une maison en construction, et un lieu de fuite, d'évasion temporaire des griffes de Barbe bleue.

En effet, j'y travaillais avec deux fois plus d'ardeur que mes petites camarades. Car j'avais vite compris que seule l'instruction me tirerait de l'impasse. D'autre part, c'était le seul lieu où je pouvais être un enfant. Alors que toutes les autres filles attendaient avec impatience le gong qui annonçait la fin des cours, je voyais, moi, venir la fin de la journée scolaire avec terreur. Une peur bleue d'aller à nouveau reprendre mon rôle de domestique, d'esclave ou de deuxième « épouse » de Barbe bleue, dans les travaux de ménage.

J'avais découvert un jeu que les écoliers appelaient le « jeu du feu ». Il devint pour moi une merveille, car il me faisait du bien à la fois physiquement et mentalement. Nous y jouions à chaque récréation. C'était en même temps un jeu de coordination, d'agilité et de course. Nous formions deux équipes. Munis d'une balle, les membres de l'équipe qui attaquait se divisaient en deux camps et allaient se mettre face à face, chacun derrière une ligne tracée sur le sol à la craie ou à la farine de manioc. Au milieu, nous tracions un grand cercle et y dispersions çà et là dix briques cuites. Un membre de l'équipe qui défendait venait dans le cercle et devait mettre les dix briques en tas, superposées les unes sur les autres, sans qu'elles tombent. Pendant ce travail de « construction », les deux camps lançaient la balle à tour de rôle sur « l'architecte ». Si ce travail d'architecture s'achevait sans que la joueuse ait été touchée par la balle, son équipe gagnait un point. La difficulté pour la joueuse était triple : esquiver la balle, tout en superposant les briques et, si la balle qui l'avait manquée tombait en deçà de la ligne du camp récepteur, aller la prendre et la lancer aussi fort que possible – sans outrepasser le groupe – vers le camp le moins doué ou le moins organisé, de manière à se donner le temps de finir la « construction. » L'équipe qui atteignait en premier le nombre de points consentis gagnait la partie.

Nous n'avions pas de balle, naturellement. Alors, comme j'ai toujours été bonne en travail manuel, je fabriquai une pelote de chiffons, couverts et liés par des écorces de bananier. Je l'avais si bien faite qu'elle bondissait comme une vraie balle. Dès après l'école, nous mangions ce qu'il y avait à manger, et c'était à nouveau le jeu du feu. Le mien, cela va sans dire, était constamment interrompu par les appels intempestifs de Barbe bleue. Parfois pour des choses aussi absurdes que lui apporter un verre d'eau de la cuisine, alors qu'il était assis au salon, à ne rien faire. Parfois aussi il m'apostrophait alors que je m'acharnais à superposer les briques dans le « feu croisé » de l'équipe adverse, comme s'il ne voyait pas sa fille qui était disponible, en attendant son tour.

Pour aggraver ma situation, ma sœur Mathie tomba enceinte le mois de mon arrivée chez eux. Lorsque l'enfant vint au monde, je venais de passer en quatrième primaire. Ma vie dans cette maison devint infernale. Mathie attendait mon retour de l'école pour aller vendre au marché. À un peu moins de dix ans, j'étais mère. J'appris à nettoyer le bébé, à lui préparer son biberon, à laver sa layette, et à le changer, bien sûr. Ma cousine Georgette ne faisait rien de tout cela. Souvent je berçais le bébé en lorgnant avec envie, par la fenêtre, ma cousine et les autres enfants qui faisaient bruyamment une partie de jeu du feu avec ma balle. Parfois je les priais de jouer à côté de la maison pour les voir. Dès que le bébé s'assoupissait, j'allais prudemment le mettre sur le lit et je courais dehors rejoindre mes camarades. Cela ne durait pas longtemps. La voix de tonnerre de Barbe bleue me tirait de là : « Tu n'as pas entendu le bébé crier ? vociférait-il, tu dois faire attention, toi ! Si cet enfant tombe du lit tu verras ce qui va t'arriver ! » Et je reprenais mon poste de spectatrice envieuse devant la fenêtre. Dans ma tête alors, un tas de pourquoi se mettaient à se bousculer : « Pourquoi cet homme ne prend-il pas son propre bébé dans ses bras ? C'est pourtant son bébé et non le mien ? Pourquoi l'ont-ils amené dans ce monde ? Pourquoi est-ce ma responsabilité de le garder en vie ? Pourquoi dois-je être « mère » à neuf ans, alors que ma cousine Georgette ne sait même pas laver sa propre sœur ? Pourquoi n'ai-je pas, moi aussi le droit d'être un enfant ? » Il y avait aussi un « comment » : comment peut-on sans état d'âme, abuser de l'enfant d'autrui tout en prétendant protéger le sien ? Et je regardais du coin de l'œil cet homme qui se croyait si redoutable – eh oui, il ne fallait surtout pas qu'il me surprenne en train de le dévisager ! La culture, dit-on, interdit cela. Roger, un homme d'à peine un mètre cinquante-cinq. Petit ventre rond, visage abondamment barbu au point de rendre sa bouche quasiment invisible. Vautré dans son vieux fauteuil d'occasion, dont le cuir raboté par le temps et des milliers de fesses avait perdu la peau, il tournait et retournait un vieux journal, allongeait et repliait ses courtes jambes, les yeux renfrognés pour se donner cet air grave qui lui avait sans doute valu ce sobriquet de Barbe bleue. Il me paraissait alors veule et minable. Il me rappelait mon propre père. Pas sur le plan socio-économique. Mon père était certainement bien moins paresseux et bien plus intelligent. Il me rappelait mon père sur le plan affectif, vis-à-vis de sa progéniture. C'est chez lui, Barbe bleue, j'en suis sûre, que j'ai commencé à me dissocier de mon père. J'imaginais ce dernier nous créant comme on fabrique une brique à cuire ou une houe à vendre. J'ai du mal à voir mon père nous embrassant, nous promenant dans le village, ou encore nous nettoyant le nez. Je l'imagine criant à l'intention de ma mère : « Viens moucher ta fille ! » Et je me disais : « Ce monsieur Barbe bleue mourra seul. Bien seul ».

La zone de Bukavu où nous vivions s'appelait Kadutu. C'est une zone montagneuse que les Belges avait intelligemment étagée et bâtie. Juste au-dessus de nous se trouvait l'église Sayuni, une branche de la congrégation pentecôtiste. Chaque après-midi, vers seize heures, une chorale d'enfants faisait ses répétitions. Leurs voix étaient si mélodieuses qu'elles avaient sur moi un effet presque envoûtant. J'attendais le début de leur chant presque avec dévotion. Le bébé de ma sœur collé à ma poitrine, je les écoutais les yeux fermés. Je n'entendais pas ce qu'ils disaient, mais les notes me suffisaient. Je leur étais bien reconnaissante parce qu'ils m'aidaient à m'évader de la prison de Barbe bleue. Toutes mes sœurs étaient protestantes, sauf Mathie qui, elle, priait chez les catholiques. Ainsi chaque dimanche matin, elle nous emmenait, Georgette et moi, à la cathédrale de Kadutu. Mais l'attrait des chants des enfants de Sayuni fut le plus fort. Un jour où Mathie était à la maison, je suis montée jusque-là où ils répétaient et, prenant mon courage à deux mains, j'ai demandé si je pouvais me joindre à eux. D'abord ma demande sembla les amuser car je tombais comme un cheveu sur la soupe. Le dirigeant me fit passer un test : chante-nous quelque chose, dit-il. Une chanson chrétienne que j'avais apprise à Mapimo me vint à l'esprit. « Dites sur la Montagne, sur les collines dans la plaine, dites sur la Montagne, que Jésus Christ est nééééééh ». Je prolongeai le « é » final aussi longtemps que je le pus, en faisant trembler ma voix. À la mort de la note, j'entendis tout monde décréter à l'unisson : « Soprano ! ». « Bienvenue dans notre chorale ! » dit le chef de chœur. Il me passa leur livret de chants et me permit de répéter avec les autres. Ce soir-là, je redescendis à la maison de Barbe bleue toute joyeuse : je venais de me trouver un deuxième lieu d'évasion. Il allait m'être plus qu'utile, surtout en temps de vacances. Mais la plupart du temps, bien évidemment, c'était l'enfer de Roger.

Jouer à Mapimo me manquait terriblement. Je pensais au *kange*, qu'à Kinshasa on appelle *nzango*. Un jeu de saut et d'agilité où j'excellais : deux personnes sautent en même temps, elles atterrissent en frappant les mains et en allongeant brusquement une jambe ou l'autre. Si les deux jambes « se rencontrent », c'est-à-dire si la droite de la défenseuse et la gauche de l'attaquante sont lancées en même temps, l'attaquante perd un point, et elle est alors « recalée ». Elle est gagnante dans le cas contraire. Nous jouions aussi par équipes : les membres d'une équipe s'alignent et, une à une, les membres de l'équipe adverse essaient de passer la file. La personne « recalée » deux fois par une même défenseuse est éliminée. À la fin de la partie, on compare le nombre de celles qui sont éliminées et de celles

qui ont passé la file. Il me manquait aussi le jeu de marelle :
seize carreaux tracés au sol à l'aide d'un charbon ou de kaolin,
la joueuse pousse avec son pied une pierre ou un morceau de
bois d'une case à l'autre, au fur et à mesure qu'elle avance. On
jouait à la marelle à Bukavu aussi, mais là comme dans beaucoup d'autres endroits, j'ai remarqué que l'on venait déplacer le
palet avec la main. Notre style rendait la difficulté plus corsée,
car si le pied pousse le palet ou la pierre au mauvais carreau, la
joueuse est pénalisée. J'étais moins douée à la marelle, spécialement quand il s'agissait de pousser le palet, mais nous nous
y amusions comme des folles. Il me manquait aussi, bien sûr
la corde à sauter. Deux filles tournent la corde tandis qu'une
troisième saute rythmiquement au milieu. La difficulté consistait non seulement à éviter de se faire prendre les pieds dans la
corde, mais également à pouvoir se retourner après un certain
nombre de sauts. Parfois, on compliquait encore en se touchant
les pieds d'une certaine façon ou en doublant les cordes – jeu
très populaire aux États-Unis qu'on appelle *double-dutch*. Il me
manquait également la course des seaux. Des petits seaux remplis d'eau sur la tête, nous devions couvrir une certaine distance
en courant, sans saisir le seau. Un petit pagne enroulé comme
support aidait à établir l'équilibre, spécialement si l'on avait des
cheveux tressés. Celle qui arrivait la première avec le plus d'eau
gagnait. Mine de rien, tout en nous amusant, nous étions en
train de fortifier nos muscles en même temps que nous appre-
nions à porter les fardeaux en équilibre sur la tête, les mains
libres, comme le faisaient nos mamans. À Mapimo, nous étions
des enfants et les parents nous laissaient l'être.

Plus tard, vers la fin de mes études secondaires, notre professeur de philosophie nous a demandé, comme exercice de
logique, de faire une présentation consistant en « une réflexion
originale » sur un sujet de notre choix. J'ai choisi de parler de
l'exode rural et de la femme dans le développement. J'ai dit à

peu près ceci : « Après ce que j'ai vu de la ville, je ne comprends pas pourquoi l'exode rural a lieu. On peut l'arrêter, et on n'a pas besoin d'être docteur en droit pour ça. En arrivant en ville, déjà dans ma petite tête d'enfant d'alors, je sentais que l'on pouvait mieux vivre au village que dans cette ville impitoyable. Le programme serait très simple. Un : libérer la femme. Deux : faire des routes. De vraies routes. Trois : libérer la femme. Quatre : apprendre aux villageois à se moderniser un peu, en installant des pompes à eau, par exemple, et en mettant à leur disposition des moniteurs agricoles pour diversifier les cultures, en utilisant les mêmes champs pour éviter de trop grandes distances à parcourir et la déforestation. Cinq : leur donner des écoles et des centres de santé. Six : libérer la femme.

Les villages en deviendraient d'autant plus prospères. Villages prospères et plus accessibles, c'est égal à villes moins affamées, moins surpeuplées et plus vivables...

Je ne me sens pas équipée pour développer une dissertation sur ce qu'est la lutte des sexes, ou sur la raison pour laquelle beaucoup de nos hommes n'ont pas encore compris qu'ils n'iront nulle part tant qu'ils nous garderont sous le joug du sexisme. Je sais simplement, par expérience, que notre pays et notre continent gagneraient immensément en traitant la femme avec respect et dignité, en l'épuisant moins et en l'incluant dans le système social comme partenaire. Mais il n'y a pas un seul des maris de mes nombreuses sœurs qui soit capable de comprendre un tel raisonnement. Décidément pas Barbe bleue. De toute façon je ne pourrais pas lui dire quoi que ce soit. Il défend bec et ongles la tradition qui veut que la femme s'incline devant lui, et que moi, l'enfant, je la boucle aussi bien devant lui que devant mes grandes sœurs. »

Mes camarades de classe applaudirent longtemps. Je me rappelle aussi que beaucoup voulurent savoir l'histoire de ce fameux Barbe bleue. Mais, par embarras d'adolescente, j'eus peur de poursuivre un sujet qui allait sans doute m'amener à parler de ma condition d'orpheline et de ma famille aux enfants trop nombreux. D'autres encore me demandèrent s'il y avait logique à répéter plusieurs fois la libération de la femme. Je leur répondis simplement que les filles m'avaient certainement comprise.

Je m'imagine en ce moment même tenant à Barbe bleue ce discours impossible sur le respect de la femme. Il m'aurait d'abord prise pour folle et, passé la surprise, il aurait retiré sa ceinture pour me faire payer, en me fouettant, ce crime de lèse-majesté. C'est d'ailleurs ce qui avait failli m'arriver le jour où pour la première fois je m'étais rebellée. Quatre événements successifs m'y poussèrent.

Le premier événement survint pendant ma deuxième année chez Mathie : Barbe bleue prit une deuxième épouse. Ses parents venaient de la lui envoyer du village parce qu'ils étaient fâchés que bi'Mathie ne fasse que des filles. Cet événement, qui me rappelait amèrement le chaos qui détruisit le mariage de bi'Zaza, créa en moi un sentiment de colère difficile à maîtriser. Malheureusement l'enfant que mit au monde la coépouse fut non seulement une fille, elle aussi, mais paralytique, par-dessus le marché. Il en fut de même de celle qui suivit l'année d'après. Dans la maison devenue tout d'un coup trop petite, la tension devint presque insupportable. J'eus, moi, un peu de répit car la coépouse faisait un peu la cuisine, mais mon rôle de « femme de la maison » n'en diminua pas trop. Le deuxième événement survint dans ma propre famille. On vint nous apprendre un beau matin que, excédé par le trop grand nombre de personnes dans sa maison, notre grand frère Pierre venait de fuir. Il était parti en disant à ses deux épouses qu'il avait « besoin de souffler », qu'il en avait marre : « Ne me cherchez pas jusqu'à mon retour, si retour il y a », avait-il dit avant de disparaître. On apprit au bout de quelques jours de recherches qu'il était allé épouser une troisième femme à Buholo 1, un quartier voisin, et qu'il habitait désormais chez celle-ci. Cet acte, qui pour moi faisait de Pierre un irresponsable et un grand lâche, m'attrista terriblement, car il avait jusque-là fait l'objet de mon admiration. Depuis mon arrivée à Bukavu, kaka Pierre avait symbolisé le père que je n'avais jamais eu. En faisant une fugue, un acte enfantin par excellence, il venait d'office d'emboîter le pas à notre père et perdait irrémédiablement sa place de choix dans mon cœur. Pire, je fus plongée dans un doute effrayant : il n'y aurait jamais dans ma vie et dans ce monde un seul homme qui fût digne de ma confiance. Troisième incident : dans la semaine qui suivit la fugue de Pierre, ma cousine Georgette heurta mes émotions déjà fortement perturbées. Je venais de préparer une grande casserole de haricots aux patates douces, pendant qu'elle jouait dehors au jeu de feu avec ma balle. Je l'appelai pour qu'elle vienne manger. Elle vint, je servis. Pendant que nous mangions à deux dans le même bol, elle se leva, alla prendre un verre d'eau à la cuisine. Je lui demandai de m'en apporter un aussi. « Je ne suis pas ta domestique, fit-elle, pourquoi ne te lèves-tu pas pour venir chercher de l'eau toi-même ? » Surprise, je regardai son père qui mangeait calmement à table. Aucune réaction. Ma surprise devint révolte. J'arrêtai de manger, me levai et sortis rapidement pour ne pas pleurer devant cette petite méchante. Quand je revins, j'étais plus calme. Dehors j'avais fait mes calculs : j'étais en cinquième année d'école primaire j'avais presque douze ans. L'année suivante serait la dernière. Si je travaillais bien, je pourrais peut-être aller à l'internat chez les Sœurs du lycée Wima. Ce n'était pas le moment de gâcher mon avenir. De toute façon, je n'avais nulle part où aller, et la petite ingrate et son père le savaient bien. J'essuyai mes larmes et revins prendre place auprès du bol, terminai le repas et fis la vaisselle avec toute la bonne volonté et tout le soin que je pus y mettre. Le quatrième et dernier incident se produisit deux jours après. Il était treize heures. Nous arrivions de l'école, ma cousine Georgette et moi. Nous trouvâmes la maison de Barbe bleue en ébullition. On semblait vivre l'Armageddon : ça criait, ça pleurait, ça hurlait sans s'écouter. La cause ? Une histoire de pièces de monnaie disparues. La coépouse de Mathie s'était fait piquer quatre pièces de monnaie. L'équivalent de cinq petits bonbons. Bien sûr, pour eux, c'était moi l'inculpée. Sans doute. Même pas suspecte, même pas accusée, mais coupable, voleuse. Je n'ai pas pu me contenir : « J'en ai marre d'être votre esclave, j'en ai assez de votre humiliation continuelle, je n'ai jamais volé de ma vie et je ne vais pas vous permettre de m'accuser de vol sans preuves, simplement parce que vous savez que je ne saurai pas me défendre ! »

Ma tirade me surprit moi-même. C'était la première fois de ma vie que je me défendais contre un adulte. Barbe bleue s'enflamma comme un tison sous essence :

« Tu oses nier ? Tu oses élever ta voix contre moi, petite fillette ! Nous n'avons jamais connu de vol sous ce toit avant ta venue !

— Et ta fille, hein, as-tu seulement pensé un seul instant que ça pouvait être elle ? hein !

— Tu me dis « hein » ! Voyez-moi quelle effronterie !

— Eh bien je l'ai vue, moi, en train d'acheter des bonbons pendant la récréation aujourd'hui. Demandez-lui avec quel argent elle l'a fait ! »

À ce point, j'ai entendu ma « cousine » crier : « *sina makosa, sina makosa* ! » « Je n'y suis pour rien, je n'y suis pour rien ! »

Barbe bleue devint encore plus furieux. « Tu vas avouer. Je vais t'arracher les aveux par la force, si nécessaire. »

On pouvait entrer dans la maison par le salon, en utilisant la porte de devant ou par la cuisine en utilisant la petite porte arrière. Entre le salon et la cuisine, il y avait une porte sans battants. Il avait déjà fermé la porte de devant à clé et m'avait coincée au niveau de l'encadrement séparant la cuisine du salon. De la main gauche, il me tenait le bras droit à me faire crier de douleur, tandis qu'il se démenait pour défaire sa ceinture afin de s'en servir comme fouet. Mais ses pantalons, qu'il achetait à la braderie, étaient toujours trop amples. Dès que la ceinture fut enlevée, son pantalon glissa jusqu'aux chevilles, exposant son slip à carreaux délavé et moche. J'en profitai pour me dérober à l'étreinte qui s'était brusquement relâchée et, m'échappant par la cuisine, je courus à en perdre haleine jusqu'à la maison de Zaza. Dépitées, mes sœurs Tina, Zaza et Mareine allèrent sermonner Barbe bleue le lendemain. Ce dernier leur apprit que, après mon départ, Georgette avait avoué son forfait et qu'il me demandait de revenir. Pour mes sœurs, qui connaissaient l'homme, cela en fut assez. Elles ramassèrent mes affaires et les apportèrent chez Zaza. Il était clair que ma sœur Zaza m'acceptait chez elle puisqu'elle n'en avait pas le choix, et aussi en raison de son amour infini pour moi. Car elle avait déjà beaucoup de mal à faire vivre toutes les bouches qui l'entouraient.

Zaza, je l'ai dit, habitait une petite maison avec seulement une chambre à coucher, bourrée à craquer. Chez elle, j'ai trouvé cinq sœurs : Mareine et Gemanie, qui étaient parties de chez Pierre, après la fugue de ce dernier, plus Macée, Léonie, et Hono qui élevait toute seule ses deux petits enfants dont nous ignorions ce qu'étaient devenus les pères : un garçon de six ans, que nous appelions Chinois à cause de ses petits yeux, et une fille de sept ans appelée Bijou. Mareine, Léonie et Gemanie partageaient la chambre de Zaza. Moi, je rejoignis, au salon, Macée, Hono et ses petits.

À mon arrivée, Zaza avait déjà commencé un petit commerce de savon, de sucre et de fournitures scolaires, qui la faisait beaucoup voyager. Elle achetait sa marchandise à crédit auprès des marchands de Bukavu, allait la vendre quelque part chez nous dans le Buréga, puis venait payer ses créditeurs avant d'en reprendre. Cette situation mettait tant de stress sur ma sœur que cela affectait sa santé à vue d'œil. J'eus du mal à la reconnaître à mon arrivée, tellement elle avait maigri. Zaza était donc rarement à la maison, à cause de son commerce. La charge du loyer et la survie de tout ce monde reposaient sur ses épaules. Gemanie étudiait l'anglais à l'ISP, l'Institut supérieur pédagogique. Léonie finissait comme moi l'école primaire, mais chez les protestants. Elle était mon aînée de cinq ans ; ce retard témoignait chez elle d'un parcours scolaire chaotique. Mareine ne faisait rien. Elle avait arrêté ses études en cinquième année d'école secondaire, faute de soutien financier. Elle semblait chercher, de manière un peu trop forcée à mon goût, un homme. Un soir, elle revint toute excitée pour nous annoncer qu'elle allait se marier à un certain El Hadji. Un musulman, grand commerçant d'or, qu'elle avait rencontré en ville et avec qui elle sortait depuis un certain temps, chaque fois que monsieur y venait pour affaires. El Hadji. Grand et maigrichon, visage singulièrement long, prolongé par un menton fort pointu. Un vieillard à la barbe et aux cheveux gris, qui aurait pu être le père de Mareine. Il habitait Kama. Un petit village lointain, situé sur la rivière Elila, à plus de huit cents kilomètres au sud-ouest de Bukavu. Il vint épouser notre sœur une semaine après, sans cérémonie, de manière expéditive. Mareine partit pour l'intérieur avec El Hadji, après ce mariage bâclé, pour aller s'ajouter à un harem qui comptait déjà dix épouses. Hono travaillait dans un bar comme serveuse. En fait, elle faisait plus que le service de bar. Car, très souvent, elle ne revenait à la maison que vers dix heures le lendemain. Il n'était pas difficile de deviner ce qu'elle avait fait après la fermeture du bar. Mais tout le monde la bouclait. La pauvre devait élever les deux enfants qu'elle s'était fait faire par des salauds que personne d'entre nous ne connaissait. Le seul problème, c'est que ces pauvres gosses me tombèrent sur les bras. Fuyant la « maternité » de Mathie, je n'avais changé de maison que pour venir acquérir celle d'Hono. Pire, un jour, Hono ne revint pas de ses pérégrinations nocturnes. Nous la cherchâmes une semaine durant. Mais nous ne paniquâmes pas trop car la rumeur courait qu'on l'avait vue prendre un bus allant vers le sud, du côté d'Uvira. Elle nous écrivit au bout d'un mois. De Lubumbashi, loin au sud-est du pays. Elle avait, disait-elle, suivi un fiancé. Nous ne l'avons plus revue. Il y a déjà eu deux faux deuils pour elle : par deux fois, les nouvelles nous sont parvenues, selon lesquelles elle était morte, seulement pour être démenties quelques jours après par quelque voyageur qui l'aurait vue.

Comme si la charge des travaux ménagers ne suffisait pas, j'eus dès après mon arrivée chez Zaza le choc le plus dégoûtant de ma vie. Revenant de l'école un jour, l'une de mes sœurs me dit : « Coco, nous n'avons plus de toilettes. Il va falloir que tu ailles drainer la fosse septique. »

Depuis que j'étais arrivée du village, je ne m'étais jamais posé la question de savoir où allait ce que nous chassions des toilettes. Chez Mathie moins encore parce que sa maison était loin des égouts. Mais chez Zaza, j'avais eu des soupçons, car les égouts passaient devant la maison. Ils étaient mal couverts et la rue sentait souvent très mauvais.

« C'est quoi, une fosse septique ? demandai-je. Que voulez-vous dire par drainer la fosse septique ? »

Mareine me prit par la main et m'amena dans la rue : « Tu vois ces grands caniveaux ? C'est pour amener la merde que tout le monde envoie matin et soir, expliqua-t-elle. Chaque fois que tu fais le truc machin le matin, il va dans un trou en ciment appelé fosse septique. De ce trou, il se déverse dans l'égout pour aller loin, je ne sais où. L'eau de ton bain suit le même itinéraire. » Devant mon air étonné et dégoûté, elle me tira encore en disant : « Maintenant, viens voir ce qu'on appelle fosse septique. »

Trois dalles couvraient une espèce d'encastrement au sol, à côté de la porte d'entrée de la parcelle. J'avais jusque-là marché dessus, dans mes allées et venues, sans me douter de ce que c'était. La dalle du milieu portait un gros anneau d'acier. Mareine l'empoigna, essaya de tirer mais n'y arriva pas. Elle me demanda de l'aider. La dalle glissa au troisième essai, nous offrant un vue qui me fit bondir l'estomac à la gorge. Nous nous sauvâmes toutes les deux vers la maison, en nous pinçant les narines. Quelle ne fut ma tristesse lorsque, passé les rires, Mareine me dit le plus sérieusement du monde que cela allait être ma responsabilité de drainer cette fosse ! Elle m'apporta un petit seau en plastique me dit : « Nous n'avons pas d'hommes pour ce genre de travail, c'est à toi, la plus âgée des enfants de la maison, de le faire. »

Je leur demandai ce qu'elles faisaient avant mon arrivée. Elles expliquèrent que tout allait bien, que la canalisation qui amenait les déchets de la fosse septique aux égouts avait dû se casser, et qu'elles n'avaient pas d'argent pour engager de si gros travaux. Le plus absurde, c'était le fait que nous habitions une maison de location, et par conséquent le propriétaire aurait dû se charger de telles réparations. Mais il s'en fichait éperdument. Nous ne pouvions aller nulle part d'autre, faute d'argent de garantie, et il le savait. La malhonnête pratique a toujours été que le propriétaire n'a jamais l'argent pour rembourser la garantie. Il vous permet donc de rester le temps équivalent à votre argent de garantie. Les locataires pauvres se trouvent ainsi chaque fois pris au piège, car il faut alors épargner pour réunir une autre somme à donner comme garantie, si l'on veut changer de maison.

Pendant un bon moment, je considérais la fuite. Mais fuir pour aller où ? Il était hors de question de rentrer chez Mathie.

Je regrettai Mapimo ! Mon beau village de Mapimo ! Mapimo aux latrines de trous secs que l'on bouche tout bonnement quand c'est plein pour en creuser d'autres. Des latrines qui durent des années avant de se remplir. Mapimo devint encore plus attrayant. Ô, comme j'aurais donné un bras, s'il l'avait fallu, pour être à Mapimo, bien loin de cette scène révoltante. La plus dégoûtante qui se pût imaginer ! Hélas, je n'avais plus personne à Mapimo. Je me mis à pleurer, prise du sentiment d'être l'objet d'une criante injustice, d'un abus de la part de celles-là même auprès de qui j'étais venue chercher refuge contre Barbe bleue. Personne parmi elles ne voulait approcher la fosse septique. « Fais-vite, ça empeste l'air. Les voisins vont se plaindre », fit l'une d'elles à partir de la maison. Je compris que mon chemin de croix passait par là. « Tu n'en mourras pas, Coco, me dis-je à basse voix. Dis-toi que ce n'est que de la matière. » Je m'essuyai les yeux, allai me changer et munie de sacs en plastique en guise de gants, je sortis et attaquai l'étang d'excréments. Je dus m'interrompre plusieurs fois pour vomir. Plus je drainais, plus la fosse semblait se remplir. J'en vins à bout à la tombée de la nuit. De dix-sept à vingt heures. Trois heures d'une corvée digne d'un forçat. Mes sœurs me fêtèrent comme une héroïne. Mais, sincères ou hypocrites, leurs éloges ne surent m'égayer. Je pris un bain si chaud que je crus que j'allais y laisser la peau. On s'habitue à tout, même à la prison. Deux mois après, ma corvée était entrée dans mes routines, au même titre que la charge des enfants d'Hono. Je drainais cette fosse septique une fois par semaine. Aussi paradoxal que cela puisse paraître, je me réjouis le jour où Mareine partit en mariage avec son polygame d'El Hadji. Car c'est elle qui se lavait le plus fréquemment, élevant ainsi la fréquence de mon travail à la fosse septique. Ô, comme je me trompais ! Mareine n'avait pas fini de causer des ennuis à la famille. Elle revenait une fois par mois, accompagnant son mari pour la vente d'or.

El Hadji se déplaçait comme un pacha. Il amenait tout un village avec lui. Mareine et son mari descendaient sans prévenir dans notre maison d'une chambre et salon accompagnés de dix hommes. Oui, dix, bien comptés ! Un total de onze hommes plus Mareine, dans notre minuscule logis qui déjà nous suffisait à peine ! C'est vrai qu'El Hadji donnait de l'argent pour nourrir son troupeau, mais c'est nous qui devions leur faire à manger matin, midi et soir. Et manger, ça savait manger, ces villageois-là ! Ah, comme ça mangeait, le troupeau d'El Hadji ! Faute de place, ils passaient la journée dehors, à paresser sous les papayers qui ombrageaient la courette arrière de la maison. Mais la plus sacrifiée, c'était moi : j'étais alors obligée de drainer cette fosse septique deux fois par jour. Parfois, j'étais si fatiguée que je dormais en classe. Ayant vécu avec des commerçants au village, je savais qu'El Hadji amenait tout ce monde pour lui porter ses marchandises de Bukavu au village, mais dans mon petit cœur je me demandais pourquoi il ne les logeait à l'hôtel. Il paraît, chuchotait-on, qu'il évitait les hôtels par crainte qu'on lui vole son or ou ses biens. « Mais pourquoi, bon Dieu, ne pas y loger au moins ce troupeau de goinfres ? » me disais-je. Et je concluais que le radin voulait faire des épargnes à nos dépens. Cette idée d'un mari égoïste et calculateur me faisait craindre pour ma sœur. Déjà au départ, je n'aimais pas ce vieux bouc de polygame qui avait épousé ma sœur, si jeune par rapport à lui. Mais avec ces visites qui tenaient de l'abus pur et simple de notre bonté, j'avais développé envers lui une haine incurable. Je me disais tout le temps dans mon petit cœur que ce vieux lézard allait tuer ma sœur. Cela faillit arriver, en effet. Nous constatâmes que, pendant deux mois, El Hadji et son troupeau n'étaient plus passés nous envahir. Au moment où nous commencions à nous inquiéter du sort de Mareine, un voyageur venant de Kama, le village d'El Hadji, vint nous dire d'aller vite chercher notre sœur, car elle allait très mal. Tina alla la chercher. Elle nous ramena une Mareine squelettique, affaiblie et si enlaidie que nous nous mîmes à pleurer. La belle, la coquette Mareine était méconnaissable. Il lui fallut exactement deux mois pour redevenir la Mareine que nous connaissions. Ou presque. Car nous remarquâmes peu après qu'elle voulait à tout prix rentrer à Kama, retrouver son vieux lézard de mari. Il ne faisait pas de doute que Mareine n'avait plus la tête en place. Une fois, Tina l'intercepta de justesse alors qu'elle s'apprêtait à embarquer dans un camion à destination de Kama. Elle la traîna à la maison de Zaza comme on traîne un enfant polisson. Un « conseil » de famille se forma aussitôt :

« Aimes-tu encore El Hadji ? L'as-tu jamais aimé ? As-tu eu des moments de satisfaction chez lui ? Avec lui ? Aimes-tu le village de Kama ? As-tu trouvé quelque bon côté dans le mariage polygame ? » À tout ce bombardement de questions, la réponse de Mareine fut invariablement « non ».

« Pourquoi alors cherches-tu à y retourner ? » s'alarma Tina au bord des larmes.

C'est alors que Mareine nous fit en pleurant cette déclaration inattendue : « Je suis envoûtée. El Hadji m'a envoûtée. » Pressée de s'expliquer, elle nous apprit que dès leur arrivée à Kama, El Hadji s'était enfermé avec elle pendant sept jours, en guise de lune de miel. Pendant ce temps, il avait organisé un « rituel » secret appelé « amour immortel », qu'ils devaient, elle et lui, garder secret, faute de quoi, ils mourraient tous les deux.

Le « rituel » consistait, nous dit-elle, à consommer une poudre noire, fortement pimentée, dont El Hadji refusa de donner les composantes ; à partager ensuite un verre de vin de palme. « Pour terminer, raconta Mareine, il a sorti un rasoir, s'est fait une coupure sur le dos de l'annulaire et m'a demandé de sucer le sang qui en sortait. Il a fait de même sur mon annulaire. Il a sucé mon sang puis il déclaré que désormais nous étions liés à jamais par un pacte de sang, et que, par ce pacte, il m'était interdit de coucher avec un autre homme, au risque de causer notre mort à tous les deux. »

Sur ce dernier point du récit de Mareine, je ne pus m'empêcher de penser à la situation commode d'El Hadji : il pouvait, lui, avoir onze femmes sans enfreindre leur « pacte de sang ». Mais Mareine, elle, se trouvait ainsi condamnée à lui rester fidèle à vie. Je me dis que le vieux bougre devait avoir fait pareil avec ses dix autres épouses. J'étais, il faut l'avouer, moi aussi, bien plongée dans la superstition, car l'idée de fraude, quant à l'envoûtement de Mareine, ne s'imposa pas alors clairement dans ma tête.

L'aveu macabre nous consterna profondément. Tout le monde, moi y compris, était convaincu qu'El Hadji avait effectivement envoûté Mareine. Tina décida qu'il fallait trouver un marabout plus puissant pour désenvoûter notre sœur. On nous en recommanda un du côté d'Uvira, au bord du lac Tanganyika. Mareine alla loger chez un parent à nous, qui habitait le village du marabout. Elle y passa trois semaines pendant lesquelles ce dernier allait la laver chaque matin à cinq heures, en criant qu'il était El Hadji, lui aussi, mais doublé d'un marabout et, donc, plus puissant que l'ancien mari de Mareine ; qu'il confiait aux eaux du Tanganyika tous les démons que son mari avait glissé en elle. Prix total : deux chèvres, soixante-dix noix de cola et quinze dollars. De l'argent dont notre famille, déjà mourant de faim, aurait pu faire un bien plus utile usage. Quoi qu'il en soit, Mareine nous revint complètement transformée. La pétillante Mareine que nous avions toujours connue, celle qui, disait-on depuis sa tendre enfance, portait bien son nom. J'ai grandi depuis, et je sais que tout était dans la tête manipulée de Mareine, et que le salaud du village des bords du Tanganyika avait tout simplement fait une belle affaire. En plus de ce salaire énorme, il avait eu le plaisir de se rincer, chaque matin, et l'œil et les mains sur une très belle femme de la ville qu'il n'aurait autrement jamais pu toucher de sa vie…

Quoi qu'il en soit, une semaine après son retour d'Uvira, Mareine s'était déjà trouvé un nouveau fiancé. Un commerçant du quartier voisin. « La Reine est de retour ! » fit Tina en riant. Trois mois après, Mareine était enceinte. L'enfant naquit alors que je finissais l'école secondaire. Comprenant la tournure que prenait sa vie, Mareine décida de retourner à l'école. Il était trop tard pour reprendre la cinquième du lycée. Aussi choisit-elle une école professionnelle de comptabilité. C'était une femme brillante qui aurait pu aller loin si elle avait gardé son derrière sur le banc de l'école. Elle décrocha facilement son certificat en six mois. Elle fut aussitôt engagée dans un cabinet de comptabilité, avec un petit salaire mais assez pour aider à la maison. Heureusement, car le petit commerce de Zaza allait de plus en plus mal.

Avec Mareine comme soutien de famille, mes tâches maternelles s'étaient encore alourdies. Il y a des gens qui ne sont pas faits pour avoir des enfants. Mareine touchait à peine son bébé. Du biberon au bain en passant par les couches à changer et à laver, Mareine comptait sur moi et sur ma petite sœur Macée. Elle sembla complètement couper les rapports avec son bébé dès qu'elle commença à travailler. Pour moi c'était une galère sans fin. À l'école, c'était vraiment dur. Je ne savais pas ce que c'était que l'argent de poche. Depuis la naissance du bébé de Mareine, j'étais devenue encore plus mélancolique. Je l'étais déjà en venant chez Zaza, à tel point que cette dernière s'était écriée : « Mon pauvre bébé, qu'a-t-on fait de toi chez Mathie ? » Mes sœurs mirent mon attitude sur le compte de la pauvreté abjecte dans laquelle nous vivions, ainsi que sur les responsabilités qu'elles avaient placées sur moi. Elles n'avaient raison qu'en partie.

La réalité était ailleurs. Depuis deux ans, je vivais en secret un autre drame, que je gérais seule, faute de quelqu'un à qui me confier. Le rapport condescendant et d'évitement qui existait chez nous entre les aînées et les plus jeunes rendait toute communication impossible et ne permettait pas la confiance. Je devenais femme au milieu des femmes sans qu'aucune d'elles ne prêtât attention à moi. Je n'oublierai jamais par exemple comment j'ai dû faire face à mes premières règles dans le désordre et l'humiliation, comme au front un soldat qu'on n'a jamais entraîné. Aujourd'hui encore, je porte entre mes jambes des cicatrices des brûlures causées par les compresses que, jeune adolescente ignorante, je m'étais fabriquées vaille que vaille.

Depuis deux ans, donc, disais-je, j'avais déjà perdu mon enfance et je vivais seule un esclavage encore plus coriace, car il m'était impossible de fuir du fait que les chaînes qui m'attachaient étaient d'ordre mental : l'esclavage sexuel. Chez Zaza, j'étais le seul enfant. Zaza, comme je l'ai déjà dit, me protégeait et me couvrait d'un amour maternel sans limite. La ville de Bukavu me laissa à la merci d'un prédateur appelé Musafiri. Un pasteur.

J'étais née avec une belle voix. Dans la chorale des jeunes à l'église de Sayuni, ma voix s'imposa d'elle-même et je devins la principale voix solo de la chorale. À partir de douze ans, les jeunes doués pouvaient passer une audition pour chanter dans la chorale des adultes. Je passai la mienne sans problème. Les belles voix soprano, il y en avait beaucoup. De loin plus âgées que moi. En y arrivant, je sentis qu'il allait falloir travailler dur pour mériter la confiance que l'on venait de me faire. Le chef de la chorale des grands était aussi le deuxième pasteur de l'église. Le pasteur Musafiri. Un homme d'une cinquantaine d'années. Ce pasteur m'avait impressionnée avant même que je n'entre dans la chorale des adultes. Un jour, il avait fait une prédication remarquable pendant le culte des jeunes. Chaque dimanche, ce culte précédait celui des adultes. Il avait lieu de neuf heures à dix heures trente, tandis que celui des adultes commençait à dix heures quarante-cinq pour finir à midi quarante-cinq. Mais il se poursuivait presque toujours jusqu'aux environs de quatorze heures. Ce jour-là, donc, pendant le culte des jeunes, le pasteur Musafiri prêcha sur les enfants orphelins. Le thème ne pouvait mieux tomber pour moi. Musafiri démontra que si Dieu nourrit les oiseaux qui ne peuvent pas cultiver, Il ne peut abandonner les fils et filles de l'homme. Il montra, d'une part, que nous sommes tous orphelins parce que notre Père n'est pas de ce monde et, d'autre part, que, en considérant les choses en profondeur, orphelins, nous ne pouvons réellement l'être car notre Père est, en fait, toujours parmi nous en esprit. Dans la partie pratique de son sermon, il donna des conseils :

« Orphelins, orphelines, disait-il, endurez les abus de ceux qui vous logent sans vous poser en antagonistes. Laissez Jésus mener le combat pour vous. Quand les flots mugissent, répétez par-devers vous, les mots de nos cantiques : Il tient le gouvernail de votre nacelle, et laissez-vous faire avec un esprit reposé ! Gardez l'œil sur la ligne d'arrivée, c'est-à-dire sur le jour où vous finirez vos études, le jour où vous aurez un emploi, le jour où vous aurez un chez vous, avec mari et enfants, le jour où votre prière la plus importante sera exaucée. »

Parlant ensuite à tous les jeunes il conseilla la maîtrise de soi : « Ne cherchez pas l'argent facile, dit-il. Surtout vous, les filles, attention à tous ces vieux prédateurs sexuels qui, brandissant leur argent sous votre nez, ne demandent qu'à vous amener dans la voie du péché qui vous perd à jamais aussi bien matériellement ici-bas que spirituellement. Soyez chastes, mes filles. Les rapports sexuels hors du mariage sont un péché mortel. Murissez comme une mangue bien dorée et juteuse, la consommation du mariage n'en sera que plus délicieuse », disait-il encore, au grand rire de tous. « Dieu vous aime, c'est lui qui vous a envoyés à nous. Vous êtes en de bonnes mains car nous sommes Ses bergers. » Ainsi conclut le révérend pasteur Musafiri. Ce soir-là je rentrai à la maison avec la sensation bizarre d'avoir été bénie par Dieu lui-même.

Quel ne fut mon plaisir en entrant dans la chorale des adultes, de savoir que le chef de chorale, c'était le pasteur Musafiri lui-même ! Un musicien expérimenté, le pasteur Musafiri. On disait que l'église avait investi des sommes énormes d'argent pour l'envoyer apprendre la musique au grand Conservatoire de Kinshasa. Depuis qu'il avait en charge la chorale de Sayuni, disait-on, il avait généré de gros fonds dans des CD de qualité qu'il réalisait et produisait lui-même. Trois fois par semaine, il donnait ces prédications qui pourfendaient les cœurs à la radio évangélique bien suivie par des milliers de gens. Ce fut donc avec beaucoup d'appréhension que je chantai pour la première fois sous sa direction. Je découvris tout de suite pourquoi il réussissait ce travail d'une si haute qualité. Le pasteur Musafiri était d'une rigueur presque maniaque au travail. Il lui arrivait de nous retenir jusque tard dans la nuit, tant que nous n'étions pas arrivés à lui produire la chanson exactement telle qu'il la voulait. Il s'activait autour du pianiste, aboyait des ordres aux différents chanteurs et, de temps en temps, sortait quelqu'un du groupe, l'amenait dans la bibliothèque, qui était derrière le sanctuaire où nous répétions. On pouvait entendre le ou la pauvre reprendre sa partie encore et encore… C'étaient surtout les solos qui subissaient ce matraquage. J'eus mes premières parties de solo dès la fin de mon premier mois dans cette chorale. Le pasteur Musafiri me traitait comme l'enfant que j'étais. Jamais il ne m'appelait par mon nom. Tout le temps c'était : *We' katoto, kuy'apa*, « toi, fillette, viens ici ». Il avait envers moi la patience et la sollicitude du père que je n'ai jamais eu. Nous restions souvent, lui et moi, des heures après le départ du groupe à répéter les solos, souvent compliqués, des chansons qu'il venait de nous enseigner. Deux autres mois plus tard, j'étais la soliste principale du groupe, à l'âge de douze ans.

Je me souviendrai toujours de mon premier enregistrement en studio. Je tremblais comme une feuille au vent. Ces machines, ces micros, cette console de l'autre côté de la vitre, tout m'intimidait. Musafiri dut me faire sortir pour me parler. Son affection et sa sollicitude furent si rassurantes que je revins et donnai l'une des plus brillantes prestations de ma vie. Le pasteur Musafiri me mit tellement en confiance que bientôt il sut tout sur ma vie d'orpheline et de pauvre. « Les jours de répétitions, tu mangeras chez moi, petite fille », me dit-il.

Quelle reconnaissance je ressentis lorsqu'il m'amena chez lui pour la première fois ! Il habitait une grande maison d'au moins quatre chambres avec ses trois filles de vingt, quatorze et douze ans. Sa famille, qui semblait bien informée sur ma situation, me reçut avec tant de bonté que j'en eus des larmes aux yeux. Je n'avais jamais vu une table aussi bien servie. Nous mangeâmes tous à table avec couteaux et fourchettes. Je n'en avais pas l'habitude et j'eus beaucoup de mal à couper ma viande : j'essayais de m'adapter de toutes mes forces et de me servir de ma fourchette de la main gauche comme eux. Le pasteur vint m'aider et coupa mon steak en petits morceaux comme pour un enfant. Pour dissiper ma gêne, je dis en riant que j'allais m'exercer à la maison et que la fois prochaine ce serait mon tour de couper la viande pour tout le monde. À la fin du dîner, ses filles et leur maman voulurent que je chante pour elles. Mais prévenant comme toujours, Musafiri leur dit qu'elles n'avaient qu'à attendre le dimanche. Il ajouta que, de toute façon, j'allais revenir souvent répéter chez eux et qu'elles pourraient m'entendre, au moins aux temps forts du solo. Il me ramena lui-même chez ma sœur Mathie chez qui j'habitais encore. En me disant au revoir, il me fit une surprise en me donnant de l'argent : « C'est pour ta lotion, une fille doit toujours en avoir, dit-il. Et puis, ma meilleure soliste doit être toujours bien présentable ! » Je ne sus que dire. J'en oubliai de le remercier.

*

La maison du pasteur Musafiri était construite en bois. C'était un type de maisons pour une classe sociale légèrement au-dessus de la pauvreté. Les pauvres habitent des maisons en pisé ou en briques à daube, tandis que les riches, je l'ai déjà dit, habitent dans des maisons en briques cuites ou en béton. Elle était plus vaste que je ne l'avais cru. À ma première visite, je n'avais pas remarqué la petite annexe qui la jouxtait à l'arrière. C'était son bureau. Une jolie salle qui faisait à la fois office de bureau, de bibliothèque personnelle et de petite chapelle privée. Dès qu'on entrait, on se trouvait devant une petite table de travail simple mais jolie au centre de laquelle trônait une vieille machine à écrire. Une chaise en cuir complétait cette « station » de travail. Il l'avait vraisemblablement ramenée de notre église car elle ressemblait à toutes les chaises de nos bureaux. De petites étagères portant quelques vieux livres, chrétiens pour la plupart, meublaient les deux côtés du bureau. Devant, il y avait deux chaises pour les visiteurs. Un petit cabinet de toilette était aménagé sur la droite, à l'entrée. Il avait un petit problème de plomberie, car derrière la porte fermée on entendait l'eau couler sans arrêt. Je ne pus m'empêcher de me demander pourquoi il ne la faisait pas réparer. Car dans un endroit réservé au recueillement et au travail, ce petit bruit pouvait devenir fort agaçant. Derrière la chaise du bureau un espace spécial se remarquait : une énorme croix en bois de presque deux mètres s'imposait encerclée par quatre chaises assez austères. Au pied de la croix, une énorme Bible ouverte.

Lorsqu'il travaillait, le pasteur Musafiri tournait donc le dos à ce sanctuaire. Entre le sanctuaire et le bureau il y avait, à gauche – c'est-à-dire sur sa gauche lorsqu'il était assis à son bureau – un immense canapé qui pouvait confortablement servir de lit, et, à droite un vieux clavicorde au bois couleur de rouille. Je connaissais cet instrument parce qu'il y en avait un dans la salle de lecture pour les enfants à l'église catholique où m'emmenait Mathie. En fait, l'annexe du pasteur Musafiri était construite de manière fort simple. Rectangulaire avec, en guise de fenêtres, des trous circulaires en haut des murs, tels des hublots d'avion. Deux larges ventilateurs portables et à pied élevé, posés à même le sol, battaient silencieusement l'air. Il ne faisait aucun doute que le pasteur Musafiri avait voulu avoir un bureau qui fût une espèce de chapelle. Je posai la question et il me le confirma en m'informant que le seul bureau de l'église revenait au révérend pasteur principal. Ainsi l'Église l'avait aidé à aménager son bureau ici pour recevoir les visiteurs importants et les membres de l'Église qui avaient besoin d'aide spirituelle.

Dès que nous entrâmes, le pasteur Musafiri m'amena directement sur le canapé-lit. Je découvrirais plus tard que ses deux neveux venus du village pour étudier passaient la nuit à l'étroit sur ce canapé-lit, et qu'il leur avait été ordonné de rester sagement au dehors, souvent tard dans la nuit, pendant que leur oncle « recevait » ses « visiteurs », comme moi à ce moment-là.

Musafiri s'installa sur le canapé-lit et me dit : « Petite enfant, je vais t'offrir quelque chose de plus que la musique et le solo : je vais te faire grandir. » Et, comme je restais debout l'air complètement perdue, il ajouta toujours gentiment, mais avec un rien d'autorité dans la voix : « Assieds-toi ici. » Il me tira et me fit m'asseoir sur le canapé à côté de lui : « Tu dois avoir remarqué que tu es ma chanteuse préférée… Je vais faire de toi une merveille. Tu as la meilleure voix que j'aie jamais entendue depuis que je suis directeur de chorale. À cela s'ajoutent toutes tes qualités qui n'attendent qu'à être amenées à maturité. Je vais te former moi-même. » En disant cela, il m'avait entouré le buste de son bras gauche en me coinçant tout contre sa poitrine, emprisonnant ainsi mon bras droit. Son long bras me bloquait totalement, ce qui lui permit de glisser sa main gauche sous ma blouse et de me peloter les seins, tandis que sa main droite, ayant attrapé ma main gauche, s'était mise à la promener sur sa braguette en un mouvement circulaire. Je sentais son sexe rigide sous ma main. Mon cœur palpitait de peur. Il m'avait prise par surprise et je me trouvais comme paralysée. Mon bras semblait ne pas m'appartenir car je ne pouvais pas le retirer malgré mon désir de le faire.

Les chasseurs de mon village de Mapimo m'avaient souvent parlé de la manière dont, fascinés et pétrifiés par les faisceaux vifs de leurs lampes de chasse, le gibier se laissait abattre à bout portant. Je pensai à ce gibier. J'étais dans une semblable paralysie. Tout se passa vite : le révérend pasteur Musafiri avait sorti son sexe. C'était la première fois que je voyais le sexe d'un homme adulte. Le sexe de mon pasteur en plus ! « Ne crains rien, petite fille, prends, tu vas voir… », dit-il en voyant mes yeux écarquillés par la terreur. Il poussa fermement ma tête contre ses cuisses et me fourra son sexe dans la bouche. J'avais une petite idée de ce que l'homme faisait de son membre dans les rapports sexuels. Mais pas du tout de cet usage-là. « Suce, disait-il, suce, petite fille. C'est bon. » Je m'exécutai en automate. Je ne savais plus où j'étais. J'avais les yeux pleins de larmes. Je me demandais si mon pasteur était devenu fou. Musafiri, lui, avait fermé les siens. La bouche entr'ouverte, il haletait en chuchotant « Suce, fillette, oui, suce, suce-moi. » Tout de suite après, il émit un grognement sourd semblable à celui d'un porc. Je sentis soudain un liquide gluant et chaud me remplir la bouche. « Bois ! Bois, vite ! C'est bon ! » disait-il en maintenant ma tête contre ses cuisses nues et poilues. Je fis ce qu'il demandait tandis que les nausées m'envahissaient. Aussitôt qu'il laissa aller ma tête, je courus aux toilettes. Je vomis pendant plusieurs minutes. À mon retour, il s'était rhabillé et, debout devant son vieux clavicorde, il jouait distraitement d'une main le solo de l'hymne de Noël « Dites sur la montagne ». L'un de mes solos préférés, celui-là même que j'avais chanté lors de mon « audition » improvisée pour être admise dans la chorale des enfants !

Il me fit sentinelle des murs de la Cité eh...
Si j'ai la foi chrétienne, je serai le dernier eh... eh...

Je sentis à ce moment-là au plus fond de moi que plus jamais je n'aimerais le son du clavicorde. Moins encore, cet hymne désormais entaché de sacrilège.

— Raccompagnez-moi, s'il vous plaît, fis-je.

— Bien, petite fille. On va y aller. Tu verras, je te rendrai heureuse.

Nous n'échangeâmes pas un mot jusque devant chez Mathie. Là, devant la porte d'entrée de la parcelle de ma sœur, dans la complicité de la nuit, il m'imposa un autre baiser appuyé en répétant : « Je te rendrai heureuse, fillette, tu verras. Je te ferai grandir... » Je courus sans attendre et allai directement me coucher. Je ne pus dormir. Mes pensées dispersées n'avaient d'équivalent dans leur chaos que mon corps devenu tout d'un coup étranger à lui-même. Je sentais que le pasteur Musafiri venait de me faire du mal, mais je n'arrivais pas à comprendre que cet homme de Dieu faisait une chose criminelle à la « *katoto* », la « fillette » qu'il me déclarait être. J'avais l'âge de la dernière de ses filles. « Aurait-il fait du mal à sa fillette, à lui ? me demandais-je. Quel rapport dois-je établir entre ce qu'il m'a fait et ce qu'il avait dit l'autre jour en nous mettant en garde contre les rapports sexuels en dehors du mariage et en nous disant que dans son église nous étions protégés, que nous étions en de bonnes mains ? N'est-il pas marié ? Pourquoi trompe-t-il sa femme ? Pourquoi est-ce correct pour lui d'avoir des rapports sexuels en dehors du mariage, mais un péché mortel pour tous les autres ? Saurait-il quelque secret que j'ignore encore ? Que veut-il dire par 'je veux te faire grandir' ? Ah, si j'avais seulement quelqu'un à qui parler ! Quelqu'un de confiance à qui je puisse poser ces questions ! »

Cruelle solitude, comme tu m'imposas ta pénible compagnie dans cette nuit d'insomnie ! Et ma sœur qui dormait juste à côté ! Je me demandai des centaines de fois, cette nuit-là, s'il existait d'autres enfants à qui on avait fait mal comme Musafiri venait de me le faire. Je me demandai aussi si elles avaient, elles, des parents plus intelligents, qui avaient su établir tôt avec elles la confiance et la communication qui faisaient défaut dans mes rapports avec mes sœurs. Et je pleurais. De désespoir et de solitude. Je passai cette nuit-là assise sur le lit, blottie dans un coin du mur, les jambes repliées sur ma poitrine, la tête sur mes genoux et les yeux écarquillés, scrutant le noir comme pour conjurer cette peur que la solitude était en train de décupler en dessinant devant moi des milliers de monstres. Aujourd'hui encore, je ressens cruellement la peine de cette nuit de solitude chaque fois que j'y pense.

Après cette première fois, le pasteur Musafiri devint de plus en plus ingénieux pour créer les occasions d'être avec moi. Pendant les vacances scolaires, lorsqu'il me savait disponible dans la journée, il séchait son travail, posait un lapin aux multiples chrétiens affamés de prière et m'invitait à l'église prétendument pour m'enseigner de nouveaux chants. « Je veux que tu saches ces chants avant que je ne les enseigne à tout le monde », disait-il. Évidemment, les chants, c'est à peine si nous les chantions. Progressivement ses abus devinrent si obsessionnels que tous les lieux, me semblait-il, étaient bons. À l'église, sur la route, la nuit lorsqu'il me ramenait chez nous, etc. Le plus curieux, c'est que le jour où ni l'église, ni chez lui ne le lui permettaient, il créait ce qu'il appelait « la visite des membres de l'Église », et m'invitait à l'effectuer avec lui. Nous arrivions chez une membre – il choisissait souvent les femmes seules –, on s'installait au salon. Comme le veut la coutume, la personne se mettait alors en quatre pour préparer la nourriture. Là, dans le salon de notre hôtesse, il abusait de moi. Évidemment, c'était rapide, à la sauvette, comme un voleur de nourriture avale son morceau mal mâché. Cette pratique devint de plus en plus fréquente, de plus en plus risquée, au point où même l'enfant que j'étais comprit que l'homme prenait un plaisir maladif à ce risque de se faire surprendre. Par exemple, il voulait que j'arrive tôt, avant les répétitions. Il m'emmenait alors derrière les rayons de la bibliothèque et baissait son pantalon. Le voir jouir en mettant ainsi en danger sa profession me confirma le fait que cet homme tirait sa jouissance du risque et de la transgression. J'eus l'impression que chaque fois qu'il accomplissait un tel acte dans le salon d'un membre de la communauté dans les cinq minutes où celle-ci nous avait tourné le dos, que chaque fois qu'il le réussissait dans l'église en défiant et les croyants présents et, surtout, un Dieu incapable de l'arrêter, il « montait », lui, dans un Ciel encore bien plus haut que celui de Dieu. Et plus il réussissait ces exploits, plus il les répétait en prenant de plus en plus de risques. Je n'eus plus de doute : il y avait quelque chose de bien peu divin dans le cœur de cet « homme de Dieu ».

Dans la chorale, il y avait un homme d'à peu près son âge, Baba Penzi. Il était le seul vieux du groupe, car l'âge moyen variait entre trente et vingt ans. À douze ans, j'étais plutôt l'exception, le bébé. Tout le monde me traitait d'ailleurs comme tel, mais avec l'estime et le respect dus sans doute à mes dons de chanteuse, tout comme on respectait Baba Penzi qui affichait bien sa cinquantaine, mais avait une remarquable voix de baryton. Baba Penzi était l'ami le plus proche du pasteur

Musafiri. Ce dernier l'utilisait pour tromper la vigilance des autres membres du groupe. Ainsi, lorsque je restais systématiquement à l'église après le départ des autres, Baba Penzi restait aussi. Mais il s'arrangeait toujours pour s'éclipser au moment « opportun » afin de me laisser seule avec Musafiri. Je me mis à revenir à la maison de plus en plus tard. Je voyais inévitablement venir une confrontation avec mes sœurs. Elle arriva. Deux ans trop tard, mais elle arriva quand même. J'avais à peine quatorze ans.

Musafiri venait de me laisser à l'entrée de la parcelle et s'apprêtait à rentrer chez lui. Quelle ne fut pas ma surprise lorsque, en entrant dans la maison de Mathie, je trouvai celle-ci en compagnie de Zaza, Léonie, Gemanie et du mari de bi'Tina, notre sœur aînée ! Celui-ci se précipita dehors pour intercepter Musafiri avant qu'il ne s'éloigne. Il l'amena de force dans la maison. Les explications s'ensuivirent. Mes sœurs demandèrent au pasteur la raison pour laquelle il gardait une petite fille à l'église si tard, bien après le départ des adultes.

« Cette fille a été choisie par Dieu, dit Musafiri calmement. Elle est à présent le pilier de la chorale et sert son Dieu avec dévotion. Je prends bien soin de votre fille. Si vous n'avez pas confiance en moi, un serviteur de Dieu, en qui alors aurez-vous confiance ? Votre fille et moi, nous faisons ce que Dieu attend de nous. En fait, moi, je ne dois des explications qu'à Dieu, notre Père tout puissant. Que Sa grâce soit avec vous ! »

Il n'aurait pas dû ajouter ces deux dernières phrases. Car le mari de bi'Tina s'énerva. « Écoute-moi bien, toi, Musafiri, lui dit-il, dents et poings serrés. Tu fais ton travail qui consiste à raconter des âneries aux pauvres cons qui te croient, c'est pas mes oignons. Mais cette enfant-ci, c'est mes oignons. Nous ne voulons plus jamais te voir seul avec notre enfant. M'entends-tu ? Fais-le encore et ce sont mes coups de poing qui t'enverront revoir tes dix commandements, en attendant que les dentistes et les esthéticiens réparent ta gueule d'hypocrite, car je vais te la fracasser, moi ! » Mes sœurs s'étaient brusquement tues. Leurs regards semblaient vouloir faire comprendre à mon beau-frère qu'il était allé trop loin. Lui, en revanche, ne remarqua rien, tellement il avait les yeux rivés sur l'homme de Dieu, n'attendant manifestement qu'une petite raison de lui sauter dessus. Le pasteur Musafiri ne lui répondit pas. Il ouvrit la porte, dit « salaamu » à tout le monde et se fondit dans la nuit. Ce fut mon tour.

On me demanda ce qui se passait entre Musafiri et moi, pourquoi j'étais la seule à revenir bien après les heures normales de fin de service à l'église. Léonie, ma sœur de même mère, était la plus fâchée. Elle se saisit de la spatule à *ugali* – ou *fufu* comme on dit à l'Ouest du pays – et voulut me battre, mais elle fut maîtrisée par les autres sœurs. « As-tu couché avec cet homme ? » répétait-elle furieusement. Et je criais, « Non, non, non ! »

Pourquoi avais-je protégé ce vieux pervers ? D'abord parce que, pour une raison que je n'arrivais pas à m'expliquer, je croyais que c'était ma faute. Ensuite parce que j'étais convaincue, aussi bizarre que cela puisse sembler aujourd'hui, que je trahirais, en la dénonçant, la seule personne qui me « comprenait », me donnait « de l'amour », me « faisait grandir » et me « protégeait ». Je me rappelle encore ses mises en garde : « Nous devons nous protéger l'un l'autre, n'oublie jamais ça. Je suis un pasteur et j'ai une femme et des enfants. Si ça venait à se savoir, ma réputation en souffrirait terriblement. » Il ajoutait fréquemment que ma propre réputation aussi en prendrait un coup irréparable : « Si une telle information sur ta vie, à toi, une chrétienne, devenait publique plus un seul homme ne voudrait te prendre en mariage », disait-il. Je protégeais enfin cet homme pour une raison évidente que, par mauvaise foi, je refusais alors de m'avouer, même par-devers moi : je ne voulais pas perdre ma position privilégiée de soliste principale de la chorale. Moi, à qui personne n'attachait la moindre importance, je me sentais exister en chantant, je me sentais devenir quelqu'un lorsque le dimanche ma voix éclatait, seule dans le silence émouvant d'une église pleine à craquer, pour être amplifiée avec une précision mathématique et comme un tonnerre par les cinquante autres voix du chœur. Le pasteur Musafiri savait sans doute l'effet de ce « pouvoir » éphémère de la voix solo sur les filles et en tirait profit.

D'autre part, ni la distance entre mes sœurs et moi, ni l'approche menaçante de ma famille, en particulier celle de Léonie qui voulait me battre, n'étaient propices à la confiance. La preuve c'est que je pensais plus au « pauvre pasteur » que l'on venait de rabrouer qu'à moi-même.

Loin de freiner un tant soit peu les élans lubriques du pasteur Musafiri, cet incident le rendit au contraire plus forcené que jamais. Lorsque nous nous revîmes trois jours plus tard, il abusa de moi à la bibliothèque avec un empressement que je ne lui connaissais pas. « Tu m'as manqué, petite enfant, tu m'as terriblement privé du plaisir de te faire mûrir ! » disait-il en me déshabillant avec un tremblement manifeste des mains… Les mois passèrent. Les soupçons de mes sœurs avaient encore aggravé mes sentiments de culpabilité. Mais, fait bizarre, j'endurais toujours les fantaisies maladives de Musafiri en me disant que c'était ma faute qu'il en fût ainsi. Même Zaza qui m'avait élevée dans la confiance s'était refermée sur elle-même et la communication intime que nous avions établie elle et moi s'était interrompue.

Il m'a fallu grandir pour comprendre à sa juste mesure la souffrance de Zaza. Comme moi, Mapimo avait dû lui manquer aussi. Cette vie dans une maison infecte avec une multitude de bouches nécessiteuses à nourrir, cette ville impardonnable où tout coûtait cher, ce régime alimentaire de fakir, sa grande beauté qui se fanait prématurément : Zaza avait dû éprouver le même sentiment d'exil que moi. Cela avait dû être plus dur pour elle, parce que, trop prise dans la lutte pour la survie, elle n'avait même pas le temps de se faire un copain pouvant lui offrir un peu d'affection. Elle donnait constamment sans rien recevoir en retour. Nul n'est capable de survivre, sans dégâts à long terme, à une telle saignée d'énergie vitale. J'imagine à présent combien vidée et épuisée elle devait se sentir au fond d'elle-même. Le plus impressionnant, c'est que jamais elle ne s'était plainte ! J'aurai toujours en moi la double image de Zaza, sainte et martyr.

Les affaires de Zaza allaient de mal en pis. Ma sœur avait de plus en plus de difficultés à joindre les deux bouts. Ce fut pendant cette période qu'elle décida de cesser la vente au marché qui ne rapportait plus grand-chose, pour commencer à aller vendre sa marchandise au Buréga, notre région natale. « Je reviens dès que j'ai tout écoulé », dit-elle un jour, en nous laissant, Macée, Bijou, Chinois et moi, entre les mains de Léonie. Celle-ci avait à peine vingt ans. J'en avais quinze, Macée treize, Bijou neuf et Chinois huit. Autant dire qu'on restait entre enfants, seuls dans la ville de Bukavu des années 1980, c'est-à-dire au moment où l'on entendait nos musiciens crier en lingala : « *Ebeba !* » – que tout pourrisse ! Il paraît que cela irritait le gouvernement, qui n'était pas d'accord. Mais, en fait, tout sentait effectivement la pourriture. Non seulement on ne mangeait jamais à sa faim, mais c'était le règne du banditisme qui en découlait. Les militaires étaient eux-mêmes de vrais brigands. Zaza nous laissa avec un peu d'argent et des provisions de nourriture suffisantes pour deux semaines. Léonie, notre « adulte » avait « cassé son stylo » depuis la troisième secondaire. Elle se battait à apprendre la couture dans un foyer social de la paroisse catholique de Kadutu. Elle faisait le marché, nous laissait des instructions et s'en allait pour ses cours de couture tandis que nous préparions la nourriture. Deux semaines après, il n'y avait plus rien à manger. Nous étions sans aucune nouvelle de Zaza et la panique entra dans la maison.

J'allais le ventre vide de l'école à l'église. À l'âge de quinze ans, je tins le coup pendant trois jours, avec seulement de l'eau. Macée, Bijou et Chinois se rabattirent chez bi'Tina. Léonie s'était mise à s'absenter pendant des journées entières. Moi, comme je ne revenais que tard la nuit, je m'écroulais pour repartir le lendemain comme une automate. Au quatrième jour, je n'en pouvais plus. Je m'aperçus au réveil que je ne tenais plus sur mes jambes. Tout mon corps tremblait. Une amie vint me chercher pour qu'on aille ensemble à l'école. Je l'entendis m'appeler mais mon corps n'arrivait plus à exécuter les ordres de mon cerveau qui lui demandait d'aller vers la « porte de sortie hors de la misère ». Ce fut un des moments de ma vie où j'eus la nette impression que j'allais vraiment mourir. Il y en aura d'autres…

Léonie, qui venait d'apparaître après toute une nuit d'absence, courut chercher Mama Fifi, une gentille dame qui habitait la parcelle voisine et dont la fille, Fifi, était l'amie de Bijou. Léonie dit à Mama Fifi que j'étais gravement malade, et elle revint au pas de course suivie de la brave dame. Un seul coup d'œil suffit à Mama Fifi pour savoir ce qu'il en était : « Cette enfant a faim ! » cria-t-elle. Sans hésiter elle rentra chez elle et revint vingt minutes plus tard avec un bol fumant de bouillie de sorgho. Je l'avalai avec la gourmandise d'un cochon. Je me mis aussitôt à transpirer abondamment, tandis que la dame se lamentait à haute voix :

« Pauvres enfants ! Mourir de faim comme ça, au milieu des gens comme si nous étions des méchants ! Ne me faites plus une chose pareille, vous m'entendez ? S'il faut mourir de faim, on mourra ensemble. Mais venez me voir la prochaine fois que vous n'aurez rien à manger chez vous, vous m'entendez ? »

Elle nous laissa, mais continua longtemps à se parler à elle-même. Je l'entendais maudire les politiciens qui ne faisaient rien que voler et se gonfler le ventre alors que des enfants innocents crevaient de faim. Léonie aussi l'écoutait, blottie sur les marches de l'escalier, les yeux mi-clos. Cette situation de faim « mortelle » et de trop lourde responsabilité fut, j'en suis persuadée, le coup ultime qui fit basculer la vie de ma sœur Léonie dans les ravins de l'immoralité.

Dans un premier temps je ne compris rien. Je remarquai tout simplement que, dès le lendemain, nous eûmes à manger. Insuffisamment, mais nous mangeâmes. Je remarquai ensuite que ma sœur s'était liée d'amitié avec Giselle, la fille de Barbe bleue. Celle qui avait fui la maison paternelle puisque son père la battait. Or, Giselle avait la réputation d'aller à gauche, à droite, avec des hommes mariés. Je comprendrais d'ailleurs par la suite que c'était l'une des raisons pour lesquelles son père la battait. En fait, j'y voyais un cercle vicieux : je n'ai pas de doute que les abus de Barbe bleue avaient poussé la pauvre fille dans la voie de l'immoralité. Bien entendu, la société jugeait alors Giselle, sans voir la responsabilité de Barbe bleue. En tout cas, la pauvre fille avait pris un mauvais virage bien trop tôt. Probablement vers ses quatorze ans, peu après que son père eut chassé sa mère de sa maison, sans autre forme de procès. À dix-neuf ans à peine, Gisèle s'habillait et se maquillait outrageusement, et elle avait suffisamment de savoir faire pour entraîner dans la prostitution ma sœur Léonie, son aînée d'un an. Une fois, je l'entendis expliquer à Léonie, après quelques bouteilles de bière, ce qu'elle appelait les trois « C ». J'étais arrivée au milieu de la conversation, mais je compris que la théorie de Gisèle faisait suite aux soucis que se faisait Léonie pour son fiancé. « Ce que j'appelle les 'Trois C', expliquait Gisèle, est connu de tout le monde comme *Chèque, Chic, Choc* : Le *Chèque*, c'est le vieux au gros ventre et au gros portefeuille, qui t'achète des vêtements, des trucs de beauté et tout, et tout, et qui te nourrit. Puisqu'il est généralement marié et fatigué, il t'embêtera guère avec des sorties publiques ou de longues nuits. Les sorties avec lui, c'est des hôtels, piscines et restaurants, et parfois de beaux voyages. Le *Chic*, c'est le beau gosse, cet étudiant avec qui tu sors dans les dancings de jeunes et que tu gâtes avec l'argent du *Chèque*, en le présentant à ce dernier comme ton cousin. Le *Choc*, c'est bien sûr, le grand costaud que tu épouseras, qui te protégera pour le reste de tes jours et qui, Dieu aidant, te fera des gosses solides et en bonne santé. » Puis elle ajouta avec un petit rire coquin, ces mots que je trouvai bien obscènes : « Évidemment, en cas d'"accident", avec le *Chèque* ou avec le *Chic*, tu peux toujours attribuer l'enfant au *Choc*. Question d'aller 'le voir' dès que tu as du retard… » J'en voulus à Léonie d'y souscrire avec un rire complice tout aussi coquin. C'est alors que je mesurai la gravité du « virage de perdition » que Léonie venait de prendre. La même Léonie qui, quelques mois auparavant, voulait me tuer à cause du pasteur Musafiri.

Mais qui étais-je pour juger Léonie ? Musafiri n'était-il pas en quelque sorte un *Chèque* pour moi ? Un *Chèque* forcé, mais un *Chèque* tout de même ! Un *Chèque* plus mauvais que ceux de Léonie, du fait qu'il fallait aller le toucher à la banque du Bon Dieu, c'est-à-dire un *Chèque* sans provision ! Surtout que dans cette banque de Dieu, le compte de Musafiri, en supposant qu'il en eût un, devait être fermé depuis des années, et transféré à la banque rougeoyante de Lucifer ! Que pouvais-je faire devant l'emprise des *Chèques* où ma sœur se trouvait piégée ? Nous mangions. Qui étais-je pour juger de la situation à laquelle la vie avait acculé Léonie ? Une jeune femme d'à peine vingt ans, sans instruction, sans travail, abandonnée à elle-même avec, sur les bras, quatre enfants à nourrir et un loyer à régler ! Je devinais bien le prix qu'elle payait pour cet argent qui nous nourrissait. Cela me faisait mal au cœur, mais nous mangions et nous avions un toit au-dessus de nos têtes. Nous mangions pour ne pas crever, et notre sœur Léonie en faisait les frais.

*

L'un des *Chèques* de Léonie s'appelait Tchafu. Un vieux magasinier ventripotent. Il respirait bruyamment et avait toujours les mains moites. Si moites qu'il vous fallait vous essuyer les mains après avoir serré la sienne. La seule idée d'imaginer ce cochon sur Léonie m'estomaquait. Chaque vendredi, Léonie nous envoyait, Macée ou moi, à son magasin, chercher du riz et de l'argent. Les mois passaient et Zaza ne revenait toujours pas. Le problème des fournitures scolaires commençait à se poser. Léonie revint un soir à la maison avec de beaux cahiers et des stylos pour moi. « Cadeaux de Tchafu », dit-elle gaiement. Je remerciai poliment avec dans mon cœur un sentiment de pitié pour ma sœur qui, à si un jeune âge, endurait pour nous les mains moites de salauds comme Tchafu. Deux jours après, c'était vendredi. Léonie m'envoya chercher le riz et l'argent au magasin comme à l'accoutumée. Je trouvai Monsieur Tchafu seul dans un magasin sans client. « As-tu aimé les cahiers ? » s'enquit-il. Je dis oui et remerciai. C'est alors qu'il attaqua sans gêne aucune :

« Ne me remercie pas. Je l'ai fait par amour. Tu sais, je t'aime beaucoup. Si tu me fais plaisir, je te gâterai encore plus. Tu sais, chaque fois que tu pars d'ici le vendredi, tu me laisses avec une crampe grosse comme une matraque de policier ! Bon, viens, ma chambre est juste à côté. Pour toi, je peux fermer le magasin pendant quelques minutes et on passe un bon moment tous les deux. Après, toi et moi, on se fera un contrat secret : chaque vendredi, tu me laisseras non plus avec une crampe douloureuse, mais avec un beau sourire de satisfaction, et moi je te laisserai partir avec une belle poche pleine et bien à toi, en plus des vivres de toute la famille et de l'argent de ta sœur. »

Je n'en croyais pas mes oreilles. Je lui dis que ce n'était pas sérieux qu'en plus des deux femmes qu'il avait déjà à la maison, il veuille apaiser sa crampe grosse comme un matraque de policier sur ma sœur et sur sa toute petite sœur. Je lui dis que dans ma culture cela amenait la malédiction. Je lui demandai de promettre qu'il n'allait plus jamais me dire de telles maudites paroles. Il ne promit pas, évidemment, mais me donna le riz et l'argent avec un visage renfrogné. Je n'ai jamais dit ceci à Léonie. Mais je crois qu'elle soupçonna quelque chose, car lorsque je lui demandai de ne plus nous envoyer, ni moi, ni Macée chez Tchafu, elle n'insista pas.

Léonie et Giselle avaient beaucoup d'autres amants. Mes yeux avaient décidé de ne pas les voir, ma tête de ne pas les compter et mon cœur de ne pas juger ces jeunes femmes. Cependant, je ne pus m'empêcher d'en vouloir à Léonie lorsqu'elle et Gisèle se mirent à amener leurs hommes chez nous et à coucher avec eux sous notre toit. Léonie avait un fiancé. Un enseignant d'école primaire, qui travaillait à Bideka, une petite bourgade située à une vingtaine de kilomètres de Bukavu. Il s'appelait Kapitula. C'est drôle : cela veut dire « culotte » en swahili. Quel ne fut pas mon plaisir le jour où j'appris qu'on avait muté Monsieur Kapitula à Bukavu ! Je me dis qu'il allait enfin forcer sa fiancée à garder ses culottes. En effet, ses visites fréquentes et à l'improviste mirent fin à celles des amants adultères. Je savais que Léonie les voyait toujours, mais, eux, avaient cessé de venir faire la fête chez nous. De temps en temps, l'un d'eux venait tard dans la nuit frapper à la porte. Mais, comme Léonie n'était presque jamais là la nuit, nous, par peur, on n'ouvrait pas. Et le monsieur insistait, insistait, jusqu'au moment où notre voisin, Baba Fifi, le mari de Mama Fifi, ouvrait la fenêtre et perçait la nuit de sa grosse voix : « Laissez ces enfants tranquilles. Ce sont des fillettes ! Allez retrouver vos femmes à la maison, nom de Dieu de nom de Dieu, au lieu d'embêter les enfants des autres en pleine nuit ! »

*

Zaza reparut un jour comme une revenante. C'était tôt le matin. Léonie n'était pas encore revenue de là où elle avait passé la nuit. Nous, les enfants, on sautillait de joie autour d'elle comme si le Seigneur Jésus lui-même était revenu. Baba Fifi nous observait en souriant. J'en profitai pour dire à ma sœur qu'il avait gardé un œil sur nous. Ma sœur alla le remercier avec quelque nourriture du Buréga. Personne ne répondit lorsque Zaza nous demanda où Léonie était. Elle n'insista pas. Elle était visiblement morte de fatigue, mais elle passa quand même à la cuisine et alluma le feu. Léonie revint à la maison plus tard que d'habitude ce jour-là. Elle salua Zaza très brièvement puis, sans mot dire, monta se coucher. Elle dormit jusqu'à midi. Nous dûmes la réveiller pour lui dire que le repas était prêt. Zaza avait préparé à la sauce tomate l'un des poulets qu'elle avait rapportés du Buréga. Et l'avait accompagné de bananes pilées que nous appelons *lituma*. Ah, Mapimo, village de mon enfance ! Comme tu me revins ce midi-là ! Léonie descendit en traînant les pieds, à moitié endormie. Elle prit place en face de Zaza et toutes deux mangèrent ensemble dans le même bol. La conversation qu'elles eurent fut la plus laconique que je les aie jamais entendu avoir.

« Tu vas bien ?

– …

– Comment va la couture au foyer ?

– Je l'ai finie. À quoi bon sans machine, de toute façon !

– …

– Comment s'est passé le voyage ?

– Dur… Il paraît que ton fiancé Kapitula travaille ici maintenant…

– Oui.

– Il va verser la dot ?

– Je ne sais pas. Quand repars-tu pour le Buréga ?

– Je ne sais pas… Dans deux semaines peut-être… »

Léonie ne lui laissa pas cette chance. Elle fit un *kurendera* chez Kapitula la semaine qui suivit. *Kurendera* en swahili de Bukavu dénote le fait, pour une jeune femme, d'entrer en mariage sans que le mari ait payé la dot. Un mariage non officialisé, pour ainsi dire. Gratuit. Un mariage non béni par la famille. C'est généralement une grande honte pour la famille d'une fille qui agit de la sorte. Mais mes sœurs Tina et Zaza prirent la chose avec un calme qui me frappa. Je me rappelle Zaza nous annonçant la nouvelle, les yeux dans le vague :

« *Léonie ali rendera... Atakwa sawa. Itakwa sawa.* – Léonie a fait un *Kurendera*… Tout ira bien pour elle. Tout ira bien. »

Mais non, rien n'alla bien. Rien.

Mon calvaire, à moi, continuait entre les mains du pasteur Musafiri. J'avais clairement senti une tension entre les différentes filles solistes à la chorale. Quelque chose me disait que nous devions être nombreuses à nous faire « grandir » par Musafiri. Il y avait une autre fille, plus âgée que moi. Elle était étudiante en biologie à l'université, alors que, moi, je venais à peine de commencer l'école secondaire. Une fille vraiment belle. Elle n'était pas choriste, mais elle venait étudier la Bible sous la houlette du pasteur Musafiri. Le pasteur était pour elle une sorte de père spirituel. Je les voyais souvent ensemble à la bibliothèque sans me douter de rien, jusqu'au jour où Musafiri, lui-même, me dit en blaguant, « Fais attention, à toi, l'autre fille est jalouse de toi… Tu as une rivale, ma chère ! »

Cloches d'alarme ! Tardives cloches, mais alarmes quand même ! Cloches à larmes. Sons aigus de montres-réveils !

Des centaines de montres mêlées aux cloches. Fin d'une hypnose. Je me secoue, je regarde Musafiri dans les yeux. Je ne dis rien, mais je m'en vais. Je me sens plus sale encore, je m'en vais sans me retourner. Ne plus lui montrer mes larmes. Je ne dors pas de la nuit. Je passe en revue toutes les femmes et jeunes filles de la chorale, spécialement celles qui font des solos. Je nous vois une à un en plein labeur sur le sexe de Musafiri. Au nom du pouvoir de la voix solo. Au nom de l'Église. Au nom de Dieu. Non, Dieu n'est pas là. Dieu s'est caché. Il a honte. Peut-être s'est-Il aperçu qu'Il est nu ? Je n'en sais rien. En tout cas, nu ou pas nu, Dieu s'est caché. Il a toujours été caché dans cette église de Musafiri. Mais pourquoi ? N'est-ce pas une démission devant tout ce pourrissement de son chez Lui ? Non, Il ne va quand même pas se cacher devant un cochon comme Musafiri ! Non, pas Lui ! Pas Dieu ! Je dois mal chercher. Je me frotte les yeux et cherche encore. Rien. Rien que Musafiri, nu, avec son pénis vieillissant qu'il adore plus que tout au monde. Comme un petit enfant adore son meilleur jouet. Musafiri nu avec son pénis divinisé. Son pénis qui, je le comprends maintenant, ne sert qu'en état de perversion. Son pénis qu'il exhibe sans vergogne. Son pénis qui défie Dieu avec arrogance. Mais où est-Il ? Qu'attend-Il pour le ramollir d'une seule frappe ? Où est Dieu pour chasser Musafiri de son Église ? De cette Terre ?

J'eus peur. Peur de ma rage. Peur de l'absence de Dieu. Peur d'une Église désertée de Dieu. Une Église qui ne savait plus protéger même les enfants. Une Église qui buvait les paroles hypocrites des Musafiri. Des centaines de Musafiri. Une Église qui avait constamment les yeux fermés tandis que des salauds de toutes sortes, s'improvisaient pasteurs ou prophètes ou prêtres, et s'emparaient d'un pouvoir incontesté dans un métier où la supercherie ne se découvrait jamais, du fait de l'impossibilité de l'exposer. Qu'une prière fût « exaucée », l'honneur allait au « pasteur », qu'elle ne le fût pas, c'était la faute du pauvre croyant qui, disait le « pasteur », n'avait pas « assez de foi ». J'eus peur de la multiplication des actes dont j'étais victime sur cette communauté trop confiante, réunie dans cette Église dont on avait chassé Dieu. Cette communauté aveuglée qui avait toujours l'espoir d'y trouver refuge contre l'autre pourriture qui régnait dans la vie quotidienne. Je me demandai par exemple si Musafiri ne violait pas systématiquement ces femmes membres qu'il allait visiter, et chez qui il violait en vitesse ses accompagnatrices. Je me demandai combien d'autres crimes cet être dégoûtant était en train de commettre sous la protection de la Bible et des cantiques religieux. Puis je m'aperçus que dans cette adversité j'avais dû grandir. Négativement et trop vite, peut-être, mais j'avais grandi. Je regardais l'Église avec des yeux ouverts. Des yeux d'adulte. Je regardais avec étonnement cette communauté engourdie, volontairement engourdie, qui ne savait même plus distinguer une hyène d'un agneau.

Et je pleurais en silence. Je pleurais abondamment. Je pleurais pour cette universitaire, spécialiste en biologie, futur savant peut-être, qui m'en voulait à cause de ce vaurien de pasteur hérétique. Je pleurais pour toutes ces filles qui payaient si chèrement l'orgueilleux privilège de chanter au-dessus de la voix des autres. Pour toutes les femmes tombées sous l'envoûtement d'un pouvoir illusoire. Je pleurais ma jeunesse à jamais volée.

*

Le lendemain, à la fin de la répétition, Musafiri me dit comme d'habitude de l'attendre pour « fignoler certains solos ». J'attendis de pied ferme. Dès que nous fûmes seuls, je lui dis, en le regardant bien dans les yeux, que je ne voulais plus de répétitions privées ; que, s'il voulait parfaire mes solos, il devait dès lors le faire devant tous les membres de la chorale. Pendant quelques secondes, je vis une grande surprise dans ses yeux. Mais il accusa le coup avec souplesse. « D'accord, ce sera fait comme tu veux », dit-il tout simplement. Il n'y eut plus de répétitions privées. Je fis mes solos le dimanche de cette semaine-là, mais ce furent les derniers. La semaine d'après, je fus remplacée. Par d'autres belles voix qui, j'en suis persuadée, allaient comme moi se « faire grandir » par le très révérend pasteur Musafiri.

*

Chez moi il y a un proverbe qui dit : « Cent souris ne meurent pas toutes d'un seul coup de bâton ». Cette année même où je m'étais arrachée des griffes de Musafiri, deux de mes sœurs échappèrent à la tradition familiale de « briseuses de stylos ». Bi'Gemanie finit le premier cycle d'université et devint professeur d'anglais au lycée tandis que, survivant à la fugue de notre frère Pierre, une autre grande sœur, bi'Mona, la talonnait à la même université, mais au département de français. Toutes deux renforcèrent mes convictions que l'école était ma seule voie pour sortir de cette misère. Mais je la sentais si loin, oh si loin, cette porte de sortie !

J'entamai la cinquième année des humanités commerciales. J'étais donc à deux ans de mon bac, que nous appelons, au Congo, « Examen d'État ». Le lycée Wima où enseignait bi'Gemanie logeait ses professeurs. Ma sœur me sauva en m'offrant d'aller habiter avec elle. « Tu ne peux pas réussir ton Examen d'État, dans l'imbroglio de chez Zaza », dit-elle. Cette année-là, pour la première fois de ma vie, je vécus dans une maison avec toilettes modernes et de l'eau courante. Je passai brillamment en dernière année.

Malheureusement, Gemanie se maria à la fin de cette année scolaire avec un homme appelé Serge, un compatriote qui enseignait l'histoire à Butare, au Rwanda. Elle devait donc démissionner pour rejoindre son mari au pays du président Habyarimana.

Ce mariage est resté historique à Bukavu. En effet, Gemanie ainsi que les trois autres sœurs, Hono, Mareine, et Macée, qui vivaient avec moi chez Zaza, en faisaient voir de toutes les couleurs aux hommes. Toutes mes sœurs sont de très belles femmes. C'est certainement cette beauté qui faisait qu'elles avaient « la chance des hommes », comme l'on dit chez nous. Une expression qui m'a toujours donné des nausées, à moi dont l'expérience avec les hommes a constamment été tout sauf chanceuse. Quoi qu'il en soit, ces femmes-là semblaient prendre sur les hommes une revanche qui souvent tournait à la tragi-comédie. J'ai déjà parlé de Mareine qui allait d'homme en homme. Il n'y eut que le vieux El Hadji qui put la garder un temps. À son retour à Bukavu, elle rendit fou d'amour un homme marié. Celui-ci venait miauler dehors la nuit comme un chat derrière une porte fermée, il s'en allait fatigué, sans que Mareine se donne la peine d'aller au moins lui dire pourquoi elle le boudait. Bizarrement, elle finit par porter son bébé. Mais, même après cela, elle continua à infliger le même traitement au pauvre infidèle. Hono, elle, faisait des bébés puis montrait la porte aux géniteurs en leur disant, « on a amené au monde un enfant, cela ne te suffit-il pas ? Va t'occuper de ceux que tu as fait faire aux autres femmes. Ceux-ci, je m'en occupe. De toute façon, je sais que tu ne seras jamais là pour eux ». Et c'était la fin. Elle ne s'en occupait pas, évidemment… Hono semblait avoir sur la question un principe qu'elle n'a jamais expliqué à personne. Malheureusement, la charge tombait sur nous tandis qu'elle parcourait le monde en quête d'on ne sait quoi. Pour les pères de ces enfants, c'était bon débarras, bien sûr. Irresponsables qu'ils étaient, ils ne demandaient pas mieux.

L'histoire de Macée est la plus drôle. Un homme appelé Sitaki vint de Kolula, le village d'origine de mon père pour l'épouser. Un jeune commerçant prospère qui ne s'était pas encore marié. « Tu as de la chance de tomber sur un homme qui n'est pas polygame, et de notre village d'origine, en plus ! » lui dirent mes sœurs. « Vu que tu as déjà brisé ton stylo, tu ferais mieux d'accepter cette proposition de mariage ! » Macée fit marcher ce jeune homme pendant des mois. Finalement, un jour, à la grande surprise de tout le monde, on les vit venir main dans la main pour annoncer qu'ils se mariaient dans une semaine. L'homme versa dûment la dot, il fit confectionner une robe de mariage splendide pour sa fiancée.

Ah, ce mariage ! Je m'en souviens comme si c'était hier. Un dimanche au soleil doux. Un ciel bleu pur. Nous nous sommes faites belles. Macée rayonnait. On l'aurait crue sculptée, tellement elle restait figée dans son blanc incandescent. Tout alla bien jusqu'à l'instant avant les serments. La traditionnelle question du prêtre vint sans que l'on n'y prêtât attention outre mesure : « Y a-t-il dans cette église quelqu'un qui aurait une objection contre le mariage entre ces deux jeunes gens ? Si c'est le cas, il faut parler maintenant avant que je ne bénisse leur hyménée. » C'est alors que se produisit l'impensable : « Je m'y oppose ! » Tout le monde, y compris Sitaki et le prêtre, resta stupéfié, le menton sur la poitrine. L'objection venait de la fille à marier, elle-même ! Cela dit, elle fila à pas précipités vers la porte en soulevant sa robe blanche.

Comme pour mettre la cerise sur un gâteau piétiné et qu'on ne mangerait jamais, le prêtre conclut la cérémonie ratée sur un ton cérémonieux, d'une voix chantante, tremblotante, comme seuls les prêtres catholiques savent le faire, en traduisant le nom du mal-aimé : « Sitakiiiii, cher ami, ton nom swahili veut dire 'je ne veux paaaaas'. Quelle ironie, n'est-ce pas, mon vieux Sitakiiii ! Je prierai pour que la Sainte Vierge, Mère de Dieuuu, intercède en ta faveuuuur, afin qu'il te soit envoyé une daaaame qui dira *ndiooo natakaaaa* – 'oui, j'y consens' ! » L'assistance éclata de rire. Même les membres de la famille de Sitaki ne purent se retenir. Pendant toute cette comédie de mauvais goût, Sitaki, resté seul, fit une gueule si drôle qu'il nourrissait encore le fou rire du public.

Macée n'a jamais expliqué cet incident absurde autrement que par la raison tout autant absurde qu'une femme a le droit de changer son avis.

Quant à Gemanie, elle s'était déjà offert le surnom peu flatteur de « Remboursez », tellement elle changeait de fiancés. Notre sœur Tina, qui gardait l'argent de la dot de mes sœurs, avait pour principe de ne jamais dépenser l'argent versé pour le mariage de ces cinq-là, car il lui fallait être prête lorsque le fiancé déçu viendrait se faire rembourser. Gemanie épousa bel et bien son Serge. Plutôt rapidement, après des fiançailles qui durèrent le temps record d'une semaine. Mais les choses ne se passèrent pas sans divertissement. Son fiancé attitré, le dernier à subir la « loi de remboursement », prit très mal ce changement d'avis. Il vint un soir frapper à la porte de Gemanie. Serge, le mari de ma sœur, était là. C'est lui qui alla ouvrir. Le fiancé déchu se jeta aussitôt sur lui, un long couteau à la main. Si nous n'avions pas été dans une maison moderne avec une véranda éclairée, Serge aurait perdu la vie ce soir-là. Rapide comme un singe, il désarma l'attaquant et le maintint au sol dans une prise digne d'un lutteur professionnel.

« Au secours ! Gemanie, au secours ! Viens dire à ton mari de me lâcher ! Dis-lui que j'abandonne la dispute ! Au secours, Gemanie, je n'arrive pas à respirer ! » criait l'amoureux déçu et battu. Nous accourûmes pour trouver le pauvre type bien aplati sous le genou d'un Serge triomphant et souriant, qui semblait prendre plaisir à ces plaintes de soumission.

*

Gemanie et Serge s'en allèrent pour le Rwanda. Plus précisément dans la ville de Butare, pour enseigner, lui l'histoire, elle l'anglais. Quant à moi, je devais rejoindre la maison de Zaza, où m'attendaient mes travaux ménagers, la fosse septique à drainer et un diplôme d'État à décrocher. Coup de chance : Mona qui, entre-temps, venait de finir ses études en français, trouva du travail dans une compagnie américaine. Elle me renvoya habiter au lycée, cette fois à l'internat, loin des distractions de chez Zaza. J'attaquai la dernière année avec la détermination d'une guerrière acharnée et décrochai mon diplôme d'État sans tambour ni trompette, mais avec grande satisfaction.

J'avais en main les fameuses clés des portes de l'université. Un autre événement vint ajouter un deuxième petit rayon de soleil dans ma sombre vie : je venais de rencontrer un garçon appelé Matso, et tombai follement amoureuse de lui. Le mot Matso était une déformation qu'il avait faite de son nom, qui était Mateso. C'était un garçon intelligent, aux manières fines. Même cette déformation de son nom original en était la preuve. En effet, Mateso, en swahili veut dire « Tristesse ». Je n'ai jamais compris comment quelqu'un pouvait donner un nom d'aussi mauvais augure à son enfant ! Déjà, enfant, j'avais éprouvé le même étonnement en apprenant le nom de Machozi, ou « larmes », que portaient les deux épouses de mon père. Ainsi, dès l'école primaire, Matso avait pu officiellement changer son mauvais nom. Cela m'impressionna autant que sa sollicitude et son respect à mon égard. Pour une fois, j'étais heureuse. Enfin, aussi heureuse que pouvait l'être une petite orpheline abusée. Matso était à l'université à Bujumbura au Burundi. Il y retourna, après m'avoir donné le meilleur été de ma vie.

On m'admit au département d'anglais à l'Institut supérieur pédagogique (ISP) de Bukavu. Le même institut qui avait formé mes sœurs Gemanie et Mona. La nouvelle était plutôt décevante. En effet, j'avais fait une demande au département de biologie, mais il n'y avait pas de place, me dit-on. On me plaça en anglais sans me demander mon avis. J'allais donc commencer des études, mais le cœur n'y était pas. Je n'avais rien contre la langue de Shakespeare, mais je n'étais pas faite pour les lettres.

Elle est drôle la situation que l'on a créée au Congo : le mérite ayant disparu depuis longtemps, l'entrée à l'université ne reflète pas nécessairement l'intelligence du candidat. Même le choix de la discipline d'étude n'est plus nécessairement fait en fonction de ses capacités. J'ai vu entrer en sciences des gens absolument nuls en mathématiques. Pire encore, je les ai vus passer de classe en classe, alors que des professeurs corrompus cassaient des génies qui auraient – le saura-t-on jamais ? – peut-être été nos Einstein ! Le pasteur Musafiri, par exemple, n'avait aucune vocation religieuse, j'en suis plus que convaincue. Il aurait fait une belle carrière de bandit ou de gigolo. Mais c'est ce genre de « fonceurs » qui, sachant qu'ils n'ont rien à perdre, savent exceller dans le rôle de lèche-bottes. Musafiri avait si bien léché les bottes des missionnaires scandinaves que ceux-ci, aveuglément, placèrent comme adjoint de leur représentant légal un bandit de grand chemin, un prédateur sexuel, un pédophile qui pourrissait non seulement la fondation de leur Église, mais la base de toute une société. La construction de ce pays – tout comme la plupart des pays d'Afrique – est à reprendre à zéro…

Enfin… j'assistais, disais-je, à mes cours d'anglais sans goût. Entre-temps, j'avais introduit une autre demande à l'Institut Supérieur de Développement Rural (ISDR) et m'y trouvais sur la liste d'attente. Je quittai l'ISP en quatrième vitesse dès que je fus admise à l'ISDR. Arrivée tardivement, je n'eus pas de chambre à la résidence des étudiants. Je me fis « maquisarde » auprès de deux filles. Être maquisard(e), c'est se faire officieusement sous-loger par un autre étudiant ou une autre étudiante. L'arrangement consistait en un petit « loyer » que la maquisarde payait aux occupantes officielles de la chambre. Une autre maquisarde m'avait précédée dans la chambre. Nous vécûmes donc à quatre. La chambre était petite, mais nous nous logeâmes tant bien que mal. Les « propriétaires » occupaient le lit gigogne. Et nous, les deux maquisardes, dormions par terre sur des matelas mousse que nous rangions dans un coin le matin venu. La pratique était courante dans nos universités qui sont notoirement surpeuplées. J'appris aussi bien vite qu'il fallait arriver très tôt dans la salle de cours, si l'on voulait prendre des notes en position assise. Autrement, on suivait le cours debout pendant des heures. Le campus était petit et l'espace géré parcimonieusement. Les homes des étudiants et les bureaux des professeurs se côtoyaient. À mon arrivée, je remarquai que tous ces bureaux avaient des rideaux hideux, tout noirs qui restaient constamment baissés. Je demandai pourquoi et mes trois camarades de chambre m'apprirent un vocabulaire nouveau : « Ces bureaux sont des *bureaux calvaires* ». Quand je voulus en savoir plus, elles me dirent en riant qu'il fallait simplement prier pour ne pas s'y trouver enfermée un jour avec le « Maître des lieux ». Je compris et ne posai plus de questions. Mon calvaire ne tarda pas.

La première attaque vint de mon professeur de statistiques. Il m'apostropha en classe à la fin de son cours en disant simplement : « Toi, tu as mal travaillé, ma fille. Il faudra faire mieux la fois prochaine ! » Je le croisai plus tard dans la cour et lui demandai comment je pouvais faire mieux s'il ne me rendait pas ma copie pour que je voie où j'avais mal fait. « Si tu ne comprends pas ce qu'on te dit, tant pis pour toi », fit-il en haussant les épaules. J'en parlai le soir même à mes trois camarades de chambre. « Tu ne sais pas ce que c'est que 'travailler mieux' ici ? » fit l'une d'elles en éclatant de rire avant d'ajouter : « Le calvaire, ma fille, il faut aller au calvaire ! »

« Il attendra longtemps », répondis-je. Au sortir de la classe suivante, il m'apostropha pour me demander si j'avais « finalement compris ». À ma réponse négative, il répliqua : « Je te donne rendez-vous à l'hôtel Tshikoma ce week-end, entre midi et quatorze heures. » J'« oubliai » exprès le rendez-vous, signant ainsi ma « mort » en statistiques.

Le second professeur qui m'attaqua enseignait l'agriculture. Un cours d'option. On s'était croisés en ville à la sortie d'un magasin. Après salutations, j'allais mon chemin lorsqu'il me demanda avec fermeté de revenir sur mes pas. Il alla tout droit au but dès que je fus près de lui :

« J'attends toujours ta visite à mon bureau, tu sais !

— Ma visite ? Pour quoi faire ?

— Ne joue pas aux naïves, tu veux qu'on te fasse un dessin ?

— Non, Citoyen, mais moi, j'aime et je comprends très bien votre cours...

— « Moi j'aime et je comprends très bien votre cours » m'imita-t-il en féminisant sa voix pour se moquer de moi. Tu penses que c'est avec ta tête-là que tu vas passer en seconde ? Ce n'est pas comme cela que ça se passe ici, petite fille.

— Et les garçons, ça se passe comment pour eux ? demandai-je.

— Eux, ce sont des bouts de papiers rectangulaires, avec dessus la tête de quelqu'un, qui vont les sauver. »

Tandis que je faisais volte-face et m'éloignais, il me lança : « Tu sais où me trouver. À bon entendeur, salut ! » J'échouerai à ce cours aussi, faute d'avoir cherché son « bureau calvaire ».

Le troisième professeur s'appelait Mulumba. Il enseignait un cours de développement appelé « Animation en communauté de base ». Un cours d'option extrêmement important qui consistait en des techniques d'animation et de sensibilisation de la population sur divers problèmes tels que la protection contre les maladies sexuellement transmissibles, l'hygiène, l'utilisation du préservatif, la lutte contre la diarrhée, etc. Un échec dans cette matière signifiait un ajournement automatique. On m'avait prévenue dès le premier jour du cours que Mulumba était parmi les enseignants les plus corrompus de l'Institut. Je me promis de mettre les bouchées doubles dans son cours. Je me distinguai particulièrement dans les stages d'animation. Lui même me félicitait après mes animations.

Son attaque vint de manière brutale un jour où je recevais mon fiancé Matso.

Un étudiant vint frapper à notre porte et me dit : « Coco, le prof Mulumba veut te parler. » Le bureau de Mulumba était juste à côté de notre résidence. Il ferma la porte dès que je fus entrée. Les rideaux noirs étaient, comme toujours, baissés et il avait éteint les lumières. Je lui fis remarquer qu'il faisait trop sombre. « Je le sais, dit-il. Écoute, je ne vais pas tourner autour du pot, j'ai terriblement envie de toi. » En disant cela, il baissa, d'un mouvement brusque, son pantalon et son sous-vêtement en même temps. Je restai debout, bouche bée, essayant de comprendre ce qui m'arrivait. Il garda sa chemise mais finit de se dénuder par le bas. « Tu ne vas pas me laisser dans cet état, dit-il. Je ne te le pardonnerai jamais. » Il n'était pas en érection, mais ses yeux étaient mi-clos, avec un air de lubricité absolument dégoûtant. J'essayai de le raisonner.

« Mais prof, vous êtes marié et moi je suis fiancée…

– Et alors ? Ça change quoi ?

– Pour vous ça ne change rien peut-être, mais moi, j'ai un fiancé…

– Je le connais, ton Matso, fit-il. As-tu jamais entendu parler de *Chèque, Chic, Choc* ?

– Oui, prof, je connais l'expression. Trop bien même.

– Alors, voilà. Tu gardes ton Matso comme *Choc*, et moi je serai le *Chic*, et toi tu passes mon cours comme dans du beurre, c'est chic, non ! »

Je lui dis que je ne trouvais pas du tout sa proposition chic, que je n'avais pas envie de tromper Matso et que justement j'étais avec lui lorsqu'il m'avait fait venir. Cette information sembla le rendre jaloux. Il devint méchant : « Je te commande de te coucher sur cette table tout de suite ! » dit-il en s'efforçant d'étouffer sa voix. Je reculai vers le fond de son bureau. Il venait avec l'intention claire de m'acculer dans un coin, je pris alors le rideau de la fenêtre sous laquelle je me trouvai et lui dit d'une voix suffisamment haute pour me faire entendre au dehors : « Arrêtez, prof, ou je tire et je crie ! » Il s'arrêta net, pris au dépourvu. « Tu penses garder ta virginité à l'université ? fit-il sur un ton doctoral. Il y a une réalité académique tout à fait différente de celle du lycée d'où tu sors, jeune fille. Tu l'apprendras trop tard, c'est moi qui te le dis. À toi de décider : tu me laisses ainsi dans l'humiliation, ou tu viens te coucher sur cette table et j'assure ton passage en deuxième année d'université. C'est aussi simple que ça. Si tu choisis le succès viens à moi. Mais si tu choisis de m'humilier, eh bien, la porte est là, ouvre-la et sors ! » conclut-il en mettant les mains en l'air comme s'il était braqué par quelque tueur invisible. Dans cette posture, Mulumba faisait pitié. Son pénis s'était rétréci lamentablement comme la tête rentrée d'une petite tortue. Je me dirigeai vers lui. Il me regardait, les bras toujours en l'air. Je passai devant lui, ouvris la porte, sortis en la refermant vite et courus rejoindre Matso.

Mon récit mit Matso dans tous ses états. « Tu dois aller voir le Directeur général », criait-il. Mes camarades de chambre le calmèrent : « Réjouis-toi d'avoir une femme qui vient de sacrifier ses études pour toi, dit l'autre maquisarde. Mais elle n'aura jamais raison contre un professeur dans notre système éducatif, tu le sais bien. »

Pour un sacrifice, cela en était vraiment un. J'écopai un *in toto* à la fin de l'année, c'est-à-dire que je fus totalement ajournée. Je devais revenir repasser tous mes examens. Avec ce que je savais, cela n'en valait pas la peine. Je choisis d'abandonner la partie. Décidée, néanmoins, à continuer le combat ailleurs.

Les protestants avaient ouvert une nouvelle université appelée UEA, Université Évangélique en Afrique. Elle était à Panzi, une petite ville située à huit kilomètres au sud de Bukavu.

La ville de Panzi est bien connue parce qu'elle est aussi un grand centre hospitalier. L'UEA vint donc lui apporter encore plus de visibilité et d'importance. J'y fus admise sans problème. En biologie, comme je le voulais ! Huit kilomètres à pied à l'aller comme au retour, c'était dur. Surtout qu'il fallait se réveiller vers cinq heures pour commencer commodément les cours de huit heures. Mais je m'y mis avec tout le sérieux nécessaire. Mes premiers résultats furent plus que satisfaisants. « Enfin, me dis-je, je vais pouvoir étudier en paix ! » Encore une fois, je me trompais.

Ma sœur Mona était déjà partie aux États-Unis. Après ses études, elle s'y était mariée et y travaillait. Elle avait généreusement continué à soutenir mes études en m'envoyant de l'argent mensuellement. Elle m'appela des États-Unis au bout de mon premier trimestre à l'UEA pour me dire que sa situation financière s'était temporairement détériorée. « Tu vas aller habiter pour l'instant à Butare, au Rwanda, chez bi'Gemanie. Je lui ai déjà parlé et on t'y attend, me dit-elle. Ne t'inquiète pas, ce n'est qu'une situation temporaire. Je te remets sur le banc dès que tout s'améliore ici. »

Je comprenais ma sœur, mais cela ne m'empêcha pas de pleurer amèrement cette nuit-là. Je ne voyais vraiment pas ce que j'allais faire chez Gemanie en dehors des travaux de ménage et de la garde des enfants comme toujours.

*

Lorsque j'arrivai à Butare, bi'Gemanie et son mari avaient déjà trois enfants. Elle en conçut un quatrième au cours du mois de mon arrivée. Ma sœur et son mari étaient fort pris par leurs fonctions d'enseignants. Le travail d'« au pair », désormais inévitable, me revint d'office. J'aime bien les enfants. Je pris donc en charge ceux de bi'Gemanie avec l'amour d'une mère. Les choses marchèrent aussi bien que possible, moi faisant la domestique doublée de baby-sitter et eux m'offrant nourriture et logis. Tout aurait probablement continué à bien aller n'eût été un événement qui vint bouleverser l'équilibre mental de ma sœur : le départ de son mari pour les États-Unis. Il allait y poursuivre ses études.

Peu avant l'annonce de ce fameux départ, j'avais déjà commencé à faire de temps en temps quelques heures de vacataire dans un salon de coiffure. Je ne gagnais pas beaucoup, mais j'apprenais vite et bien. Cette initiative qui, au départ, avait pour but de me sortir de la maison, allait devenir déterminante dans notre vie, après le départ du mari de Gemanie aux États-Unis. Un seul salaire ne suffisait plus pour prendre soin de nous tous dans la maison. Ma sœur prit ce qu'elle avait comme épargne, j'y ajoutai le peu d'argent de mon petit salaire que j'avais mis de côté, ainsi que mon expérience, et nous lançâmes notre propre salon de coiffure. Nous engageâmes deux filles. L'une devait nous servir de domestique et l'autre de baby-sitter. Pendant un temps, ma sœur et moi pilotâmes vaillamment le bateau familial. Mais au bout de deux mois, bi'Gemanie, qui avait toujours été d'une santé de fer, tomba malade. Une drôle de maladie sans fièvre. Elle commença par se sentir si fatiguée qu'elle avait du mal à se lever du lit. Elle se mit à manquer ses cours à l'école, puis elle ne sut plus se mettre debout. Plus du tout. Tous les examens à l'hôpital revenaient avec des résultats négatifs. Ma sœur, que j'avais toujours connue batailleuse, dépérissait à vue d'œil. Elle pleurait sans cesse. Elle écrivait beaucoup de lettres. À son mari surtout. Elle écrivait couchée. De longues lettres que le sommeil interrompait et qu'elle reprenait par intermittence. Entre-temps, mon éternel travail de mère d'enfants continuait, plus lourd que jamais. En plus je m'occupais toute seule du salon de coiffure. Heureusement que nous avions ces deux jeunes filles. Elles aidaient bien avec la garde des enfants et les travaux de ménage quand j'étais au salon de coiffure.

Mes seuls moments de bonheur arrivaient lorsque Matso venait me voir de Bujumbura pendant ses vacances. Il logeait alors dans une petite chambre de motel où nous pouvions passer quelques moments dans la soirée. Des moments agréables d'amour réel où pour une fois quelqu'un d'autre s'occupait de moi. Rien que de moi. Au lit ou pendant une simple promenade de santé. Je n'avais jamais eu tant d'attention d'un homme. Ni de personne, d'ailleurs. Je n'avais jamais tant fait l'objet d'affection de qui que ce fût. Je n'avais jamais aimé auparavant. Matso était donc mon tout premier amour. Son attitude courtoise aussi bien que ses manières charmantes avaient également gagné le cœur de ma sœur Gemanie. La dernière fois qu'il vint me voir, c'était peu avant le départ de Serge, le mari de Gemanie, pour les États-Unis. À cette occasion, Matso me demanda en mariage. Il reçut un accord immédiat de ma sœur qui l'envoya payer la dot auprès de bi'Tina à Bukavu. Matso s'exécuta avec empressement. Je me mis aussitôt à confectionner ma robe de mariage.

Ce futur radieux allégea un peu mon moral du poids que la maladie de ma sœur avait rajouté. Une des multiples lettres que Gemanie écrivait à son mari vint jeter un nuage sur la petite flamme qui éclairait ce futur. Elle était allée s'écrouler comme d'habitude dans son lit, oubliant sa longue lettre bien étalée sur la table. Mon œil tomba sur mon nom au milieu de la page et cela piqua ma curiosité. Je ne pus m'empêcher de lire, d'abord le paragraphe puis la lettre entière. Gemanie disait à son mari que je m'occupais très bien de leurs enfants et que ceux-ci m'aimaient bien. Elle continuait en déclarant que si par malheur cette maladie l'emportait, elle me donnait à son mari comme épouse de remplacement. Cela me fâcha terriblement. Tout en me sachant fiancée et prête à me marier, ma sœur me mariait à son époux sans me consulter au préalable comme une vulgaire vache que l'on abandonne au bon vouloir de la propriétaire.

Je mesurai alors combien mes sœurs me considéraient comme propriété acquise, dans un total manque de respect pour mes sentiments. Vu l'état dans lequel se trouvait bi'Gemanie, je pris la décision de ne rien dire, mais n'en souffris que davantage faute de pouvoir purger mon cœur.

Un jour qu'elle piquait une de ses crises devenues fréquentes, bi'Gemanie m'appela dans sa chambre et, le visage baigné de larmes, elle me fit littéralement un testament oral : « Petite mère – c'est comme cela qu'elle m'appelait – je vais mourir. Je te remercie d'avoir si bien pris les choses en main. Laisse-moi te demander une derrière faveur. Fais bien attention à ce que je vais te dire, car c'est capital : les enfants t'aiment bien. Je te prie de prendre Serge pour époux après ma mort. Je ne veux pas qu'ils aillent grandir chez une autre femme que Serge épouserait et qui les ferait souffrir. Promets-moi que tu épouseras mon mari après ma mort ! »

Cela aurait pu être l'occasion pour moi de lui dire ce que je pensais d'elle. Mais elle était dans un état si lamentable que je me contentai de lui dire qu'elle n'allait pas mourir, qu'elle serait bientôt sur pied. Je savais, en effet, qu'elle allait se remettre, car on n'avait pas besoin d'être médecin ou psychologue pour voir que cette femme souffrait de dépression. J'étais convaincue qu'elle n'arrivait pas à supporter l'absence de son mari. Mon ressentiment se transforma alors en pitié pour cette pauvre femme habituée à s'appuyer sur un homme au point de devenir estropiée sans ce dernier. Bizarrement – ô mystère des mystères ! –, j'allais, peu après, passer de l'héroïne à la vilaine dans le cœur de ma sœur. Du jour au lendemain ! Cela, grâce à un de ces groupes évangéliques qui trouvent un milieu fertile partout en Afrique où, nous le savons bien, la croyance en la sorcellerie est encore si fortement ancrée. La misère rend croyant, c'est bien connu. Ces évangélistes autoproclamés « pasteurs » ou « prophètes » et généralement autodidactes en matière de Bible, procédaient tous de la même manière : d'abord ils apprenaient la Bible comme un perroquet, ensuite ils allaient embobiner et racketter leurs disciples naïfs avec des simagrées qui mêlaient le nom de Jésus à des pratiques fétichistes. Ainsi derrière chaque maladie, ou chaque difficulté de la vie, ils trouvaient un sorcier. Le « pasteur », le « prophète » venaient faire des gesticulations pour chasser le démon, ou « appeler » le mari introuvable de la célibataire malchanceuse, ou encore influencer le consul de tel ou tel pays occidental afin de le pousser à octroyer au « croyant » un visa, sans poser de question, cela grâce à l'hypnose qu'il faisait, « au nom de Jésus ». J'allais être déclarée sorcière et responsable de la maladie de ma sœur par son groupe de prière.

Un jour, les amies de bi'Gemanie vinrent la tirer de son lit pour l'amener à un groupe de prière où, disaient-elles, il s'opérait des miracles. Elles promettaient que le « prophète » de leur groupe évangélique prenait en main les choses lorsque le médecin donnait sa langue au chat. Pendant les semaines qui suivirent sa conversion, ma sœur devint si zélée dans les activités de ce groupe qu'elle m'inquiéta. Son emploi d'institutrice avait pris fin par défaut, elle me laissait toujours le salon et les enfants. En plus, elle adopta des comportements bizarres comme prier en hurlant dans la maison en pleine nuit, chasser de la maison des esprits qu'elle seule voyait. Pire, elle revenait souvent avec son « prophète » pour que ce dernier chasse de la maison, avant qu'elle n'y entre, « les démons que certaines personnes y avaient amenés pour causer du tort à cette pauvre famille ». L'allusion était claire quant à qui étaient ces « certaines personnes ». N'en pouvant plus, j'allai voir ma sœur et lui fis remarquer qu'elle était en train de se perdre, que son église normale était suffisante, qu'elle n'avait pas besoin de secte pour se guérir et que tout était dans sa tête. J'ajoutai aussi que cette secte n'avait rien à voir avec la nette amélioration de sa santé. Grave erreur de ma part !

Une autre lettre oubliée sur une chaise un mois après ces remarques fit sur moi un effet encore plus foudroyant. La lettre était adressée à une copine, à elle, restée à Bukavu : « Coco, *'uyu katoto ka masikini'*, 'cette petite enfant de pauvre, cette petite chose', est une sorcière, écrivait Gemanie. Elle m'a jeté un sort pour me tuer afin de pouvoir me voler mon mari. »

Je tombais des nues. Quoi ? C'est ainsi que me paye cette femme pour qui je me suis tant sacrifiée ! Est-ce donc vrai que je n'aurai jamais la paix dans ma vie d'errance ? « Petite enfant de pauvre » ! Simplement parce que ma mère a disparu dans la nature et que je vis quasi littéralement comme une orpheline ? Pendant plusieurs semaines, je pleurai en silence, en priant Dieu pour qu'Il me sorte de chez bi'Gemanie. J'eus alors plus que jamais besoin de mon fiancé. Malheureusement, il avait choisi de passer ses vacances d'été chez ses parents à Bukavu. Un malheur, dit-on, ne vient jamais seul. Matso, qui avait promis de passer me voir sur sa route de retour vers Bujumbura, rentra sans passer par Butare. J'attendis un mois durant sans qu'il n'y eût de sa part ni coup de téléphone, ni lettre pour justifier ce comportement qui ne lui ressemblait pas. C'est de mes sœurs de Bukavu que j'appris que Matso s'était fiancé à une autre fille pendant ces courtes vacances. Il s'était fiancé ! Il s'était fiancé alors que moi je finissais la robe pour me marier avec lui !

Cette double trahison de ma sœur et de Matso faillit me faire basculer, moi aussi, dans la dépression. Mais je décidai, après deux jours de pleurs ininterrompus, sans une épaule où poser ma tête, que je devais continuer. Que je devais compter sur moi-même et que, petite enfant de pauvre ou orpheline, je n'allais pas laisser les méchants me faire subir le traitement qu'on avait fait subir à ma mère. J'avais déjà commencé à dormir plus longtemps que d'habitude. Je me levai un matin, je m'aperçus que je dormais par terre. Littéralement ! Sans chercher à savoir pourquoi, ni comment j'en étais arrivée là, je me relevai et m'époussetai. Je me fis belle en murmurant un cantique, et allai à l'heure au salon, où je travaillai avec des efforts redoublés.

Dans la maison, c'était devenu l'enfer. Ma sœur ne me parlait plus que pour discuter de l'argent fait au salon. Elle chantait, pour me narguer, des chansons parlant de fiancées déçues. Elle avait ligué contre moi toutes ses amies et toutes nos amies communes. Jamais de ma vie je ne m'étais sentie aussi seule. Lorsqu'on dit que les groupes de prière peuvent dévaster les familles, c'est bien vrai. J'en ai fait l'expérience à Butare et j'en porterai les séquelles toute ma vie. Leur obsession à justifier tout problème par la sorcellerie des proches de leur coreligionnaire est une stratégie délibérée et éprouvée. Ils tranquillisent le malade en lui donnant l'illusion de savoir d'où lui vient le « mauvais sort » tout en le coupant de sa famille. Ainsi isolé, il devient d'autant plus vulnérable, complètement à leur merci. S'ils avaient poussé ma sœur Gemanie à m'empoisonner à ce moment-là, je suis persuadée qu'elle l'aurait fait.

Une personne de bonne volonté – probablement l'une de nos compatriotes qui vivaient à Butare – informa mes sœurs à Bukavu de ce que j'étais en train de vivre dans la maison de bi'Gemanie. Bi'Tina, notre « mère » infatigable, prit le premier bus et vint à Butare avec l'intention de me ramener à Bukavu. Bi'Gemanie sembla brusquement sortir de l'hypnose des manipulateurs de sa secte. Elle demanda pardon, en disant qu'elle ne savait pas ce qui lui avait pris, et reconnut le service que j'étais en train de rendre à la famille. Apaisée, bi'Tina repartit en disant qu'elle espérait ne pas avoir à refaire ce voyage ; qu'elle était trop vieille pour continuer à rassembler des sœurs qui refusaient de grandir. Elle n'eut pas à refaire le voyage. C'est nous tous qui vînmes la rejoindre, chassés par le massacre des

Tutsi et des Hutu modérés en 1994. Nous vivions alors, ma sœur et moi, dans un climat relatif de bonne entente.

J'étais, en effet, au Rwanda pendant les tueries des Tutsi et Hutu modérés. J'ai vécu cet événement. La peur habite encore mes entrailles. La ville de Butare où nous nous trouvions a été épargnée pendant presque tout le temps qu'ont duré les massacres dans le reste du pays. La raison en était que Butare était une ville à majorité tutsi. Même le préfet était tutsi. Ce n'est que lorsque le pire avait déjà eu lieu partout dans le pays, que les tueurs mirent le cap sur Butare.

Après l'assassinat du président hutu, Habyarimana, Butare sombra dans un silence fort inquiétant. La radio nationale, seul moyen d'information pour le Rwandais moyen, s'était mise à jouer uniquement de la musique militaire vingt-quatre heures sur vingt-quatre. Le ministre de la Communication avait décrété un couvre-feu sur tout le pays, en disant simplement que les gens devaient rester calmement chez eux et qu'il était interdit de s'attrouper dans les rues, même en groupe de deux personnes. Il permit ensuite aux gens de sortir entre huit et seize heures. Après ces heures, il n'y avait plus que les patrouilles. Nous faisions ces sorties presque en courant et revenions souvent bredouilles car la plupart des magasins avaient épuisé leurs stocks. Les rumeurs de ce qui se passait dans le reste du pays ne tardèrent pas à se confirmer. D'abord, nous constatâmes une arrivée en masse des Hutus de la capitale sur Butare. Ensuite, nous apprîmes que le préfet venait d'être tué dans la cour même de la préfecture. Notre meilleure amie s'appelait Olive. Une Tutsi. Son mari était un Hutu. Il vint déposer chez nous Olive et leurs deux enfants, Sandra et Olivier, en nous disant qu'étant zaïroises, nous étions moins en danger, que les tueurs n'allaient probablement pas entrer chez nous. Olive et son mari tenaient un des restaurants les plus prisés de Butare. Ayant mis sa famille à « l'abri », l'homme lui-même prit le risque de faire le va-et-vient entre chez nous, leur domicile et leur restaurant, qu'ils avaient dû fermer, bien sûr. Il devait, disait-il, sauver ce qu'il pouvait sauver de leurs avoirs. De temps en temps, Olive aussi retournait à leur maison pour chercher de petites choses. Nous nous mîmes à préparer la fuite vers le Congo, qu'on appelait encore Zaïre. La question était : comment ? Comment allions-nous sauver Olive et sa famille, étant donné que tout autour de Butare, disait-on, et les Tutsi et les Hutu modérés étaient en danger. Un soir, le mari d'Olive arriva chez nous, plus soucieux que d'habitude. Il parla à basse voix, sur un ton qui me fit pleurer :

« Le gouvernement a décidé d'évacuer les ressortissants du Zaïre et du Burundi. Les bus arrivent dans deux jours. Je serai mort d'ici-là, évidemment. Mais s'il vous plaît, emmenez Olive et les enfants avec vous. Je sais qu'Olive n'arrivera pas à la frontière. Il y a trop de barrières et on vous fera sans doute descendre plusieurs fois. Mais je préfère qu'elle meure en essayant de s'échapper. Quant aux enfants, il y a des chances qu'ils y arrivent. À sept et cinq ans, ils peuvent facilement passer pour de petits Zaïrois. Olive a une cousine près de la frontière, du côté zaïrois, au quartier Nguba. Allez les mener là-bas. C'est une brave femme, elle les élèvera convenablement. »

Olive et son mari nous donnèrent les coordonnées de la cousine en question en insistant pour que nous n'écrivions que le prénom dans notre carnet d'adresses. Nous répondîmes que nous étions déjà au courant de l'arrivée des bus, que sa requête n'était pas nécessaire et que, pour rien au monde, nous n'abandonnerions ni Olive ni Sandra ni Olivier. Ce soir-là, bi'Gemanie tressa les cheveux d'Olive de manière à les faire tomber sur les yeux. Nous lui prêtâmes un pagne. La question des pièces d'identité se posa. Mais je me souvins que j'avais deux cartes d'identité zaïroises. Le seul souci, c'était la photo. « À la guerre comme à la guerre, fit Olive. De toute façon, avec ou sans carte, il y a moins de chance que j'y arrive avec vous. L'essentiel, c'est que mes enfants passent. »

Je ne pouvais qu'admirer la force de cette femme mince et apparemment frêle, qui s'apprêtait à faire face à la mort si courageusement. Deux jours après, au matin, les bus vinrent comme convenu chercher les Congolais et les Burundais. Il n'y avait pas de contrôle, nous y entrâmes donc sans problème. On nous rassembla devant la préfecture, à l'endroit même où l'on avait exécuté le préfet, quelques jours auparavant. Il y avait plusieurs bus et l'ambiance était plutôt chaotique. On demanda à tout le monde de dresser la liste des membres de sa famille. Ma sœur Gemanie en fit une avec ses enfants, moi je devins la mère de ceux d'Olive, Sandra et Olivier. Il était bien sûr hors de question de mettre Olive sur une quelconque liste. Notre stratégie était d'introduire Olive avec les matelas, lorsqu'on nous demanderait de charger les bagages. Car la soute du bus étant insuffisante pour tous les bagages, on avait réservé l'arrière de chaque bus pour le reste des bagages. Nous avions d'ailleurs abandonné presque tout de nos avoirs. On avait permis à chaque famille de n'emmener qu'un matelas mousse, qui devait être enroulé fermement. En tout cas, la grande question pour nous était ce qu'on allait faire si le chauffeur nous dénonçait.

Effectivement, on nous demanda d'abord de charger nos bagages. Nous profitâmes de la ruée pour laisser Olive sous un matelas mousse qu'elle venait de nous aider à charger non loin du dernier rang de sièges du bus. J'avais vu le chauffeur observer notre manœuvre. J'en informai Olive qui, pour toute réaction, me souffla : « T'en fais pas ! » Quand on appela les gens pour embarquement, je me précipitai pour entrer la première accompagnée des deux enfants. Cela me permit de prendre le siège situé juste à côté du matelas mousse sous lequel se trouvait Olive. Nous quittâmes Butare vers sept heures. Le bus était énorme, bondé et bruyant. Les Zaïrois discutaient, chantaient, chahutaient. Beaucoup se levaient sans arrêt pour prendre l'une ou l'autre chose dans leur sac placé dans le porte-bagages au-dessus de leur tête. Cela me permettait de parler de temps en temps à voix basse à Olive. J'avais de la peine de la savoir ainsi terrée sous les bagages. Deux soldats rwandais étaient postés devant la porte du bus. Armés. Ils étaient chargés, nous avait-on dit, de veiller à notre sécurité. Mais aucun de nous n'avait confiance en eux. Le soleil se mit aussitôt à tout chauffer. Le bus était climatisé, mais le trop plein en faisait un vrai sauna. À un moment donné, Olive me fit signe qu'elle n'en pouvait plus, qu'elle avait trop chaud. J'attendis un moment où les deux soldats regardaient la route en direction du voyage, et tournaient le dos aux passagers, pour tirer mon amie du four. Elle sortit, prit la place d'Olivier, le plus jeune de ses deux enfants, en posant ce dernier sur ses cuisses. Je tremblais car mes yeux et ceux du chauffeur venaient de se croiser. Il avait bien suivi notre manœuvre. Pendant plusieurs minutes, mon cœur battit la chamade dans l'attente de sa réaction. À mon grand soulagement, il ne dit rien. Au contraire, il semblait complètement indifférent à cette manœuvre que nous répétâmes plusieurs fois après chaque barrière.

La première barrière fut la plus émouvante pour moi. Nous avions tous une idée des massacres qui étaient en train d'avoir lieu. Mais, pour nous, de Butare particulièrement, ils semblaient être l'œuvre de fantômes, car jusque-là nous ne nous étions pas encore fait une image concrète des tueurs. Cela changea après deux heures de route. Nous commençâmes à voir, çà et là, sur la chaussée des cadavres horriblement gonflés. Les passagers assis à l'avant en annonçaient l'approche. Les enfants criaient, pleuraient. Nous les obligions à fermer les yeux. La première barrière apparut brusquement quelques minutes après les premiers cadavres. Je regardai avec étonnement ce groupe de tueurs. Ils n'étaient pas du tout tels que je me les étais imaginés. Vêtements en haillons, sales. Extrêmement sales. On se demandait depuis combien de temps ils ne s'étaient pas baignés. Les cheveux terriblement ébouriffés, la peau sèche, presque grise. La plupart étaient pieds nus, d'autres étaient en babouches. Leurs armes – des machettes, des haches, des pioches, des coupe-coupe et des massues – étaient ensanglantées. Leurs vêtements aussi. La barrière était faite de longs bambous et de grosses pierres posés en travers de la route. Ils étaient une bonne trentaine.

« Tout le monde descend », dit en kinyarwanda celui qui semblait être le meneur du groupe. Sale lui aussi. Il n'avait rien d'un chef, à part peut-être le fait qu'il parlait haut et fort, et que sa machette était énorme. Cet ordre que j'avais redouté tout au long du voyage me fit si peur que je me mis à trembler comme une feuille. J'imaginais ce qui allait arriver à Olive. Les mots de son mari résonnaient encore à mes oreilles : « Je sais qu'elle n'arrivera pas… mais… qu'elle meure en essayant… »

J'étais plongée dans une prière silencieuse lorsque la réponse d'un des soldats qui nous accompagnaient nous surprit tous :

« Non, il n'y a que des Congolais ici, dit-il. Et puis voyez comment le bus est bondé ! C'est plein de petits enfants, fatigués et effrayés. Ne faites pas ça, on perdrait un temps fou.

– Comment va le « travail » à Butare ? demanda le « chef » aux soldats.

– Très bien, répondirent-ils tous les deux à l'unisson.

– Ici, nous, on a fini », reprit le « chef » en agitant sa grosse machette.

Puis, à mon grand soulagement, il donna l'ordre d'ouvrir la route et nous fit signe de continuer. « Dieu merci ! » m'entendis-je murmurer. Pendant un certain temps, un grand silence s'installa dans le bus. Même les enfants ne parlaient pas. Le brouhaha reprit au bout d'une vingtaine de minutes. Impressionnante est la faculté qu'a l'être humain de bloquer les mauvais souvenirs ! Quelqu'un avait entonné un chant religieux, repris aussitôt par plusieurs voyageurs. Les soldats avaient retrouvé leur posture face à la route. J'en profitai pour sortir Olive. Son visage était sans expression, d'un calme presque perturbant. J'eus envie de pleurer. Encore une fois, le chauffeur avait suivi la sortie d'Olive, mais je ne m'en faisais plus outre mesure. J'en parlai cependant à Olive, à l'oreille. Elle fixa l'homme intensément. Je crus voir leurs regards se croiser dans le rétroviseur. Comme avec moi au début du voyage. L'arrière du bus était complètement bouché par les bagages et le rétroviseur interne semblait être ajusté pour voir les passagers et non plus la route. Olive se contenta de caresser les cheveux de son fils. Je me penchai et lui soufflai un pressentiment que j'avais eu depuis le moment où je l'avais fait entrer dans le bus à la préfecture de Butare :

« Je crois qu'il est avec nous. Je crois qu'il est l'un de vous, fis-je.

– Probable », dit Olive simplement.

Nous traversâmes cinq autres barrières et la scène se répéta avec une uniformité étonnante : un groupe de paysans sales surgissait, jamais plus de cinquante. On nous sommait de descendre, les soldats refusaient poliment, on leur demandait comment les choses allaient à Butare tout en leur faisant un rapport de la situation « locale », puis on nous laissait partir.

Nous atteignîmes Cyangugu vers quinze heures. Cyangugu est la ville frontalière avec le Congo. Un simple pont d'une dizaine de mètres, jeté sur la rivière Ruzizi, sépare Cyangugu de Bukavu. Les postes d'immigration des deux pays se font face. En temps normal, Rwandais et Congolais entrent de part et d'autre sans visa ni ennui aucun. Mais au moment de notre arrivée à la frontière, il était clair que la situation avait changé.

Des soldats, armés jusqu'aux dents, se faisaient face en position d'attaque. Des chars d'assaut étaient stationnés de part et d'autre, l'air menaçant. La barrière, cette fois, était une vraie barrière en métal. Une barrière des services d'immigration, arrêtant chaque véhicule et obligeant chaque passager à se présenter individuellement devant les agents de douanes et d'immigration qui, étant donné les circonstances, étaient tous des officiers militaires des deux côtés de la frontière. Le bus passa la première barre pivotante et vint s'arrêter devant la deuxième, en face de la porte du poste d'immigration rwandais.

Une trentaine de tueurs s'étaient agglutinés derrière le bus. Ils criaient tous en brandissant leurs machettes et massues : « L'ennemi est dedans ! L'ennemi est dedans ! »

Dans le bus, c'était un vrai capharnaüm. Ça criait, ça s'interpellait, ça ouvrait et refermait les sacs à la recherche des pièces d'identité. Olive et moi en profitâmes pour mettre sur pied une stratégie. Comme pour empirer les choses, un doute était né en nous : ça ne passerait pas avec les deux cartes d'identité portant les mêmes informations sur la même personne, surtout qu'Olive n'avait son nom sur aucune liste. Olive me dit qu'elle allait utiliser sa carte rwandaise.

« Mais tu es folle ! fis-je. N'est-ce pas que chez vous les cartes d'identité disent à quel groupe ethnique vous appartenez ?

– J'en ai deux, répondit Olive. La deuxième dit que je suis hutu. De toute façon ai-je le choix ? »

À présent, le bus était aux trois quarts vide. Devant moi, il y avait un couple et leurs trois enfants. Lui zaïrois, elle tutsi rwandaise. Nous nous connaissions bien parce que nous avions vécu dans le même quartier à Butare. Ils enseignaient tous les deux dans la même école que ma sœur Gemanie : lui les mathématiques, elle le kinyarwanda. Elle s'était déguisée en Zaïroise du village à la perfection : pagne de tissu Sotexki, fabriqué à Kisangani, dans le Haut-Zaïre, babouches en caoutchouc comme en portent les paysannes chez nous, de gros coups de crayon sur les sourcils, un foulard sur la tête, juste au-dessus des yeux. Elle noua solidement son bébé sur son dos au moyen de son deuxième pagne en faisant deux nœuds sur le devant puis sortit en parlant lingala avec son mari. Elle était parfaitement méconnaissable. Cette scène me fit voir la stupidité de ceux qui, en cette fin du vingtième siècle, avaient encore, incrustée, dans leur cerveau tordu, l'idée maladive de pureté ethnique. Je regardai s'éloigner le brave couple zaïro-rwandais. Ils étaient amusants. Ils étaient parfaits. En d'autres circonstances cette femme « paysanisée », que je savais jolie et sophistiquée, aurait pu faire rire même les plus durs à amuser. Mais nos sœurs jouaient la carte de la vie ou de la mort. Olive et moi décidâmes qu'elle ne devait pas sortir en dernier. Nous laissâmes un couple de Zaïrois entre elle et la première Rwandaise déguisée, question de voir comment celle-ci allait s'y prendre. Elle passa le redoutable examen sans problème. Vint le tour d'Olive, je suivais avec « mes » deux enfants. L'officier à qui elle avait donné sa carte de Hutu rwandaise y jeta à peine un coup d'œil puis, jetant violemment la carte par terre, il bondit comme un taureau en criant en kinyarwanda :

« Tu croyais nous faire avaler ça, à nous ! Tu nous prends pour des imbéciles ! Tu croyais peut-être qu'on allait te manquer, hein ! Bon, mets-toi de côté, on s'occupe de toi dès que tout ce monde sera passé ! »

Les fenêtres étaient ouvertes. Dehors les tueurs, qui avaient tout suivi, s'étaient mis à sautiller, les armes en l'air. Dans ma tête, les idées se bousculaient à la faire éclater. « Les enfants d'abord », me dis-je. Je présentai ma liste le plus calmement que je pus.

« Où est leur père, votre mari ? fit l'agent.

— Resté au Zaïre. Et, ce n'est pas mon mari, il ne m'a jamais épousée, le con », répondis-je en insistant sur le 'pas' et le 'jamais' et en fronçant les sourcils d'un l'air dégoûté. J'eus l'impression qu'un poids lourd quittait mes épaules lorsque j'entendis l'agent me dire en balayant l'air de la main : « C'est bon, allez-vous-en ! »

Dans le bus, les Zaïrois étaient en ébullition. Ils avaient improvisé un « hymne » qu'ils scandaient à tue-tête, noyant le bruit de la trentaine de tueurs :

Notre Olive ! Notre Olive !
Laissez passer notre Olive ! Libérez-nous notre Olive !
Notre Olive ! Notre Olive !
Laissez passer notre Olive ! Libérez-nous notre Olive !
Notre Olive ! Notre Olive !

Les tueurs, quant à eux, s'agitaient toujours et attendaient, machettes et haches en l'air, que l'agent leur livre Olive.

J'amenai les enfants dans le bus en marchant le plus normalement possible. Je les confiai à ma sœur Gemanie, attendis que le bus traverse le pont puis revins me mettre aux côtés d'Olive.

« Pourquoi es-tu revenue ? Ils vont te tuer, toi aussi ! fit-elle.

– Ma sœur va sonner l'alarme de l'autre côté », lui murmurai-je à l'oreille, puis je m'assis auprès d'elle.

Gemanie revint se joindre à nous une vingtaine de minutes plus tard. Elle nous souffla à l'oreille que les enfants étaient en de bonnes mains et que nos officiers zaïrois allaient venir. En effet, deux agents congolais traversèrent le pont en jeep. Ils entrèrent dans le bureau et une bruyante discussion s'engagea en français entre eux et les officiers rwandais. Les Zaïrois arguèrent que la femme étaient dans un bus battant pavillon zaïrois, que ce bus tenait *ipso facto* lieu d'ambassade congolaise, qu'Olive était par conséquent une réfugiée en terre zaïroise, et qu'en la débarquant pour la tuer, ils avaient attaqué ouvertement l'inviolabilité de notre immunité diplomatique.

Du côté de la frontière congolaise, les passagers refusaient de partir. Ils avaient ramassé des pierres et des bâtons, s'étaient rangés derrière les militaires et continuaient à scander leur « hymne à Olive ». Les militaires des deux côtés de la frontière, visiblement agités, eux aussi, semblaient prêts à se tirer dessus. Nous étions au bord d'un incident grave. La tension tout d'un coup sembla baisser dans le bureau. Les officiers se mirent à parler à voix basse. Nous n'entendions plus ce qu'ils se disaient. Pendant tout ce temps, Olive était restée silencieuse. Son corps tremblait impétueusement, et son regard était livide, ailleurs, complètement dénué d'expression.

Un des officiers zaïrois vint nous chercher. On nous fit entrer toutes les trois dans le bureau de celui qui était sans doute le chef de la station et on demanda à Olive de payer seize mille francs rwandais, soit l'équivalent de trois cents dollars. Elle ne les avait pas. Les deux officiers, agents de douane congolais et bi'Gemanie se cotisèrent et payèrent le montant demandé par l'officier rwandais. « Allez circulez ! » fit ce dernier. Nous sortîmes et courûmes vers la jeep en tenant Olive par les bras car elle semblait avoir du mal à tenir debout. Derrière la barrière, les tueurs étaient fous de rage : « Zaïrois, vous venez de tuer notre amitié, criaient-ils. Désormais, ce sera la guerre entre vous et nous ! »

Côté zaïrois, les passagers nous accueillirent sous des applaudissements et des cris assourdissants. Olive improvisa un discours presque d'instinct, car elle n'avait manifestement pas encore repris tous ses esprits : « Merci ! Mille mercis, mes frères et sœurs. Vous m'avez sauvé la vie. Je n'envisageais plus qu'une solution : me jeter dans la Ruzizi, plutôt que de finir sous les machettes de ces tueurs ! Merci, oh, merci mes frères, merci mes sœurs… »

Plusieurs personnes vinrent la serrer dans leurs bras, puis, une à une, disparurent dans leur Zaïre. Cyangugu et Bukavu, deux villes sœurs, séparées seulement par une rivière et un simple petit pont, retombèrent dans leur étrange face-à-face armé.

Le mari d'Olive vint la retrouver quelques jours plus tard, miraculeusement sauvé par les prêtres français qui lui avaient fait passer la frontière, caché dans une camionnette cargo à double fond.

Je débarquai à Bukavu, comme j'en étais partie, les mains complètement vides. Non seulement l'activité du salon s'était arrêtée avec les tueries, mais les banques n'avaient plus ouvert leurs portes. Toute mon épargne d'un an s'y trouvait perdue à jamais. Je repris mon pénible séjour dans la maison de Zaza plus sale et plus affamée que jamais. J'avais souffert à Butare, mais c'était une souffrance différente. On y mangeait trois fois par jour. Chez Zaza, la faim m'accueillit à la porte. La maison en disette sentait l'absence prolongée du feu et du repas.

La constitution de la famille, elle, avait changé. Ma sœur Macée jouait mon rôle de souffre-douleur, les deux enfants d'Hono, Chinois et Bijou, avaient grandi, et Mareine s'était engagée dans un deuxième mariage polygamique. Elle avait épousé le père de son enfant et, à mon arrivée, ils venaient d'en avoir un deuxième. Elle avait transformé la cuisine en chambre pour elle. Depuis, on cuisinait dehors. Cela expliquait en partie l'absence d'odeur de feu, mais n'expliquait pas celle d'odeur de repas. Son salaire était tout simplement insuffisant. Pour elle, j'arrivais à point nommé, car les enfants, comme je l'ai déjà dit, ce n'était pas son lot. C'est à croire qu'elle les faisait comme on se débarrasse des déchets naturels du corps. Macée me dit qu'elle était heureuse de mon retour car elle n'en pouvait plus. En effet, elle s'en alla quelques semaines plus tard, après s'être finalement mariée de manière expéditive. Au moment de son départ, je faillis éclater de rire. Elle alla chez son mari presque en catimini, comme l'avait fait Mareine en épousant El Hadji. Je pensai alors au coup qu'elle avait joué à Sitaki dans une cérémonie grandiose, qui semblait annoncer un mariage sérieux et, qui sait, heureux peut-être, avec ce jeune homme qui l'adorait ! C'était d'une ironie qui frisait l'absurde.

*

Bi'Zaza était dans le Buréga depuis deux mois. Bi'Gemanie loua une maison dans un autre quartier assez éloigné de nous. Je vécus un vrai enfer. Il n'était pas, en soi, différent de celui que j'avais laissé avant de partir pour le Rwanda. Mais celui-là, je l'avais vécu en ayant en vue la fin de mes études comme voie de sortie. Celui-ci me présentait un obscur et lugubre cul-de-sac.

Un jour, une amie m'amena dans son groupe de prière. Oui ! Moi. Dans un groupe de prière évangélique ! Comme pour prouver ma théorie des désespérés vulnérables ! Cependant, toutes mes prières intérieures en ce lieu consistèrent à demander à Dieu de me faire mourir. Il me donna au contraire un bout de vie en sursis. En effet, deux jours après cette prière répétée, je reçus une lettre des États-Unis. Elle venait de ma sœur Mona et contenait un billet de cent dollars. Dans l'indigence où je me trouvais, c'était une fortune. Je partis pour Goma où habitaient ma sœur Léonie et sa famille. J'y achetai des vêtements pour enfants et revins les vendre à Bukavu en faisant du porte-à-porte dans le quartier. Cela se passa plutôt bien : je fis trente pour cent de profit en plus de mon billet aller-retour en bateau Bukavu-Goma. Encouragée, je repartis pour Goma, achetai cette fois des bijoux et, un autre porte-à-porte éleva mon capital à trois cents dollars. Je me mis aux haricots. Je fis deux voyages à Goma en ramenant successivement trois et cinq sacs, que je revendis en gros en faisant un profit de presque soixante-cinq pour cent. Ceci me permit d'acquérir ma propre table au marché. Je vendais un peu de tout, du stylo aux babouches, en passant par les soutiens-gorge. Mon petit commerce vint compléter le petit salaire de bi'Mareine assurant ainsi à la famille au moins un repas par jour.

Bukavu vivait quasiment en « état de siège » ce qui causa la désintégration d'une économie déjà presque inexistante. Les réfugiés hutu étaient venus s'y amasser. Avec eux étaient également venues de nombreuses ONG, ce qui rendait la vie encore plus chère. Entre-temps, les incursions rwandaises avaient lieu dans le Sud de la province appelant, en réaction, le gouvernement de Mobutu à faire descendre sur Bukavu des centaines de soldats.

Mareine vivait mal cette situation de banqueroute économique. Son employeur parlait chaque jour d'une fermeture imminente : une agence de comptabilité à Bukavu dont les ONG chargées des réfugiés rwandais étaient le seul employeur. Ce n'était pas une bonne affaire. Bi'Mareine était constamment stressée, si bien que je craignis que ce qui était arrivé à bi'Gemanie à Butare ne lui arrive. En plus, Chinois s'était mis à fumer du chanvre et à voler. Il disparaissait parfois pendant un jour entier, puis réapparaissait sans pouvoir dire où il était allé. Un jour, à mon retour du marché, je trouvai bi'Mareine sur le point de brûler les mains de Chinois au pétrole. Elle avait ligoté les bras du petit, enveloppé ses mains dans un vieux linge imbibé de pétrole et, furieuse, elle frottait une allumette en disant : « Je jure devant Dieu, si tu ne me dis pas où tu as mis l'argent que tu m'as volé, je te brûle les mains ! » Je courus lui arracher l'enfant en lui demandant si elle était devenue folle. Bi'Tina apprit l'incident. « Ça suffit, fit-elle, ces enfants doivent aller chez leur père avant qu'on ne les perde à jamais. » Elle se mit aussitôt à la recherche des pères de Bijou et de Chinois. Elle les retrouva en moins d'une semaine. Ils acceptèrent tous les deux leur enfant sans problème.

Le jour de leur départ fut triste. Moi, personnellement je pris très mal la chose. Je pouvais presque sentir ce qui se passait dans la tête de ces enfants. « Ils vont vivre la déchirure », me dis-je. Oui, je savais bien ce que c'était. Car non seulement on séparait deux enfants, frère et sœur, qui avaient grandi et enduré la misère ensemble toute leur vie, mais on leur imposait chacun un père qu'ils n'avaient jamais connu et à qui ils allaient probablement en vouloir comme j'en voulais au mien. Ah, si la tradition chez moi pouvait laisser les enfants exprimer leurs sentiments ! Le départ de ces enfants précéda de peu le mien ; départ forcé en raison de l'occupation de la ville par l'armée rwandaise du général Kagame qui, ayant entre-temps pris le Rwanda aux Hutus, semblait, avec Museveni, le président de l'Ouganda qui l'avait aidé, avoir sur le Zaïre de fortes ambitions expansionnistes qui me rappelaient celles du Napoléon Bonaparte de mes ouvrages scolaires.

Peu après notre retour de Butare, le Rwanda tomba aux mains de Kagame et de son parti politique armé, le Front Patriotique Rwandais, FPR. Une vague de Hutus se déversa dans le Zaïre et, du jour au lendemain, les populations des principales villes du Kivu, notamment Bukavu et Goma, se trouvèrent exponentiellement accrues. Cela eut comme conséquence immédiate une pléthore d'ONG internationales pour s'occuper des réfugiés. Une abondance temporaire d'emplois, mais aussi, une flambée des prix des denrées alimentaires et des loyers.

Pendant un peu moins de deux ans, nous vécûmes comme cela, selon les aléas de la vie sous le gouvernement d'un Mobutu désormais invisible, physiquement diminué par un cancer de la prostate, et d'un Kivu remis momentanément dans l'emploi par l'exode rwandais. Puis vint donc cette invasion de 1996 fomentée, disais-je, par Museveni, président de l'Ouganda et

Kagame, président du Rwanda, derrière un figurant sans scrupules nommé Kabila, qui les amenait tel un Judas. Commença alors le massacre de milliers de Congolais et de Hutus.

Ceci ne vint pas brusquement. Depuis plusieurs mois, l'armée rwandaise avait déjà infiltré le Sud ; on massacrait les gens à Uvira, à Lemera, à Kaziba, etc. Des tueries et des viols de femmes et de petites filles s'y commettaient à grande échelle, mais le Rwanda niait, en disant que c'était les Congolais rwandophones, appelés Banyamulenge, qui s'étaient soulevés contre Mobutu. L'hôpital de Lemera était un des meilleurs hôpitaux du Kivu. Les envahisseurs tuaient les malades et violaient les femmes même dans leur lit d'hôpital. C'étaient des crimes comme jamais le Kivu n'en avait connu dans toute l'histoire du Zaïre. Entre-temps, les militaires que Mobutu y avait envoyés semblaient ne pas vouloir aller maîtriser l'ennemi, partout visible à Bukavu alors que le Sud de la province flambait. Leur mauvaise volonté, ou leur manque d'organisation, se manifesta au jour de la prise de Bukavu.

Je me souviendrai toujours de ce triste et tragique jour où Bukavu tomba sous les bottes de l'armée rwandaise. Qui de nous l'aurait cru ? D'abord nous savions notre pays plus grand et donc plus fort. Ensuite et surtout nous n'avions rien fait au Rwanda. Nous n'étions pour rien dans leur histoire de génocide. Les Rwandais avaient toujours été les bienvenus au Zaïre et les Congolais au Rwanda. J'avais vu comment les Zaïrois avaient protégé les membres des deux ethnies qui se battaient chez eux...

Il était environ 16 heures. Je préparais des haricots sur un brasero à l'extérieur, devant la maison. La fusillade se déclencha brusquement. Elle était différente des coups de feu sporadiques que les soldats de Mobutu nous avaient habitués à entendre.

Celle-ci était intense, nourrie. Elle partait de partout en même temps. Les gens couraient, criaient. Les mamans appelaient leurs petits à gorge déployée. Ceux qui habitaient en ville se rabattaient par centaines sur Kadutu. Ils nous apprirent que notre armée était en déroute, qu'ils avaient vu de gros camions pleins des soldats zaïrois en train de fuir vers le Nord.

Tout de suite après, des vagues de gens, civils et militaires congolais, à pied, à vélo ou à moto, se mirent en mouvement vers les différentes routes du Nord. N'importe quelle route du Nord. Certains qui avaient de la famille à Kadutu, vinrent y chercher « refuge ». Les autres prirent, tel un fleuve en crue, la route principale qui mène vers Goma et Kisangani. Dans les rues de Kadutu, on entendait des voix qui criaient : « Ne craignez rien, ils sont après les Hutus ! » Je sentis alors dans ma gorge la même boule amère que j'avais sentie à Butare. Je me surpris en train de m'insurger à mi-voix : « Après les Hutus ! Tous les Hutus ! Chaque Hutu va payer le fait d'être Hutu ! » C'était un écho des mots de révolte que j'avais exprimés à Butare en 1994 lorsque l'on accusait les Tutsis d'avoir descendu l'avion du président rwandais Juvénal Habiarimana. « Les Tutsis ! disais-je alors, tous les Tutsis ont appuyé sur la gâchette ! » Je me rappelais qu'après les massacres ce serait encore « tous » les Hutus qui auraient commis le génocide. Je me disais alors qu'il y avait sans aucun doute des groupes de hyènes tapis quelque part dans la nuit et que l'on devrait éliminer pour que ces ethnies vivent en paix. « Oui, ce sont ces animaux de nuit qu'il faut éliminer, me disais-je. Pas un peuple. Pas un groupe ethnique. Mais certainement ce groupe de hyènes cachées sous quelque idéologie à la con. Sous quelque imbécile croyance en la pureté, en la suprématie ethnique. »

Le quartier Kadutu, qui est sur la colline et qui surplombe le centre-ville, ne tarda pas à prendre balles et obus. À cause de cette position perchée, nous pouvions, de nos propres yeux, voir, avec terreur, la mort venir. Alors qu'on s'attendait à voir les envahisseurs arriver du côté de la ville où se trouvait la frontière, ils se mirent à dévaler les montagnes de Chiriri et de Chimpunda, attaquant donc Kadutu par devant et par derrière. La ville était encerclée. Pour nous attaquer par ces montagnes, ils devaient s'y être installés depuis des semaines, des mois peut-être, par infiltration progressive. Deux balles sifflèrent par-dessus ma tête alors que je finissais de ramasser mes casseroles et mon brasero. Je me tournai et je vis des centaines de soldats qui descendaient des montagnes en tirant. Leurs casques et leurs épaules étaient recouverts d'herbes. Bientôt il n'y eut plus qu'eux dans les rues. Kadutu s'était terré. Toute la famille se rassembla au rez-de-chaussée, évitant l'étage à cause des balles perdues. Nous passâmes deux jours de suite, certains sur et d'autres sous le lit de Mareine, d'autres encore derrière l'escalier menant à l'étage. On mangeait couchés et on faisait ses besoins dans un seau à eau.

Lorsqu'il fut possible d'aller dehors, les cadavres jonchaient les rues. Des cadavres gonflés comme ceux que nous avions vus traîner sur la route Butare-Bukavu. Mais ici, il y en avait tellement partout, qu'il n'était plus question de fermer les yeux des enfants.

« Regarde celle-là, fit remarquer Chinois, elle est si… si gonflée ! Est-ce un cadavre congolais ? »

« Un cadavre gonflé est difficile à identifier. Il n'a plus rien d'un Tutsi, d'un Hutu, d'un Rwandais ou d'un Congolais. Une fois décharné, ce sera encore plus difficile », dit Baba Fifi, notre voisin, comme s'il se parlait à lui-même.

J'acquiesçai de la tête. Il ne croyait pas si bien dire, le vieux ! Il venait d'exprimer encore mieux ma petite théorie triple de la pureté des ethnies, de la « généralisation-polarisante » et des hyènes qui en attisent le feu et s'en nourrissent.

*

La ville de Bukavu reprit sa vie précaire avec ses marchés de survie et ses piétons affamés, mais sous une administration mise en place par le Rwanda. Nous étions sous occupation. Les soldats rwandais étaient partout, sauf à Kadutu, quartier labyrinthe, difficile à quadriller, où le danger pouvait venir de n'importe où. Ces soldats le savaient bien. Mais circuler dans le reste de Bukavu, c'était jouer constamment à cache-cache avec la mort. On sortait sans jamais être sûr de revenir. Beaucoup perdirent la vie à cause d'un simple malentendu dialectal. Les soldats rwandais parlaient le swahili classique de Tanzanie, que l'on parle aussi au Kenya et en Ouganda. Ils ne parlaient pas et ne semblaient pas comprendre le français. Lorsqu'ils stoppaient quelqu'un, ils lui demandaient : « *Uku rahia ao askari ?* », « Es-tu civil ou soldat ? » Le swahiliphone du Kivu, qui parle un swahili hybride, fortement influencé par le français et le lingala, aurait dit « *Uko civile ao soda ?* » Alors le pauvre, qui tremblait pour sa vie, répondait vite en devinant mal : « *Niko askari* », « Je suis soldat ». Il était abattu sur le champ. À bout portant, sans autre forme de procès. Nos compatriotes des autres régions qui ne parlaient pas ou parlaient mal le swahili furent les plus nombreux à perdre la vie. Souvent aussi, ces soldats tuaient simplement par plaisir de tuer, parce que la gueule de l'individu qu'ils venaient de stopper ne leur avait pas plu. Ils demandaient les pièces d'identité, on les exhibait ou on s'excusait, car la plupart des Zaïrois n'avaient plus de pièces d'identité. Les soldats disaient alors à l'individu de s'en aller puis, comme s'ils s'entraînaient dans un champ de tir, ils l'abattaient par derrière en riant et le laissaient pourrir sur la chaussée. Jonchée de cadavres, la ville de Bukavu vécut dangereusement en respirant un air empesté pendant plus de trois semaines. Petit à petit, elle se nettoya en même temps que l'occupation s'enracinait, dure et sans pitié. Les Zaïrois se promenaient d'un pas pressé, les yeux au sol ; par peur ou par honte, c'était tout pareil. Ils vivaient accrochés à l'espoir que Mobutu allaient tôt ou tard venir bouter dehors l'armée rwandaise. La contre-attaque vint, en effet, un jour : des avions bombardèrent la ville. Malheureusement ils bombardèrent leur propre population. Ils volaient si haut qu'ils jetaient les bombes à l'aveuglette, sans aucun appui au sol. Ce mouvement stupide finit par briser le frêle espoir qui nous avait aidé à endurer l'humiliation. Si Mobutu avait eu une armée organisée et payée, il aurait repris son pays ce jour-là. En effet, les soldats rwandais vidèrent la ville en quatrième vitesse dès les premières bombes. Les habitants de Bukavu, y compris ceux qui avaient perdu un membre de leur famille, applaudirent cet acte de libération qui tombait du ciel comme une manne. Quel ne fut donc notre désespoir de constater l'inutilité de ce mouvement militaire qui tenait d'une pure et simple idiotie ! Notre famille ne perdit personne sous ces bombes, mais le grand marché fut rasé et, comme tout le monde, je perdis mon petit commerce.

L'armée rwandaise revint s'implanter.

À nouveau ruinée, je fis ma petite valise de misère et partis rejoindre, à Goma, ma sœur Léonie et son mari Kapitula, avec en poche, en tout et pour tout, cent cinquante dollars.

À mon arrivée à Goma, on mangeait chez bi'Léonie. Mais ma sœur n'était pas heureuse. Son mari Kapitula, qui lui était si fidèle lorsqu'il était enseignant, avait changé. Le peu d'argent qu'il gagnait grâce à son emploi au centre pour réfugiés lui était monté à la tête. Il s'était offert une seconde femme et ne dormait plus à la maison. De son travail, il allait chez sa deuxième épouse et ne revenait à la maison que pour changer de vêtements et, de temps en temps, pour manger. Je regardais avec dégoût cet homme venir le matin jeter ses vêtements salis ailleurs pour que ma sœur les lave. Et elle les lavait. Lorsqu'il voulait manger, elle le servait avec soumission.

Léonie était membre d'un groupe de prière évangélique. Au lieu de confronter son mari, ma sœur faisait pénitence. Elle jeûnait, priait nuit et jour pour que Dieu lui rende son homme qu'on lui avait volé. Elle me demanda de l'aider à la prière. Je le fis par respect, mais, que Dieu me pardonne, je priais au contraire pour que ma sœur trouve quelqu'un d'autre.

Sans surprise, la charge des enfants de bi'Léonie m'incomba. Mais comme il y avait un peu d'argent à la maison – Léonie cousait et son mari laissait de l'argent pour le manger – une bonne m'aidait pour les travaux ménagers. Cela me permit de m'inscrire pour un certificat dans une école d'informatique. Celle-ci appartenait à un couple originaire de Bukavu. Je les connaissais tous les deux. Surtout la femme parce qu'elle était allée à l'école avec ma sœur Mona. On obtenait un certificat en six mois pour un total de six cents dollars. Je versai cent des cent cinquante dollars que j'avais amenés de Bukavu et en gardai cinquante pour mes besoins personnels. Cela ne couvrait donc que le minerval d'un mois. Je n'avais aucune idée de ce que j'allais faire pour payer les cinq mois restants, mais je m'inscrivis quand même en me disant : « on traversera ce pont lorsqu'on y sera ». On y arriva, au pont, et je ne sus le traverser. Je dus me rendre à l'évidence : les études, ce n'était pas fait pour les pauvres comme moi. Je restai donc à la maison et recommençai cette vie d'indigente, qui était devenue mon lot. Quelle ne fut pas ma surprise lorsque l'ancienne camarade de ma sœur, la copropriétaire de l'école d'informatique vint me chercher à la maison un matin ! Sans me demander la raison pour laquelle je n'allais plus à l'école, elle me dit simplement, « Habille-toi, je te ramène à l'école. Tu vas y étudier à crédit. Tu paieras quand tu auras un boulot. » Je montai dans sa voiture le cœur plein de joie.

Comme au temps de mon enfance, ma joie s'arrêtait au sortir des cours. Je revenais à la maison pour jouer à la maman et pour « contribuer » contradictoirement aux séances de prière de ma sœur, avec toute la culpabilité que ma prière hypocrite causait en moi.

Dieu a un désarmant sens de l'ironie : il exauça nos deux prières en même temps. Une deuxième guerre éclata. L'ONU comme d'habitude prit la poudre d'escampette et Kapitula perdit son emploi. Du jour au lendemain, il redevint pauvre comme Job. Toute une année dans un travail qui payait convenablement, et l'homme était sans un sou. Aucun dollar d'épargné ! Naturellement, sa deuxième femme le chassa de chez elle et il revint, déprimé, se coller en permanence, comme un bébé, à la cuisse de bi'Léonie. Celle-ci dut dès lors travailler davantage pour que la maison puisse manger. Mais, bientôt, elle aussi manqua de clientèle. La guerre avait remis tout le monde au chômage et s'habiller n'était plus la priorité. Le propriétaire de la maison nous donna un mois de préavis. Je pus observer de près la nature d'un gueux dans le mari de ma sœur. Menacé d'éviction, il n'avait aucun plan de secours. Il était prostré sur sa chaise, à tourner des yeux larmoyants comme un idiot. Même si la famille avait voulu retourner à Bukavu, cet homme aurait été tout à fait incapable de payer le voyage d'une seule personne de sa famille. Les femmes du groupe de prière construisirent dare-dare une cabane pour nous à Ndosho, une brousse aride située à sept kilomètres de Goma.

*

Ndosho ! Et moi qui croyais avoir vu le fond du puits de la pauvreté ! Ndosho me prouva le contraire. Ndosho me fit pleurer lorsque nous y arrivâmes portant nos valises sur la tête. Ce n'était même pas un village. Une brousse lotie, où plusieurs bornes des futures parcelles étaient le seul signe de modernité.

De temps en temps une tente de misère logeant pauvrement quelques villageois chassés de leur terroir par la nouvelle invasion rwandaise. La « cabane » offerte, elle-même, était une farce. Un taudis de cinq mètres carrés, fait de contre-plaqués grossièrement cloués sur des branches d'arbres de tailles différentes et tordues, qui dansaient la samba chacune à son rythme. Le tout couvert d'une bâche en guise de toit. Dedans, une chambre minuscule avait été aménagée au moyen de lattes de cartons à sardines. Les deux « pièces » permettaient à peine de se coucher pour dormir. Même Kapitula, qui pourtant faisait à peine un mètre soixante, avait du mal à se tenir debout dedans. La porte, elle aussi faite en bois, n'avait pas de charnières et se fermait de l'intérieur au moyen d'une longue branche d'arbre tordue, naturellement, qu'on passait entre deux cordes clouées en anneaux sur le battant. Les braves dames – que Dieu les bénisse ! – avaient fait de leur mieux pour nous éviter de dormir dehors. Mais la bicoque était si exigüe, si mal fichue qu'un chien de la ville, s'il l'avait pu, aurait porté plainte pour abus, d'être logé dans des conditions pareilles.

Une tâche supplémentaire m'incomba : la corvée d'eau. Une ONG avait installé une pompe à eau à une heure de là où on nous avait logés. Nous nous procurâmes deux bidons de vingt litres chacun, que je devais porter sur mon dos chaque jour. Je n'ai jamais fait un travail physique si dur de ma vie. Cependant, toutes ces difficultés n'étaient rien, comparées à la peur bleue d'être violée par des soldats ou des bandits dans ce coin perdu.

Les deux enfants de bi'Léonie et moi partagions la première pièce avec les bagages et les provisions en nourriture. Ma sœur et son mari couchaient dans la deuxième pièce. Être logés ainsi les uns sur les autres n'empêchait pas Kapitula de baiser sa femme chaque nuit. Trois mois plus tard, le ventre de Léonie accusa le coup de leurs bruits nocturnes indiscrets. L'enfant allait naître ponctuellement six autres mois plus tard, mais à

Goma, heureusement. Grâce à moi. J'avais en effet trouvé du travail dans la rébellion et, dès mon premier salaire, je louai un trois pièces en ville et invitai Kapitula et sa famille à y emménager avec moi.

*

Le recommencement de cette guerre unilatérale contre le Congo nous surprit, nous tous qui croyions qu'après avoir marché dans le pays jusqu'à la capitale, les envahisseurs allaient nous laisser tranquilles. À Kinshasa, la rumeur courait que, faisant le malin, la marionnette s'était mise à danser toute seule sans attendre les coups de pouce des marionnettistes, et que ceux-ci, voyant qu'on se fichait d'eux, étaient entrés en furie pour reprendre ce qui leur revenait de droit. Mais, ça, c'était des on-dit. Les Rwandais et les Ougandais, qui avaient amené le vieux Kabila au pouvoir, se mirent à le détester pour des raisons que nous ignorions, nous, qui n'y étions pour rien. On racontait qu'il leur avait signé des papiers où il promettait aux deux dirigeants de ces pays des choses débiles comme mettre à leur disposition de vastes étendues de notre terre et, à la disposition des grandes puissances qui se cachaient derrière ces deux petits pays, toutes nos richesses naturelles. On disait que, arrivé au pouvoir, Kabila, se rendant compte de l'impossibilité de tenir des promesses aussi imbéciles, avait demandé à renégocier. Les autres, fâchés, firent le projet de l'assassiner. Kabila, ayant découvert le secret, leur montra la porte. Mais eux, ils refusaient de quitter le Congo. Kabila fut tué quand même. Mais tout ça, c'était sans doute des on-dit. Car, qu'en savions-nous, nous qui n'y étions pour rien ? Nous qui étions déjà sous *hold up* ? C'était même peut-être notre faute ! Peut-être même leur avions-nous volé le Congo sans nous en rendre compte !

En tout cas, ceux que Kabila avait chassés avant d'être assassiné revinrent occuper le Kivu. C'était plus commode.

Pour pomper les armes et la mort à partir du Rwanda. Pour pouvoir y fuir aussi, si, par miracle… Non, il n'y aura pas de miracle. Ils choisirent pour nouveau figurant local un autre Congolais appelé Wadiamba à qui ils firent à nouveau la promesse d'aller l'introniser à Kinshasa, à la place du vieux Kabila, qui était alors encore en vie. Ce n'était pas difficile de deviner les promesses que Wadiamba avait dû être obligé de signer.

*

Cette deuxième invasion rwandaise, il faut le dire, eut moins de succès que la première. Les Congolais y opposèrent une résistance farouche. À Bukavu particulièrement, et au Sud-Kivu en général, les Congolais préféraient la mort à cette nouvelle occupation. De Goma, nous apprîmes les tristes histoires de viols et de tueries de civils dans le Sud-Kivu, mais aussi des histoires encourageantes de milices de résistance. Malheureusement, Bukavu finit par tomber. La raison du plus fort est toujours la meilleure. Malheureusement aussi pour les civils, les milices firent plus de mal que de bien à leur propre peuple. Cette province reste jusqu'à présent très hostile à la rébellion *made in* Rwanda. Goma et le Nord-Kivu, en revanche, tombèrent sans résistance aucune. La raison en était que, à l'issue de la première invasion, les rebelles du RCD avaient placé aux postes clés à Goma, des autorités acquises à la cause rwandaise. Ceci, je le sais personnellement parce que non seulement j'y habitais lorsqu'eut lieu la deuxième invasion, mais aussi parce que j'ai travaillé pour eux et que j'y ai passé ce qui, pour moi, sera la dernière partie de ma fichue vie. Car ce qu'il y a de plus essentiel en moi est mort là-bas et, comme on le verra dans ce que je m'apprête à raconter maintenant, ma mort physique, conséquence de ce que j'ai vécu là-bas, n'est aujourd'hui qu'une question de mois. De semaines peut-être.

*

La population en avait assez de ces guerres qui venaient totalement de l'extérieur pour la tuer sans qu'elle n'y fût pour rien. Au Sud-Kivu comme au Nord, nous boudions l'occupant. RCD : Rassemblement Congolais pour la Démocratie. Il portait un nom ironique signifiant qu'il voulait nous rassembler. Et moi, qui ne savais rien de toutes ces choses de la guerre et de la politique, je me demandais pourquoi on nous croyait désunis. Je voulais savoir pourquoi le Rwanda, puisqu'il faut le citer par son nom, venait rassembler plus de deux cents soixante ethnies congolaises qui ne se battaient nulle part entre elles, alors que c'est au Rwanda qu'il fallait rassembler de manière équitable deux ethnies seulement !

Nous boudions, donc. Mais il fallait survivre. L'occupant était le seul employeur, tous les autres employeurs, y compris les écoles, avaient fermé les portes. L'alternative, c'était vendre quelque chose. Mais pour vendre, il fallait acheter. Acheter quoi ? Avec quoi ? Pour vendre à qui ? Qui devait acheter avec quoi ?

Le directeur de l'école d'informatique où j'avais décroché mon certificat vint une nuit chez nous à Ndosho, avec une bonne nouvelle : « Je t'ai trouvé du boulot chez les rebelles ! » Et, devant mon air surpris, il ajouta vite : « Je sais, personne ne veut d'eux, mais il faut bien vivre n'est-ce pas ? Tu verras, il y a plein d'autres Congolais là-bas. »

II

Je fus affectée au ministère chargé de la propagande et de la mobilisation dirigé par un certain Sambuyi. La cinquantaine passée, Sambuyi avait un physique imposant, intimidant même. Un mètre quatre-vingt environ, ventripotent, ses yeux rouges d'alcoolique encadraient un nez extrêmement court, sans cartilages latéraux comme si l'on avait collé directement sur l'os facial les ailes de ses grosses narines. Un petit front rond surplombait le tout, finissant un visage sévère, presque simiesque, qu'aucun sourire ne savait rendre gai. Sur la tête, une tignasse grisonnante, clairsemée et toujours ébouriffée n'était pas pour atténuer l'effet intimidant de cette tête de Goliath. Sambuyi avait deux assistants, Evar et Jimmy. Je constatai dès mon arrivée que mon chef et ses deux assistants étaient inséparables. Si bien qu'on les appelait le trio. Je remarquai aussi que le chef dépendait de ses assistants plus que les assistants de leur chef. Je compris rapidement cette dépendance : Sambuyi n'était pas intelligent. Il était tout à fait incapable d'écrire un petit discours. C'était un beau parleur, éloquent, avec des tendances dictatoriales. Sa haute taille lui permettait d'en imposer aux autres, mais il devenait complètement désemparé sans l'aide de Jimmy et d'Evar. Les textes qui m'étaient donnés pour saisie étaient toujours produits par ces derniers. Les rares fois où ils étaient pris ailleurs, j'observais avec pitié un Sambuyi incapable de produire un seul document valable qui pût m'arriver directement de lui. Nous devions attendre leur retour. Les documents urgents partaient alors en retard à la présidence. Son ascendant sur ses assistants était une simple question d'âge et d'ancienneté. Sambuyi était, disait-on, un vieil opposant qui militait depuis les années soixante. Et, déjà, dans mon petit cœur de jeune fille qui ne savait rien à la politique, naissait une révolte : « C'est donc avec des cons pareils que nous allons sauver le Congo ? », me disais-je. Mais j'avais aussi vite compris qu'il me fallait bien rester sur mes gardes dans ce panier de crabes où je venais d'atterrir.

Sambuyi avait aussi une autre secrétaire. Une fille de sa région appelée Muji. J'étais donc la deuxième secrétaire du département. Mes premières pensées, en entrant dans ce département, furent qu'ils allaient avoir un très grand mal à mobiliser les Congolais, à les rallier à une si mauvaise cause. Dès l'arrivée au RCD, on se rendait compte qui était le vrai boss dans ce mouvement. Rien ne se faisait sans l'aval du Rwanda. L'argent de nos salaires, le papier et les équipements de bureau, tout venait du Rwanda. Même le code régional de téléphone de tout le Kivu était un code rwandais. Forcément, nos compatriotes rwandophones avaient un ascendant indéniable sur tout le monde. Ce qui rendait la dynamique du groupe tout empreinte de méfiance et d'un subtil malaise.

Muji, l'autre secrétaire de Sambuyi, et moi devînmes amies tout de suite. Elle était ce que nous appelons au Congo une « fille-mère », c'est-à-dire une jeune mère célibataire. Elle élevait seule son enfant et avait perdu ses parents lors de la première invasion. Aussitôt engagée, Sambuyi lui avait demandé d'être sa copine et elle avait accepté, me dit-elle, à cause de la misère. Je constatai, en effet, que presque chaque patron couchait avec sa secrétaire. Je fus contente de savoir que le mien ainsi que ses deux assistants avaient déjà chacun sa chacune.

Le nombre de bureaux était limité. Ainsi la plupart des ministres se servaient des chambres à coucher de leur résidence comme bureau, car ils partageaient les maisons à trois ou à quatre selon le nombre de chambres. Sambuyi partageait une grande résidence avec trois autres grosses légumes du mouvement qui, eux, partaient très tôt le matin. Ils avaient leurs bureaux au bâtiment administratif central, ancienne résidence du dictateur Mobutu Sese Seko. Aussi, pour nous permettre de travailler convenablement, Sambuyi avait-il installé l'ordinateur dans sa chambre. Nous devions donc attendre que le chef ait fini de faire sa toilette avant d'aller travailler dans son bureau.

La distribution du travail entre secrétaires devint vite injuste. En effet, ma collègue Muji jouait plus le rôle de « femme » du boss que celui de secrétaire. Dès que le boss s'était habillé, il lui donnait de l'argent et elle disparaissait. Elle revenait vers quatorze heures avec la nourriture préparée. Cela lui permettait, à elle aussi, de nourrir son enfant et de se faire un peu d'économies. Je comprenais bien la situation. Mais, lorsqu'il y avait un trop plein de travail et que Sambuyi faisait pression sur moi tout en se servant de sa deuxième secrétaire comme d'une bonne, j'en voulais au boss plutôt qu'à la pauvre jeune fille, dont je ne comprenais que trop bien la situation. Pour plus d'intimité, me dit ma copine Muji, elle et le boss allaient faire l'amour dans un hôtel situé au centre-ville, à une dizaine de minutes en voiture. Elle et moi, devînmes si proches qu'elle me disait presque tout. J'appris, sans surprise, qu'elle n'aimait pas cette brute, qu'elle l'endurait puisqu'il la mettait en sécurité dans la jungle où nous avait mises l'invasion. Cela me fit pitié et renforça l'idée terriblement négative que j'avais des hommes. Je me dis seulement qu'il me fallait faire attention de peur que Sambuyi ne remarque le dégoût qu'il m'inspirait, car j'avais vraiment besoin de cet emploi.

Mon premier salaire de cent vingt dollars vint comme la manne du ciel. J'avais déjà trouvé une maison à louer pour moi et la famille de ma sœur, à cinquante dollars par mois. Je leur fis une surprise lorsqu'au bout de mon premier mois de travail je vins leur dire : « Emballez tout, nous déménageons demain matin. » Pour une fois, j'eus un peu de répit à la maison. Ce n'était pas exactement le palais royal, mais il y avait l'eau et l'électricité dans la maison, de vraies toilettes à l'extérieur et, le plus beau de tout, on ne s'attendait pas à ce que je fasse les travaux de ménage tout le temps, parce que, pour une fois, c'était moi qui amenais à manger sur la table. Mais je vivais en même temps dans une constante anxiété à cause du caractère incertain de cet emploi basé sur la guerre. Il pouvait prendre fin à tout moment et… rebonjour Ndosho ! La seule idée d'un autre séjour à Ndosho me rendait malade. Je me promis de faire mon travail le plus consciencieusement possible tout en mettant de côté ne fût-ce que vingt dollars par mois.

*

Les choses se gâtèrent pour moi au bureau brusquement dès le deuxième mois, ce qui me prit totalement au dépourvu, car je m'y attendais vraiment peu. Au milieu de la semaine, mon chef Sambuyi me dit, alors que je lui rendais un travail que je venais de saisir : « Coco, nous aurons une réunion extraordinaire ce samedi, à l'Hôtel des Grands Lacs. Ne sois pas en retard, la réunion commencera exactement à 10 heures. »

Cette information me surprit car, jamais nous ne travaillions le week-end. Je lui demandai pourquoi le week-end et pourquoi à l'hôtel et non chez lui comme d'habitude. Il répliqua en me demandant sèchement si je comprenais le mot « extraordinaire ».

Le jeudi de cette semaine, pendant l'heure du déjeuner, je demandai à Muji si elle savait qu'on avait une réunion extraordinaire à l'hôtel, en ville, le week-end. Elle dit qu'elle n'en savait rien. Le lendemain, à mon arrivée au bureau, c'est-à-dire dans la maison du boss, je trouvai ce dernier en pleine conversation avec Muji devant la porte. Je saluai et allai m'installer devant l'ordinateur. Sambuyi attendit que sa copine parte au marché pour ses courses habituelles. Dès que Muji sortit, il vint me sommer de le suivre dehors et, sur un ton agressif, il me réprimanda violemment :

« Pourquoi as-tu parlé de la réunion de samedi à Muji ? Ce n'est pas ton travail de passer les messages. Nous sommes en guerre ici, souviens-t-en. Si tu ne sais pas garder les secrets, tu n'as pas ta place parmi nous ! Si j'ai quelque chose à dire à tout le monde, je le dis. Ce n'est pas à toi de t'en charger sans ma permission. Il y a ici des réunions de toutes sortes et ce n'est pas tout le monde qui est convié à chacune d'elles ! Que ceci soit ta première et dernière indiscrétion. Tu fais ça encore une fois et c'est la fin de ton travail. Et si l'infraction est une trahison, tu verras ce que nous faisons des traîtres ! »

J'allai me réinstaller devant l'ordinateur, mais mon corps tremblait tellement cet homme m'avait fait peur. Les jours qui suivirent, Sambuyi me traita avec une dureté qui me faisait pleurer dès que je me trouvais seule en fin de journée. Il semblait presque prendre un malin plaisir à m'humilier. Comme c'était toujours devant Muji, je compris qu'il avait quelque chose à prouver à sa petite amie, mais à mes dépens. Il me fit subir ce traitement pendant tout un mois. Au début de la première semaine du mois suivant, il vint me trouver encore après le départ de Muji pour le marché. Il me demanda si j'avais passé un bon week-end avec une gentillesse qui me surprit.

« Nous avons reprogrammé la réunion qui a raté le mois dernier pour ce samedi, fit-il sans me regarder dans les yeux. Mais ce sera ici même, chez nous. Tous ceux qui y sont conviés ont déjà été avertis. Mais, comme tu le sais déjà, il n'est pas question d'en parler avec qui que ce soit. »

La semaine passa sans qu'il me grondât. Il ne me parlait pas beaucoup, mais il s'était mis à me donner des instructions gentiment, même devant Muji. « Les choses se présentent plutôt bien finalement », me dis-je en fin de semaine. Le samedi, je me présentai devant sa porte à dix heures précises comme prévu. Sambuyi était seul. Il me fit installer au salon en disant que les autres allaient être là incessamment, puis il rentra dans sa chambre. Il en ressortit plus tard en se plaignant qu'il ne savait pas ce qui se passait, que les autres avaient dû confondre le jour de la réunion. À ce moment-là, j'eus l'intuition que quelque chose de suspect se mijotait. Cela faisait plus de vingt minutes que j'attendais et personne n'arrivait. Les autres chefs qui habitaient là étaient absents. Sambuyi rentra encore dans la chambre pendant dix minutes environ puis m'y appela : « Viens pour qu'on se parle un peu en attendant les autres. » Je ne me méfiais pas trop, car cette chambre, c'était aussi mon bureau. Je le trouvai debout, à côté de son lit. « Ferme la porte », dit-il. Je me tournai et poussai la porte. Quelle ne fut pas ma surprise en refaisant face à mon chef ! Il baissa d'un seul coup et son pantalon et son sous-vêtement exposant devant mes yeux son pénis en érection dure, recouvert d'un préservatif. Je reculai instinctivement prise de malaise car les images du pasteur Musafiri m'assaillaient. Cette scène était d'autant plus choquante qu'elle était identique à celle que m'avait offerte mon professeur qui avait failli me violer à l'ISDR. La voix sèche de Sambuyi me ramena à la réalité : « Déshabille-toi ! » dit-il. Je ne bougeai pas, je le regardai, surprise, en me demandant comment quelqu'un pouvait avoir une telle érection alors que j'étais à plus de cinq mètres de lui, toute habillée. « Déshabille-toi, et que ça saute, nom de Dieu ! » fit-il en venant vers moi. Il m'empoigna le bras fermement et me poussa vers son lit, après avoir fermé sa porte à double tour. « Tu m'as entendu ou non ? hurla-t-il encore. Déshabille-toi immédiatement, nom de Dieu de nom de Dieu ! » Je me déshabillai en tremblant. J'avais à peine baissé mon sous-vêtement qu'il était déjà sur moi. Il déboutonna mon chemisier vite comme si en perdant une minute de plus une catastrophe allait s'abattre sur les lieux. Il me poussa sur son lit, s'abattit sur moi, écarta avec force mes cuisses, que j'essayais de serrer instinctivement, et me pénétra si brutalement que je criai de douleur. Et plus je criais, plus il s'agitait dans un va-et-vient frénétique. Il éjacula en moins de trois minutes, avec un grognement de cochon, en faisant un rictus qui donnait à son visage un air encore plus simiesque. « Habille-toi vite avant que les autres n'arrivent », dit-il en me jetant mes vêtements sur les cuisses.

Il s'assit sur son lit et m'observa en train de m'habiller. Il s'était tout à coup attendri et se mit à faire des commentaires sur mon corps : « Tu es belle, tu sais ! Regarde-moi ces beaux petits seins qui n'ont jamais été tétés ! Ces beaux petits seins de petite fille ! Et tu es chaude là-dedans comme tu ne peux pas imaginer ! Tu es envoûtante, fillette. Vraiment envoûtante ! »

Plus il parlait, plus il me gonflait de colère. En plus, le fait qu'il m'appelait « fillette » me rendait si furieuse que l'impuissance de parler me fit couler des larmes. Je finis de m'habiller en silence et allai m'asseoir au salon. Tout mon corps tremblait. Mon vagin déchiré me faisait terriblement mal. Il sortit quelques minutes plus tard et demanda que nous allions parler à l'extérieur. Il me traîna sous une paillotte en continuant à dire qu'il ne savait vraiment pas pourquoi les autres n'étaient toujours pas là. « Je veux simplement rentrer chez moi », lui dis-je. Il répondit que c'était une bonne idée. « Demain ils me sentiront tous ces mauvais employés qui posent un lapin au chef ! » fulminait-il hypocritement. « Décidément ce con me prend réellement pour une 'fillette idiote' », pensai-je, plus enragée que jamais. Il me donna une liasse de dollars pour le taxi, et ajouta que ce qui venait d'arriver devait rester entre nous et que personne ne devait le savoir. C'était la pratique habituelle de donner de l'argent pour le transport à la fin d'une journée de travail ou d'une réunion. Le montant variait entre cinq et dix dollars. Je pris cet argent sans regarder. En sortant de la résidence, je me rendis compte qu'il m'avait donné cinquante dollars. J'échangeai cet argent auprès des cambistes de la rue et me mis à le distribuer aux mendiants tout au long de mon trajet. Je payai le bus avec mon propre argent et rentrai à la maison. Arrivée chez moi, je pris une longue douche et me couchai après avoir longtemps pleuré.

Le lundi matin, j'avais tellement mal au vagin que je ne pus me lever pour aller au travail. Je pris le bus et allai au Centre de Santé. On me soigna sans me poser aucune question. En un sens, je fus reconnaissante à ce médecin et à ses infirmières, car la crainte des questions et des explications m'avait fait beaucoup hésiter avant d'y aller. J'ai compris que les cas de viols étaient parmi les plus fréquents qu'ils avaient à traiter et que, pour épargner un traumatisme supplémentaire aux femmes, ils les traitaient sans trop les questionner, tout comme ils traitaient les militaires blessés au front. Ce professionnalisme des employés du Centre de Santé eut pour moi valeur de support moral, ce qui me fit un peu de bien. Une révolte silencieuse se sentait surtout chez les infirmières qui me soignaient les yeux baissés comme pour ne pas pleurer, silencieuses telles des prêtresses Zen. Je leur dis merci du fond du cœur en les quittant. À la caisse, on me demanda vingt dollars. C'était beaucoup. Le tiers de ce que j'avais épargné jusque-là. Cela me fit regretter l'argent que ce violeur m'avait donné après son infamie. Il aurait suffi pour faire soigner correctement mes blessures.

Le mardi matin, je croisai mon amie Muji à l'arrêt du bus. Ignorant ma salutation, elle attaqua : « Pourquoi étais-tu chez Sambuyi samedi, hein ? On vole les hommes des autres à présent, hein ? C'est comme cela que tu es ? Et tu te dis mon amie ? Hypocrite ! »

Je lui demandai comment elle l'avait su, elle répondit que l'un des gardes l'avait informée ; qu'elle savait exactement l'heure à laquelle j'étais arrivée pour m'enfermer avec son copain, et celle à laquelle j'étais partie après avoir « fêté avec lui » notre « forfait » dans la paillotte. Elle dit que je n'avais pas à le nier. Elle me parlait en chuchotant car le bus était bondé, mais les gens nous entendaient quand même. Je lui dis simplement qu'elle n'avait qu'à poser la question à son « mari » qui, une fois de plus, avait organisé une réunion de travail avec moi sans l'en informer. Je lui dis de se rappeler ce qui s'était passé lors de la première « réunion avortée ». Puis je terminai en lui disant tout haut que c'était bête de s'en prendre aux pauvres victimes que l'on mettait, comme elle-même, entre le marteau et l'enclume ; qu'elle devait se calmer car son mari ne m'intéresserait jamais de la vie. Elle ne me dit plus rien à ce sujet, mais nos rapports ne furent plus les mêmes. Je soupçonnai qu'une explication enflammée avait eu lieu entre eux sur cet incident. L'avantage pour moi, en tout cas, fut que Sambuyi n'organisa plus de « réunion extraordinaire » avec moi, jusqu'à la fin, c'est-à-dire jusqu'au moment où la présidence du mouvement le transféra au poste de secrétaire général du mouvement. Ce remaniement s'accompagna d'une réduction de personnel. Nous nous trouvâmes donc au chômage, Muji et moi, en attendant, nous dit-on, que l'on termine la restructuration. On nous donna l'équivalent d'un mois de salaire. Avec cet argent, je pouvais payer deux mois de loyer. Je rentrai donc chez moi et me mis à chercher du travail.

Lorsque, au bout de trois semaines de vaine chasse à l'emploi, la peur d'être éjectée de l'appartement commença à s'installer en moi, ramenant dans ma tête les images sombres de Ndosho, un message salvateur me fut envoyé par Evar, l'ancien assistant de Sambuyi. Il voulait me voir chez lui le soir même pour discuter d'une nouvelle affectation, dit le soldat porteur du message. Il était presque dix-huit heures. Forte de l'expérience du viol de Sambuyi et me méfiant de cette invitation nocturne et à domicile, je pris mes précautions. Je mis dans mon sous-vêtement des bandes de gaze imbibées de mercurochrome. Nous le savons bien, la plupart des hommes chez nous n'aiment pas coucher avec une femme qui a ses règles.

Plusieurs hommes étaient assis au salon de la résidence d'Evar et Jimmy, et buvaient de la bière dans une ambiance musicale un peu trop bruyante. On m'apprit qu'Evar m'attendait dans sa chambre. Les sonnettes d'alarme se mirent à tinter dans ma tête. J'ouvris la porte et entrai. Evar était allongé sur son lit. Il ignora ma question quand je cherchai à savoir s'il était malade : « Ferme la porte, ils fêtent je ne sais quoi, là dehors et nous on a des choses plus sérieuses à discuter », dit-il. Il n'y avait pas de chaise dans la chambre. Je soupçonnai que cela était fait exprès pour m'accueillir. Il me dit de venir m'asseoir sur le lit, près de lui.

« C'est la première fois que je suis seul avec toi, tu sais ! J'ai attendu ce moment pendant des siècles. J'ai même prié Dieu pour que ce moment arrive, dit-il.

– Est-ce ce pour quoi tu m'as fait venir, Evar ?

– Bien sûr que non. J'ai tout fait pour te trouver du boulot, je mérite quand même une réponse positive aux sentiments mortellement affectueux que je ressens envers toi, non ?

– Mais, Evar, tu as une petite amie, déjà, elle ne te suffit pas ? »

Il resta silencieux quelques secondes. Je me retournai et eus la surprise qui commençait à m'être habituelle. Evar avait enlevé le drap qui le couvrait et exposait à mon intention un pénis en érection à perforer une ardoise.

« Ne me laisse-pas ainsi, je ne te le pardonnerais jamais.

– Il me semble que tu ne m'as fait venir que pour ceci. Je dois m'en aller.

– Ce n'est pas vrai. J'ai du travail pour toi. Mais tout dépend de toi. Tu veux te retrouver dans la rue, hein ? Là-bas, on ne te fera pas ça par amour. Moi, je t'adore. Ta fraîcheur, ta jeunesse me font mourir d'amour.

– Non, tu as ta copine.

– Oui, mais tu es la plus fraîche, la plus pure, crois-moi, mon bébé !

— Je ne suis pas un bébé. Je dois m'en aller maintenant.

— Non, ne fais pas ça. De toute façon, tu as vu tout ce monde au salon ? Si tu fais un scandale ici, c'est toi qui auras des explications embarrassantes à donner. Je ne te laisserai pas sortir d'ici si tu me laisses dans cet état.

— D'ailleurs je ne peux rien pour toi, j'ai mes règles.

— Tu mens. Je ne te croirai que preuves à l'appui.

— Tu veux vraiment voir ? Tu en es sûr ?

— OK, peut-être pas voir, mais laisse-moi toucher. »

Il me tendit sa main que je pris, la guidant sous ma jupe et la pressant sur la boursoufflure de mon sous-vêtement. La main émergea rouge de mercurochrome. Il s'essuya vite avec un mouchoir en papier qui traînait sur une petite armoire de chevet.

« D'accord. Tu vas au moins me sucer ?

— Je ne peux pas, j'ai la bouche pleine de plaies. Je sors à peine d'un gros rhume.

— Alors use de ta main. »

Il me prit la main d'autorité et me força à prendre son pénis. Je commençais le mouvement de pompe de bas en haut, l'esprit ailleurs, le cœur pris de nausées, tandis que, les yeux rivés sur moi, Evar murmurait répétitivement : « Ah, les mains douces de fillette, ah, c'est bon petite fille, c'est bon petite. » Ma main commençait à se fatiguer alors qu'il continuait à me pousser à accélérer. Je dus m'y prendre à deux mains. Dans un grognement qui me rappela le viol de Sambuyi, Evar explosa, les yeux fermés, en m'inondant les mains de son sperme dégoûtant. Une serviette de bain traînait à la tête de son lit. Je m'en saisis et m'essuyai les mains, écœurée. À ce moment, il y eut des coups à la porte. « Elle vient d'appeler, elle est en route », dit la voix. Elle, c'était sans doute sa copine. Evar se leva brusquement, le pénis pendant et dégoulinant de sperme. J'aurais alors souhaité que celle-ci pût nous surprendre pour exposer les cochonneries de sa saleté de petit ami. Il me retint à la porte avant de l'ouvrir pour me dire que ce qui venait d'arriver devait rester strictement entre nous. Presque mot pour mot la mise en garde de son chef Sambuyi.

« Laisse-moi sortir, répliquai-je. Ta copine arrive pour compléter le travail.

– Ce n'est que partie remise, petite chérie, dit-il. Quant à la bonne nouvelle, je ne te mentais pas. Tu as été, grâce à ma recommandation, affectée à la présidence, plus précisément au bureau du rapporteur, monsieur Delpin. Tu commences demain. »

Je sortis sans remercier, traversai le salon sous les regards humiliants des visiteurs d'Evar. Comme prix à payer pour une information qui me serait parvenue de toute façon, je venais de subir mon deuxième viol dans ce mouvement d'envahisseurs.

Mon nouveau chef s'appelait, en effet, Delpin. Il était l'ami le plus proche du président Wadiamba et servait comme porte-parole du mouvement. La proximité de son bureau avec celui du président du mouvement me permit de commencer à connaître un peu mieux Wadiamba. Discret, austère, plutôt taciturne, d'un physique maigrelet de yogi, cet ancien professeur aurait mieux fait de rester dans ses salles de classe. Il semblait lui manquer l'étoffe d'un politicien, d'un chef, de président d'un pays. C'était à croire qu'on l'avait choisi à cause de la faiblesse de son caractère. Le Rwanda et l'Uganda semblaient posément vouloir corriger les erreurs qu'ils avaient commises avec le vieux Kabila qui, au bout du compte, serait assassiné. Autant celui-ci était dur à cuire, égocentrique, malicieux et roublard, autant Wadiamba était faible, plus ou moins honnête, idéaliste et peu autoritaire. La gestion de l'argent du mouvement lui échappait complètement, et il semblait se contenter de ce que le bureau des finances lui accordait comme frais de fonctionnement. Il était clair qu'entre lui et Kigali, où était le vrai pouvoir, il y avait d'autres poches d'autorité qui décidaient pour lui. Il semblait s'accommoder de cette situation humiliante avec un larbinisme effarant.

Cet état de choses doit avoir ennuyé les conseillers de Wadiamba. Car, un jour, ils partirent avec leur chef en mission à Kisangani, la plus grande des villes du pays que le mouvement occupait, et n'en revinrent plus. Avant de déclarer officiellement la sécession, ils me chargèrent de voler dans le bureau de la Présidence tous les documents importants du mouvement. Je reçus l'ordre secret de sortir les documents de ce bureau petit à petit et de les stocker chez moi. Il s'agissait de documents fondamentaux tels que la Charte du mouvement, les listes du personnel civil et militaire, les rapports des divers départements, les accords signés avec diverses corporations minières de l'Occident, etc.

Ce fut une opération dangereuse parce que les associés du Rwanda, qui étaient les vrais chefs du mouvement, m'auraient considérée comme traître et j'aurais probablement été tuée. Nous laissions, en effet, le côté Goma du mouvement complètement dépossédé de documentation et d'archives. Il aurait suffi d'un soupçon et d'une incursion dans ma petite maison et ils me tuaient, pour sûr.

Dès que l'essentiel des documents qu'on m'avait demandé de sortir fut prélevé, un ami de Wadiamba, non connecté au RCD, passa les chercher chez moi à la maison. Il me laissa par la même occasion un billet d'avion. La stratégie m'épargna l'anxiété de voyager avec ces pièces à conviction. Lorsque l'avion décolla à destination de Kisangani, chef-lieu de la province orientale, je compris que je ne mettrais plus les pieds au Kivu avant longtemps, après ce que je venais de faire en faveur de l'aile sécessionniste.

*

Avant d'arriver à Kisangani, ma connaissance de la ville se résumait à celle de mes livres d'écolière et de mes cours de géographie. Mais je m'étais familiarisée davantage avec cette ville grâce à un roman intitulé *Incorruptible*, écrit par un auteur congolais au nom étrange : Ilaut Nawm. J'avais acheté ce livre à Goma, auprès d'un jeune bouquiniste pendant la courte période de mon travail dans le RCD. Chose drôle : le jeune vendeur ambulant m'avait littéralement forcée à acheter le roman, baissant le prix plusieurs fois avec urgence, comme si sa vie même avait dépendu de cette vente. Je ne pouvais pas alors imaginer que peu de temps après ce serait ma vie, à moi, qui allait dépendre de ce trésor que le brave jeune homme venait de me vendre.

Le roman m'accrocha dès les premières pages… Probablement parce que l'histoire était à la fois très proche de celle de ma propre vie et très profondément enracinée dans la culture du peuple Léga, mon groupe ethnique. Il s'agissait de l'histoire d'un enfant léga – réga – qui, après un voyage autour du monde, revient libérer son peuple d'un pouvoir tyrannique et d'une culture de ténèbres, apportée par la médiocrité de ses dirigeants. Le roman couvre la première invasion du Congo par le Rwanda et l'Ouganda derrière Laurent-Désiré Kabila en 1997, ainsi qu'une bonne partie de leur seconde invasion sous le couvert du mouvement dit RCD et celle de l'Angola à l'ouest du pays.

Le personnage principal de ce roman est une sorte de super-héros qui vient aider le peuple à retrouver la foi en lui-même. Ceci était particulièrement crucial, face au genre de tragédie que nous vivions alors ; à un moment où le destin de tout un peuple se trouvait entre les mains de ces individus médiocres et pathétiques, ou tout simplement faux, qui se disaient nos leaders.

J'avais copié plusieurs passages de ce roman dans mon journal intime afin de pouvoir les mémoriser, sans savoir pourquoi cela m'était si important. Plus tard je me féliciterais de l'avoir fait car le message de ténacité et d'espoir véhiculé dans ce roman allait m'aider moralement à survivre aux épisodes les plus tragiques de ma vie.

Il m'aiderait aussi, sur le plan pratique, lorsque je me retrouverais dans les régions lointaines qu'Ilaut a décrites. Ce roman m'a accompagnée partout à travers notre Congo occupé. Je ne peux pas te dire combien de fois j'ai lu ce livre. Il était devenu ma Bible, ma source d'inspiration. Malheureusement j'ai fini par le perdre, en même temps que mes modestes possessions, quand les Rwandais nous attaquèrent à l'hôtel Wagenia. Mais ça, c'est une autre histoire que je te raconterai plus tard. Dieu merci, mon journal a survécu. C'est toujours avec plaisir et émotion que j'y lis encore aujourd'hui des extraits de ce roman d'Ilaut Nawm. Parmi les villes qui y sont décrites, il y a Kisangani.

L'une des mes parties favorites est celle où l'auteur décrit métaphoriquement la ville de Kisangani comme une guitare désaccordée. Ilaut se sert de la métaphore pour « peindre » la beauté de la ville détruite par des invasions successives des armées étrangères. Je n'ai pas le talent d'écrivain d'Ilaut Nawm ; alors je vais tout simplement ouvrir mon journal intime et laisser l'auteur parler :

> *Kisangani : quel beau nom ! C'est la troisième des plus grandes villes du Congo, après Kinshasa et Lubumbashi. Son nom vient du kiswahili – ou swahili. « Kisanga » veut dire « île » et « ni » veut dire « dans » ou « sur ». En effet, la ville a été construite sur une île. Son surnom est Boyoma ou, plus précisément, « Boyoma Singa Mwambe ». Ce qui littéralement veut dire : « la belle fille (Boyoma) qui requiert huit (mwambe) poteaux (singa) pour qu'on arrive jusqu'à elle ». Et, puisqu'en plus du français, les deux langues vernaculaires dominantes de Boyoma sont le swahili et le lingala, celles-ci ont été mélangées dans le surnom : aussi bien mwambe que singa sont des termes lingala. Singa en lingala veut dire corde.*

Voilà pourquoi le surnom « Boyoma Singa Mwambe » amène inévita-
blement dans la tête d'un lingalaphone l'image d'une « guitare à huit
cordes. » Mais si tu décides de venir en visite, sois averti, cher voyageur : la
Boyoma que tu verras a perdu de son harmonie. À présent ses oiseaux ne
chantent plus que des chants tristes. Ce qui reste de cette Beauté de jadis,
c'est l'écœurante image d'une ville assiégée par la sauvagerie et la barbarie.
Laisse-moi te dire, cher lecteur : Kisangani la belle gît là-bas, avec ses huit
cordes distendues, relâchées et aphones.
Kisangani est, en effet une ville d'eau. La première chose qui frappe le
nouveau-venu, c'est évidemment ses incroyables chutes appelées les Chutes
Wagenia. Sous la colonisation belge, on les a appelées Stanley Falls, en
mémoire d'Henry Morton Stanley, le journaliste britannique – oh, l'em-
merdeur ! – dont les explorations sanglantes ont pavé le chemin pour que
le Congo devienne la propriété du roi Léopold II. J'aime mieux le nom
Wagenia ; bien mieux.

Trois jours après mon arrivée, nos chefs organisèrent, pour nous, une visite de ces chutes, sous lourde escorte. La nuit d'avant, je lus plusieurs pages du roman d'Ilaut Nawm. Je finis par avoir l'impression que j'avais toujours connu Kisangani. Ilaut l'avait décrite dans son livre comme un peintre, comme un historien et comme un poète tout à la fois :

Ville limitrophe au nord-est de la partie navigable du fleuve Congo,
Boyoma offre en amont au regard éberlué du visiteur l'ingéniosité du
peuple Wagenia, peuple de pêcheurs qui avait pu dompter les redoutables
chutes du même nom, comme pour dire aux envahisseurs : « Nous en
avons vu d'autres de votre genre depuis 1960. Ils sont venus et ils sont
passés. Ces cordes sont incassables. Elles tiendront bon. Elles se tendront
encore, vous verrez ! »
Les chutes sont effrayantes de prime abord, mais bien vite tu es submergé
par un sentiment d'émerveillement au vu, d'une part, de la majesté du fleuve
Congo, se ruant avec furie vers l'océan Atlantique et, d'autre part, des
pêcheurs Wagenia juchés témérairement au milieu des terrifiantes cascades.
Secondant seulement l'Amazone, tout compte fait, ce fleuve a été arrêté
ici par des rochers, et chute cent mètres en contre-bas, dans un bruit

assourdissant. Eh oui, les Wagenia ont su dompter ces chutes. On se demande, impressionné, comment ils ont pu y mettre en place ces écha-faudages compliqués, sur lesquels pendent, bouche ouverte, leurs géantes nasses aux longues queues.

Ces nasses, elles-mêmes, sont impressionnantes : leurs immenses bouches avalent et laissent aller les flots mugissants du fleuve ainsi que les petits poissons, tout en capturant les gros poissons dans leurs longues et étroites queues. Regarder dans leurs pirogues les corps musclés et noirs de trente pêcheurs Wagenia pagayant rythmiquement contre les cascades, puis grim-pant au milieu des flots sur leurs échafaudages afin de retirer les poissons des nasses, serait un spectacle en soi et une lucrative attraction touristique. Présentement la beauté de Kisangani n'est plus que potentielle, mais elle n'en reste pas moins frappante. Le fleuve Congo passe au milieu de la ville la fendant en deux. La rivière Tshopo, telle une liane, enserre sa rive droite comme un long bras d'amant autour de la taille de sa bien-aimée. Ferme les yeux, visiteur, et regarde vers le futur : de belles maisons sur les rives du fleuve Congo et de la rivière Tshopo... de petits bateaux en constant va-et-vient d'une rive à l'autre... Venise... mais en plus grand, tu ne trouves pas ? Latente Venise! Sa beauté, enfouie dans la crasse due à la négligence et à l'état de siège qui n'a jamais cessé depuis l'indépendance en 1960, te rappellera le sort de Bukavu ; et celui de Bunia, et celui de Moanda, de Goma et de beaucoup, beaucoup trop d'autres Beautés et Paix qui ont été volées. Mais rappelle-toi l'attitude de défi des pêcheurs Wagenia et dis-toi ceci : le Congo se remettra sur ses jambes de géant dès qu'il sera entre les mains des plus dignes de ses enfants. En attendant, écoute, visiteur, écoute la furie de Boyoma prenant son continuel et indispensable bain.

Merci, Ilaut Nawm ! Merci bien !

Parfois, il est nécessaire de quitter sa terre pour mieux en apprécier la condition réelle. Loin de mon Kivu natal, je pus, en observant Kisangani, élargir ma vue et voir à sa juste mesure la saignée que, comme des sangsues, les voleurs armés, envoyés de l'extérieur par les criminels qui dirigent leurs pays respectifs, étaient en train d'infliger au Congo.

Les armées du Rwanda et de l'Ouganda étaient venues à des milliers de kilomètres de leurs propres pays pour une simple et diabolique raison : piller un autre pays au mépris criant des lois internationales. Dans la ville de Kisangani, près de huit cents mille Boyomais se trouvaient exilés sur leur propre terre, pris en otages par les soldats rwandais et ougandais, qui se promenaient en conquérants. Ils ne parlaient pas français, ils portaient l'uniforme de leur pays, ils ne pouvaient même pas se cacher derrière leur swahili tanzanien. Le swahili de Kisangani a été lourdement influencé par le lingala. Aussi leur parler accentuait-il davantage leur présence en tant qu'étrangers ennemis. Les soldats rwandais avaient laissé les génocidaires interhamwe, qu'ils prétendaient chasser, dans les forêts du Buréga et dans les Massissi au Kivu qu'ils occupaient depuis 1996. Ce qu'ils étaient venus faire si loin de leurs frontières ? Il fallait aller mener l'enquête dans les comptes en banque de leurs chefs. Et dans ceux des chefs de leurs chefs…

Quant à moi, je n'étais jamais sortie du Kivu auparavant. Kisangani était une terre étrangère pour moi. Je ne connaissais personne – pas un seul membre de la famille, même élargie ; pas une connaissance même lointaine. Mon sort était donc complètement entre les mains de mes chefs rebelles. Cette réalité fit que je me réveillais souvent, pendant mes nuits dans cette ville, frappée par une crise de panique soudaine.

Dans un premier temps, je me sentis à l'aise dans la rébellion car le RCD-Kisangani de Wadiamba était dirigé par des Congolais qui venaient de dire « non » au Rwanda. Ils créaient d'ailleurs des problèmes aux dirigeants du RCD-Goma en poste à Kisangani. Car ils disaient aux Boyomais qu'ils étaient là pour les libérer de l'occupation rwandaise. Les Rwandais, quant à eux, n'avaient pas d'arguments valables justifiant leur présence au Congo, moins encore à Kisangani. De temps en temps les jeunes Boyomais suivaient les appels de Wadiamba et descendaient dans les rues pour défendre leur ville, ils tuaient quelques soldats rwandais. Ceux-ci envoyaient alors des chars et menaient des opérations punitives musclées en tuant plusieurs Boyomais, puis se retranchaient en ville et dans les forêts environnantes, vers le sud de la ville et sur la rive gauche où ils avaient établi leurs camps.

Mon petit confort moral dans la « rébellion congolaise » s'émoussa vite. Je constatai en effet que notre départ de Goma ne nous avait nullement départagés de l'aile rwandaise. Ils étaient, en effet, bien implantés à Kisangani, dont ils se disputaient les droits d'occupation avec l'Ouganda. Je constatai, ensuite, que Wadiamba n'avait quitté sa position de pion des Rwandais que pour venir être le pion des Ougandais. Je pus également mesurer les enjeux économiques que représentait l'occupation de Kisangani. Être maître de Kisangani, c'était avoir toute la richesse de la province orientale, c'est-à-dire avoir sous son contrôle tout le diamant des territoires de Kisangani, de Banalia, de Bafwasende, d'Isiro, d'Opala, et d'Isangi ; toutes les mines d'or de Kilo-Moto, tout l'or de l'Ituri ainsi que tout le bois et les animaux de ses forêts – et pour le bois et l'ivoire des éléphants abattus sans ménagement, Dieu sait que l'Ouganda en faisait une affaire !

Bref, mes chefs me parurent tout d'un coup encore plus tarés et plus larbins que jamais. Leur rêve, de part et d'autre, c'était que les Rwandais ou les Ougandais les aident à aller prendre le pouvoir à Kinshasa. Mais pour un voleur qui a mis la main sur la malle au trésor, la politique de la maison n'est pas le numéro un de la liste de ses soucis. Pour mes chefs, le mot quotidien de motivation à notre endroit, c'était toujours : « Quand nous arriverons à Kinshasa… » Cette phrase avait fini par devenir une rengaine ! Mais, moi qui étais proche du sommet, je les ai souvent entendus se plaindre en secret de la lenteur de la poussée vers Kinshasa. Et dans ma petite tête de pauvre-jeune-fille-qui-ne-savait-rien-des-choses-politiques, je me disais : « Ils ne voient pas, ces abrutis, que les autres ne sont pas là pour refaire l'erreur commise en amenant rapidement au pouvoir Laurent-Désiré Kabila, au lieu de piller les ressources que personne ne défend ! »

Et je priais que Mungu-Nzambe, le Dieu de nos ancêtres, protège le Congo. Je priais aussi, toujours dans ma petite tête de fille de rien du tout, qu'un jour justice soit faite internationalement contre ces Ali Baba qui volaient une nation souveraine de manière si éhontée.

J'observais une autre chose curieuse : les officiers ougandais et rwandais envoyaient leurs soldats se battre de temps en temps. Réellement se battre. Parfaitement se faire tuer. Ils échangeaient des coups de feu pendant une ou deux bonnes heures dans l'un ou l'autre quartier de Kisangani. Le plus souvent en centre-ville ou aux approches de Sotexki, le quartier de banlieue que nous occupions. Nous voyions revenir de la confrontation les cadavres des pauvres soldats non gradés, des enfants-soldats le plus souvent. On en trouvait aussi qui traînaient abandonnés sur la chaussée. Mais le soir, ces mêmes officiers des deux camps prétendument ennemis partageaient calmement une bière dans un café de la ville. C'était hallucinant !

L'un de ces accrochages restera ancré dans ma mémoire. Ce fut le jour de la mort de Kitu, l'enfant soldat ougandais, dont j'ai déjà parlé. Cet enfant s'était ouvert à moi la veille. Il m'avait parlé de tout ce qu'il avait vécu, de tout ce que les adultes lui avaient fait faire depuis son enrôlement jusqu'aux crimes indicibles au front. Il m'avait parlé comme un catholique véritable à l'oreille de son confesseur. Loin de moi était alors l'idée que cet enfant allait mourir le lendemain dans mes bras, intestins dehors, en appelant sa mère et en criant qu'il mourait sans raison si loin d'elle. Mon pauvre Kitu, mon cher pauvre enfant, si tu savais que ce soir-là même, les officiers ougandais et rwandais avaient trinqué ensemble à ton trépas ! Si tu savais qu'ils avaient arrosé de bière et même de champagne cette « soirée d'exercice stratégique », tandis que ton cadavre encore tout chaud reposait sans intestins au pays de Lumumba !

*

L'armée ougandaise avait le contrôle de l'aéroport international de Kisangani appelé aussi aéroport de Bangboka. Situé dix kilomètres à l'est de Kisangani, cet aéroport a une longueur de trois mille huit cents mètres. Il a été commencé par les Belges et Mobutu l'a terminé dans les années 1980. Sa distance par rapport au centre-ville de Kisangani avait pour les Ougandais des avantages mais aussi des inconvénients. L'avantage principal, c'était bien sûr le contrôle du plus grand aéroport et la possibilité d'y faire atterrir et décoller toutes sortes de matériels en toute quiétude. Le désavantage était qu'il fallait parcourir dix kilomètres pour intervenir dans les accrochages, toujours fréquents, avec l'armée rwandaise, lesquels avaient lieu essentiellement dans la ville. Ce voyage mettait en péril leurs chars d'assaut, à l'attaque comme au repli, mais aussi tous les véhicules transportant les cadres du mouvement de Wadiamba entre la Sotexki et Bangboka. En raison de ce risque, les chauffeurs devaient rouler à tombeau ouvert, causant de fréquents accidents qui, en effet, amenèrent de nombreux membres de notre mouvement dans la tombe et aussi un grand nombre dans les hôpitaux de Kampala et d'ailleurs. Ils avaient établi un camp militaire de plus de deux mille soldats non loin de l'aéroport, dans une zone appelée La Forestière qui côtoyait convenablement l'aéroport. C'était en fait d'anciennes installations d'une compagnie d'exploitation de bois appelée : La Compagnie Forestière de Transformation (CFT).

De son côté, l'armée rwandaise avait l'aéroport de Simisimi, construit par les Belges en 1931. Avec une longueur de deux mille huit cents mètres, cet aéroport a été jusqu'à l'inauguration de celui de Bangboka, la seule voie d'accès aérienne sur Kisangani. Situé trois kilomètres seulement à l'ouest du centre-ville, l'aéroport de Simisimi est pratiquement au milieu des habitations civiles. La zone de Simisimi abrite aussi un des plus grands camps militaires de Kisangani. Si par sa proximité et son camp militaire Simisimi avait pour les Rwandais l'avantage d'être mieux logés et de contrôler la ville et ses voies d'accès, le désavantage, c'était bien sûr qu'il était facile de se faire espionner et attaquer. En plus de la quasi-totalité de la rive droite, les Rwandais contrôlaient toute la rive gauche du fleuve, c'est-à-dire tout le Sud-Est jusqu'au Kivu. Jour et nuit, les avions de chaque armée faisaient atterrir chars, munitions et toutes sortes de ravitaillement, sans être inquiétés le moins du monde par l'autre camp.

Le gouvernement du RCD-Kisangani avait d'abord été installé, disais-je, à la Sotexki, la plus grande usine textile du Congo sous Mobutu, bien loin en banlieue de Kisangani. Vu que l'opinion internationale voulait savoir qui des deux RCD contrôlait réellement Kisangani, les Ougandais nous installèrent en ville, à l'hôtel Wagenia. Je me souviendrai toujours de ma gêne ce jour où des étrangers avérés sont venus nous dire : « Vous allez vous installer en ville. Le monde commence à penser que les Rwandais sont en contrôle ici... » Ils nous conduisirent comme des moutons à notre nouvelle étable. Et moi, dans ma petite tête de fille de rien du tout, j'entendais dans leurs dires : « Voilà pourquoi nous, Ougandais, sommes en charge, vous ne savez rien décider par vous-mêmes. » Ma petite tête, qui ne valait rien du tout, se demandait aussi pourquoi le monde, au lieu de dénoncer ce banditisme international patent, voulait au contraire savoir lequel des deux camps de bandits était maître des lieux !

*

Nous déménageâmes donc à l'hôtel Wagenia, en plein centre de Kisangani pour marquer notre présence en ville. C'était au lendemain de l'attaque où périt le petit enfant soldat ougandais nommé Kitu. L'installation fut difficile. L'hôtel était abandonné depuis presque un an. Tout était couvert d'une épaisse poussière. Je faillis même en venir aux mains avec une vieille dame nommée Oda Yanga. Cette dame ne faisait rien de spécial dans le mouvement. Son âge et son physique sans appâts – à part un derrière monumental qui pouvait facilement servir de chaise – ne lui permettaient pas d'attirer comme les autres filles les regards intéressés et lubriques de nos chefs. Ceci la rendait acariâtre et mégère. Elle avait le grade de membre de l'assemblée générale. Faute d'une vraie occupation, ou par ennui – qui sait ? – elle passait son temps à être terriblement méchante avec les jeunes filles du mouvement.

Je venais de passer presque dix heures à nettoyer ma chambre. Je finissais de ranger mes affaires lorsqu'elle vint devant ma porte pour me dire qu'elle voulait s'installer dans cette chambre. Je lui dis que l'hôtel avait plus de trois cents chambres et qu'elle avait l'embarras du choix, elle ne voulut rien entendre. Elle alléguait ses prérogatives de membre de l'assemblée générale pour être, disait-elle, « servie en premier ». Évidemment, son problème, c'était qu'elle ne voulait pas nettoyer une chambre. Je lui dis que je n'allais pas sortir de là, qu'elle n'avait qu'à nettoyer une chambre comme tout le monde. Elle alla voir mon chef Delpin. Ce dernier vint me voir pour me dire qu'il ne valait pas la peine de se bagarrer avec ses supérieurs pour si peu, et que je n'avais qu'à nettoyer une autre chambre. Ce que ma petite tête de rien du tout apprit de cet incident, ce fut la confirmation de ma conviction que ce n'était pas l'équipe qui occupait à ce moment l'hôtel Wagenia à Kisangani qui allait sauver notre Congo. Elle était bien trop médiocre, bien trop enfantine, bien trop malade.

Comme pour reconfirmer cette conviction, mon chef Delpin m'appela deux jours plus tard pour me dire que le président Wadiamba avait besoin d'un massage et que j'avais été choisie pour le lui administrer. « Mais, je ne sais pas donner un massage ! » protestai-je. « Tu as deux mains, tu es une fille, tu peux donner un massage », dit-il, en me montrant du doigt le chemin de la chambre de Wadiamba.

Delpin et Wadiamba habitaient au rez-de-chaussée, dans deux suites situées aux bouts opposés du couloir. Deux gardes du corps faisaient la permanence devant la porte du Président. Ils me laissèrent entrer sans me questionner. Wadiamba m'attendait au salon de sa suite. Il me salua gentiment et me dit d'attendre. Il entra dans sa chambre et me dit d'entrer cinq minutes plus tard. Il s'était déshabillé. Il m'attendait sur son lit, couché sur le ventre, une petite serviette de bain blanche sur les fesses. Je tremblais de timidité. Mon chef... prétendant à la présidence du pays... là, nu, dans son lit personnel. Nu pour moi, pour mes petites mains de petite fille de rien du tout, lui si grand, si important, si intelligent !

« Viens Coco, fit-il, la lotion est sur la table de chevet. Vas-y, ne crains rien. »

Je n'avais jamais massé quelqu'un de ma vie. J'improvisai donc. Je mis la lotion dans mes mains, frottai et attaquai par les pieds. Je montai progressivement jusqu'au bas des fesses. Je m'aperçus qu'il ne portait pas de sous-vêtement. Wadiamba était maigre comme un clou, osseux, avec un corps aux abondants poils grisonnants. Pas exactement un Adonis. Ma crainte, c'était de perdre la concentration en le massant, car ma tête était pleine de questions : « Pourquoi ces hommes nous considèrent-ils comme objet acquis ? Pourquoi mes deux chefs ont-ils tout naturellement assumé qu'il était de leur droit et de mon devoir de masser Wadiamba. Pourquoi m'ont-ils choisie, moi ? Étant donné que tout le monde ici couche avec sa secrétaire, comment se fait-il que Delpin, qui pourtant n'a pas de copine dans la rébellion, n'ait jamais essayé d'abuser de moi ? M'ont-ils choisie, lui et son ami Wadiamba, parce que jusque-là, je me suis gardée de prendre un copain ? À quel moment Wadiamba fera-t-il son 'mouvement d'attaque' que je sais imminent, pour sûr ? Comment vais-je réagir ? »

Ayant omis les fesses, que couvrait mal la petite serviette de bain, je suivis la colonne vertébrale et finis au cou et aux épaules en passant par les flancs. Le Président se tourna sur le dos, me présentant le devant, avec un pénis en érection qui me fit instinctivement reculer. Voyant cela, il mit la serviette sur son sexe, mais cela ne changea pas grand-chose car la petite tente formée par le pénis sous la serviette disait tout des intentions ou, du moins, des désirs de l'homme. « Vas-y, ne crains rien », dit-il les yeux fermés. Je repris par les pieds, arrivé au niveau des testicules, je voulais passer outre pour aborder le ventre, mais il m'arrêta sans bouger ses bras qui restaient le long du corps. « Non, n'oublie pas cette partie, elle en a terriblement besoin. » J'hésitai pendant quelques minutes. « Saisis-le et masse, je t'en prie », dit Wadiamba. N'ayant pas de choix devant l'attente du chef dont la face commençait à accuser la frustration, je pris son pénis de mes mains huilées et me mis à frictionner. « Voilààà, petite fille ! C'est bon ! » fit-il. Il ferma ses yeux, sa respiration s'accéléra. Au bout de quelques minutes, il rouvrit les yeux et, me regardant fixement, dit qu'il voulait voir mes seins. « J'adore tes petits seins, je veux les voir. Ouvre ta chemise. » Il les saisit dès que je finis de déboutonner ma chemise. « Ah les beaux seins ! fit-il. Ils tiennent dans la main. Les beaux seins frais. C'est comme des seins en train de pousser sur la poitrine d'une fillette ! Ils me rendent fou, ces jeunes seins innocents et tout frais ! » Et il pelotait mes petits seins, il m'attira à lui et se mit à les sucer tout en me demandant de ne pas arrêter de frotter son pénis. Nos quatre bras s'étaient entrecroisés selon ses instructions pour permettre ces mouvements compliqués. Il me demanda ensuite d'enlever mon pantalon et de me retourner. « Oh les belles fesses ! fit-il encore. C'est comme les fesses d'un bébé ! Viens vite, j'ai envie de toi ! »

Tout alla très vite à ce moment. Il me prit brutalement, cet homme qui m'avait pourtant semblé si doux… Je me souviens encore du moment où, les yeux fermés, la bouche ouverte, Wadiamba éjacula en émettant de petits jappements comme un chiot.

Le « couteau de *malemba* » des femmes Mbuza de la province de l'Équateur est bien connu au Congo. Il est fin et tranchant comme un rasoir, ce qui permet la fabrication des *malemba*, ces tranches de manioc extra-fines, délicieusement fraiches et ragoûtantes, comme seules les femmes Mbuza savent en produire. Lorsqu'on dit que les gens se battent aux couteaux de malemba, l'idée glace le sang car, cela veut dire la mort certaine de qui sera frappé en premier. Je regarde le cou osseux de Wadiamba, sa pomme d'Adam monte et descend au rythme de ses jappements de chiot qui n'en finissent pas. Quelle forte éjaculation ! Ma main a tiré de je ne sais où un couteau de *malemba*. Je lui sectionne la gorge d'une main calme et précise, juste au-dessus de la pomme d'Adam. Le sang gicle. Il crie « Coco ! Coco ! » Mais moi, je déploie mes bras et ils deviennent des ailes. Je vais m'envoler, contente de me sauver de là une fois pour toutes. Wadiamba m'appelle encore de sa gorge sectionnée et me ramène à terre :

« Tu vas bien, Coco ? » Je le regarde. Je viens de loin. Allongé sur le côté, le chef est penché sur moi, le coude du bras gauche sur le lit et la tête sur la main. Il est encore essoufflé et respire bruyamment. Je regarde fixement son cou. Il se le prend instinctivement de la main droite et me demande ce qu'il y a. Je réponds : « rien ». Il sourit. Je sais qu'il a mal compris. Je voulais dire que j'avais l'impression de « n'être rien » mais, lui, évidemment, voulait comprendre qu'il « n'y avait rien ». Il sourit toujours. Bêtement.

Je ne sais pas si les hommes qui font l'amour aux femmes qui ne les aiment pas sont conscients de ce que la femme ressent lorsqu'ils éjaculent. C'est le moment où ils sont les plus vulnérables et les plus répugnants. Il prend alors à la femme une haine terrible, qui donne envie de le tuer. Réellement l'idée de leur couper la gorge me venait chaque fois qu'ils jouissaient comme cela, lui et tous ceux qui m'avaient violée dans cette rébellion.

Il s'était étalé sur le dos. Je m'habillais rapidement tandis qu'il restait là, nu, l'air satisfait, repu. « Ferme la porte. Je t'attends demain soir à la même heure », me lança-t-il alors que je quittais sa chambre. J'allais subir ce traitement d'objet de plaisir pour Wadiamba encore et encore, pendant plusieurs mois.

Je sortis de cette première expérience, l'estomac dans la gorge. J'avais compris que, s'il était vrai que Wadiamba aimait le massage, le vrai objectif de tout ce cérémonial se trouvait en dessous de son nombril. Je laissais là, sur le lit, le petit corps nu et relaxé de celui qui voulait sauver le Congo, mais dont l'image tirait furieusement vers le ver de terre. Ma tragédie, cependant, se résumait toute dans ce « demain à la même heure » lancé sans soucis, avec l'assurance d'un maître esclavagiste.

J'allai tout droit voir mon chef Delpin et lui parlai franchement de ce que son ami venait de me faire. Sa réponse fut sans appel: « Je ne veux pas le savoir. Il est ton chef. Tu dois faire ce qu'il te demande, un point c'est tout ! » Je remontai dans ma chambre imprégnée de l'odeur de Wadiamba, de ses excrétions, des émanations de son corps maigrelet et froid aux poils blanchissants, et de l'image obsessionnelle de son visage à la bouche souriant et bavant de contentement.

Le contraste ironique entre ce sourire, cette relaxation contentée d'un seigneur de guerre sans armée, littéralement assiégé par les soldats rwandais d'un côté, et pris en otage par les Ougandais de l'autre côté, me donnait envie d'être violente. Même moi, la petite fille de rien du tout que cet impotent politique venait d'utiliser de la manière la plus lâche qui se pût imaginer, je pouvais voir combien les envahisseurs des deux côtés nous prenaient pour les derniers des idiots. Je venais d'entrer brutalement dans l'intimité de cette idiotie. Ou plutôt c'est elle qui venait d'entrer par effraction en moi. Je venais de voir de près, de toucher, de mes dix doigts et plus, la nudité de l'idiotie qui prétendait pouvoir sauver notre pays du joug esclavagiste. Joug auquel l'avaient assujetti des mains cupides. De très longues mains sans scrupules. Des mains de voisin semblables à d'autres mains étrangères. De petites mains crapuleuses que tenaient d'autres mains plus grandes, qui à leur tour étaient tenues par d'autres mains encore plus grandes et encore plus crapuleuses ... Oui, même moi, Coco, la petite fille de rien du tout, je savais, je voyais ça. Je savais que nous n'allions jamais arriver au pouvoir à Kinshasa. Je voyais avec ahurissement l'incroyable paradoxe de nos chefs si hautement instruits et si abrutis tout à la fois.

Je voyais aussi avec horreur et désespoir le piège dans lequel nous, les filles, étions prises. Nos chefs ne nous payaient pas. Aucune fille n'avait touché un sou depuis que nous étions arrivées à Kisangani. Les chefs disaient que c'était la guerre, qu'il n'y avait pas d'argent. C'est vrai que nous ne faisions pas grand-chose. La rébellion semblait s'être arrêtée, on attendait, comme de petits enfants, que les instructions viennent de l'Ouganda. Cependant, nous voyions bien nos chefs dépenser l'argent en liqueurs et en achats d'affaires personnelles de toutes sortes. Mais nous, les filles, en étions venues à ne même plus pouvoir nous acheter les choses essentielles et indispensables pour une femme. Beaucoup vivaient grâce aux hommes du mouvement qui se servaient alors d'elles comme de vraies prostituées. Je voyais, moi, la petite Coco, moi qui n'étais rien du tout devant ce rassemblement de sommités, je voyais bien le jeu : ils savaient que s'ils nous payaient nous allions quitter cette révolution qui ne roulait plus. Je ne sais plus qui disait qu'« une bicyclette qui ne roule plus tombe » ou quelque chose de ce genre. Alors nos chefs avaient peur que toutes les filles sautent de leur bicyclette tombante. Sans argent, loin de notre Kivu natal, dans une ville de Kisangani où la plupart d'entre nous ne connaissions personne, nous étions complètement prises au piège comme des esclaves dans une île perdue.

Certaines filles étaient tombées entre les mains de vrais Casanova et elles y croyaient. Ce fut le cas de Sofia, l'une de mes deux vraies amies. Elle devint la protégée d'Andy Wadiamba, le petit frère du boss. Je me rendis compte avec inquiétude qu'elle s'était mise à espérer le mariage de la part de cet homme qui, de toute évidence, était marié aux États-Unis. Sa désillusion viendra plus tard, quand nous serons évacués à Kampala puis à Bunia. Ce fut aussi le cas d'une autre fille qui m'était assez proche ; elle s'appelait Odette. Elle était la secrétaire de Kamalé, l'homme qui depuis Goma avait pris le poste de Sambuyi au département de Mobilisation et Propagande. Kamalé venait, comme la plupart des ministres de Wadiamba, de la Belgique. Il coucha avec Odette aussitôt qu'elle fut affectée auprès de lui comme secrétaire. Odette, qui me disait tout, s'épanouit à vue d'œil.

— Il a promis de me prendre en mariage, vint-elle me dire un jour en haletant.

— Ici ? Si loin de ta famille ? m'inquiétai-je.

— Oui, il faut savoir saisir la balle au bond. J'ai été basketteuse, tu sais !

— En es-tu sûre ? Ils sont tous mariés, tu sais ! Ils ont tous laissé des familles en Europe.

— Qu'est-ce que tu veux me dire là ?

— Qu'il n'y a pas d'homme célibataire parmi nos chefs. Tu as vu leurs têtes ? Ce n'est pas exactement des collégiens. Ni des enfants de chœur, d'ailleurs…

— Ah, toi, tu ne comprends rien de ce que je dis !

— Oh ?

— Écoute, cet homme, lorsque nous faisons l'amour… ah là là ! Il me lèche partout… Comme un chien ! Je n'ai jamais été léchée ainsi, tu sais ! Il me lèche si bien ah là là… c'est parfois à croire qu'il va m'arracher des trucs…!

— Tu as de la chance d'en avoir au moins un qui y met un semblant d'affection.

— Que veux-tu dire par 'semblant' ?

— Rien. Seulement qu'il faut faire attention à toi. Bonne chance.

C'était à Goma. Odette et moi arrivâmes à Kisangani presque au même moment. Le ministre de la Mobilisation et de la Propagande vint rejoindre l'équipe plus tard, après un détour chez lui à Beni. Tout le monde était au courant de son arrivée. Odette se fit belle pour l'occasion. Très belle. Mais, quelle ne fut pas sa grande surprise de voir descendre de la Jeep militaire ougandaise son Prince Charmant, main dans la main avec sa chère épouse ! Il la présenta à l'équipe le plus aisément du monde, sans un seul petit regard vers Odette : « Chers camarades, je vous présente mon épouse, la mère de mes enfants. Elle et moi vous remercions de votre accueil chaleureux. »

Ce soir-là, Odette fondit en larmes sur mon épaule : « D'où me vient cette guigne qui fait que tous les hommes que je rencontre me laissent tomber à la dernière minute ! » se plaignait-elle. Je la rassurai qu'elle n'y était pour rien, que ce n'était pas de la guigne mais la goujaterie des hommes. Surtout ces animaux de la rébellion…

Cet incident reste, tout comme ce qui m'est arrivé à moi-même, une image de ce qu'était en essence la rébellion pro-ougandaise de Wadiamba.

*

Rares étaient pour nous les occasions de rire dans cette ambiance sinistre. Un jeune homme nous en offrit gentiment une. Il s'appelait Kazadi. La trentaine. Élancé et très mince. Il résidait à Paris où il avait fait ses études supérieures. Dans le mouvement, il travaillait au bureau de Wadiamba, mais j'ignorais en quoi exactement consistait son travail. Comme tous ceux qui savaient les choses de l'intérieur, il était payé, lui. Kazadi se remarquait vite dans un groupe non seulement à cause de sa haute taille, mais surtout par son accent très français et son style particulier de parler par petites phrases hachées. Un jour, en l'absence de Wadiamba qui visitait son épouse en Tanzanie, Kazadi sut, on ne sait comment, convaincre Namisi, le ministre des Finances, de lui confier l'argent que ce dernier apportait à la Présidence pour le fonctionnement du mouvement. Kazadi fit annoncer dans toute la Sotexki que la *collation* était là. C'est ainsi que l'on appelait, depuis Goma, le petit salaire des employés du mouvement. Il paya scrupuleusement les gens, en gardant professionnellement les documents comptables. Pour une fois, les « petits » étaient contents. Les filles plus spécialement. Je manquai cette *collation*, car je faisais partie du voyage de Wadiamba. À notre retour, celui-ci entra dans une grande colère. Comme pour mettre du pili-pili sur la plaie, nous trouvâmes tout le monde en train d'appeler Kazadi, Monsieur le « Président », sans doute pour s'amuser, et, lui, il répondait « Oui ! » en riant. À ceux qui lui demandaient en public pourquoi il avait fait cela, il répondait : « Monsieur le Ministre de Finances amène l'argent. Il doit repartir nous en chercher plus. Les gens ont faim. Les gens ont les poches vides. Le Président n'est pas là. Qu'est-ce qu'il faut faire ? Payer les gens, non ? » Et on entendait crier par-ci, par-là, « Vive le Président ! »

Pour rire, je l'ai apostrophé le lendemain dans la cour en disant : « Monsieur le Président, j'ai raté ma *collation* ! » Kazadi, avec un grand sourire me dit, en me tapant amicalement l'épaule : « T'en fais pas, ma fille. Je vais voir ce que je peux faire. » Évidemment il n'en avait plus les moyens, mais cela changeait un peu l'atmosphère lugubre dans laquelle nous baignions.

Pour la Présidence, évidemment, il n'y avait rien d'amusant là-dedans. Non seulement, le défi de l'autorité de ce jeune homme frisait l'insulte, mais son action venait de dévoiler le mensonge que le mouvement manquait d'argent pour payer les gens. « Les carottes sont cuites pour Kazadi », chuchotait-on partout. En effet, la sanction pour des actions comme celle-là, c'était, au bas mot, le *mabusu* sinon la disparition pure et simple. Mais Kazadi allait et venait en riant comme si de rien n'était. L'entrevue avec Wadiamba et les autres « grands » du « pouvoir » eut lieu quatre jours après notre retour. À huis clos. Je vis Kazadi sortir du bureau du Président. Il avait l'air calme, mais son habituel sourire avait disparu. Il alla, semble-t-il, directement à sa résidence. Environ deux heures plus tard, nous fûmes surpris par la voix de Kazadi qui tonnait dans la cour, sous la fenêtre de Wadiamba :

« Monsieur Wadiamba. Qu'est-ce que vous faites avec nous dans ce trou ? On est là, voici bientôt un an. Vous n'avez pas formé de gouvernement. Vous n'avez même pas essayé de prendre Kisangani aux envahisseurs. Les gens ne sont pas payés et vous semblez vous en ficher. Comment voulez-vous qu'ils vivent ? Comment voulez-vous que ces filles se nettoient ? Comment voulez-vous qu'elles s'habillent ? Ce mouvement s'est arrêté. Vous le voyez bien. Si vous ne savez plus continuer, dites-le-nous, s'il vous plaît. Mais ne nous plantez pas là comme des imbéciles. Nous avons le potentiel pour aider le Congo autrement. On m'en veut d'avoir payé les gens. Ai-je volé l'argent ? Regardez les documents. Je n'ai rien pris pour moi. Rien. Pas un centime. Certains parlent de m'arrêter. D'accord, mais dites-moi les charges. Il me semble plutôt que vous devriez chercher la compétence et non les *djalelo* des gueux, qui viennent vous chanter des louanges que vous savez fausses ! Nous voulons la compétence ! Monsieur le Président. La com-pé-ten-ce. Et l'action constructive. »

Les gens ne riaient plus. Kazadi disait des choses troublantes. Mais pire, on le savait perdu. Nous savions tous que ce n'était plus qu'une question d'heures avant que Wadiamba et les Ougandais le fassent arrêter.

Ils n'arrêtèrent pas Kazadi, mais on le fit partir des résidences de la Sotexki. On lui trouva une résidence en ville où, semble-t-il, il fut mis à l'aise, mais à l'écart. Moi, petite fille de rien du tout, je crois plutôt que Kazadi avait été « offert » aux Rwandais. J'espère pour lui qu'il est en ce moment bien tranquille « chez lui » en France. Mais il y a des chances que ce brave jeune homme ne soit plus de ce monde.

Pour nous, les « petits » du mouvement, la galère continua. La *collation* était repartie avec Kazadi. Et les filles, pour vivre, continuèrent à payer de leur corps. Dans cette réduction des filles en esclaves sexuelles, le RCD-Kisangani perdit aussi beaucoup d'entre elles. Particulièrement celles qui, contrairement à moi, n'avaient pas grand-chose à craindre en réintégrant le RCD-Goma. La stratégie consistait à sortir secrètement de l'hôtel avec ses valises, et à aller directement à la radio officielle, qui était sous contrôle rwandais. Une fois là-bas, les filles dénonçaient tout ce qu'elles avaient subi sous Wadiamba ainsi que l'incompétence de ce dernier. Elles affirmaient qu'elles avaient décidé de rejoindre le RCD-Goma qui, pour elles, était le seul vrai mouvement de libération. Il va sans dire que leurs propos sur le RCD-Goma n'étaient pas sincères. Mais il fallait bien sortir de Kisangani. Leur discours en faveur du mouvement pro-rwandais tenait lieu d'allégeance et les remettait dans les bonnes grâces des maîtres de Goma, qui les mettaient dans l'avion et les « rapatriaient » au Kivu. Le plus triste, pour nous qui restions, était que ce que les filles disaient du traitement que nous subissions dans le RCD-Kisangani était tout à fait vrai. J'aurais fait pareil n'eût été la part que j'avais jouée en aidant Wadiamba à voler les documents du mouvement. Je dus ma survie pendant tout ce temps à ma sœur Mona qui, de temps en temps, m'envoyait de l'argent des États-Unis. Évidemment, comme on peut l'imaginer, cela ne me mit pas à l'abri des abus sexuels, mais au moins je pus éviter de me vendre sexuellement pour m'acheter des serviettes hygiéniques pour mes règles, par exemple, ou une bouteille de lotion.

Du côté de l'armée rwandaise, tout semblait aller mieux. La seule raison qui les empêchait d'arrêter Wadiamba semblait être la peur d'une révolte générale de la population. Cela aurait fait mauvaise presse pour eux au niveau international. Ni l'Ouganda, ni le Rwanda ne voulaient se fâcher avec la République Sud-Africaine qui, soutenue par l'ONU, prétendait faire la médiation dans notre « guerre civile ». De temps en temps, comme je l'ai déjà dit, un envoyé sud-africain venait voir qui réellement contrôlait la ville. Je me demandais ce qu'ils rapportaient à leur président, qui s'appelait Thabo Mbeki. Car, des deux côtés, les armées d'occupation étaient évidemment étrangères. On n'avait pas à chercher loin. Les deux généraux, Kazemi et Bebarebe, par exemple, étaient bien connus du monde entier comme les fers de lances des armées ougandaise et rwandaise, dans le hold-up du Congo-Kinshasa. Le RCD-Goma par exemple, avait un général congolais bien connu du nom de Ondekane. Mais pour l'opération de Kisangani, il était évident que le Rwanda avait préféré faire confiance à son propre général plutôt qu'à un Congolais, qui, sait-on jamais, pouvait se permettre d'avoir un sursaut de nationalisme… De part et d'autre, les enjeux de Kisangani étaient trop importants pour prendre le risque d'y mettre en charge un Congolais.

Bref, devant cette vérité qui crevait l'œil, l'ONU et le gouvernement sud-africain s'intéressaient, eux, à savoir qui des deux camps des « Congolais » avait contrôle de Kisangani. Et moi, dans mon petit cœur de petite fille de rien du tout, je voyais le monde traiter Kisangani et le Congo comme un *no man's land*. Et ses habitants comme si c'étaient des insectes.

*

Or donc, notre déménagement à l'hôtel Wagenia mit le RCD-Goma en grande colère. « Quel affront ! dirent-ils. Qu'ils se terrent dans leur faubourg de la Sotexki, passe encore. Mais venir se poser ici en ville ? Notre ville ? Pour nous disputer l'ascendant aux yeux du monde ? Jamais ! »

Nous avions à peine fait quelques jours à l'hôtel Wagenia que l'armée rwandaise se mit à positionner des chars de combat le long du fleuve, c'est-à-dire à quelque cinq cents mètres seulement de là. Nos services d'intelligence surent même avec précision que les Rwandais allaient nous attaquer le dimanche 15 août à 14 heures.

Lors d'une réunion qui suivit l'obtention de ce renseignement – et à laquelle j'étais conviée pour prendre des notes –, j'entendis mes chefs s'inquiéter auprès de Monsieur le Généralissime ougandais appelé Kazemi, du fait que les Rwandais positionnaient leurs chars pour nous attaquer. Je me souviendrai toujours de sa réponse :

« *'Na niye wakongomani munaogopa nini ?'* Et vous autres, Congolais, de quoi avez-vous peur ? Ces soldats rwandais sont nos enfants ! N'oubliez pas que c'est nous qui les avons formés… Comment pouvez-vous penser qu'ils puissent nous battre ? Calmez-vous, ils ne vous feront rien ! »

Le ton était paternel, condescendant. Comme on rassure un enfant peureux qu'il n'y a pas de monstre dans l'obscurité du placard de sa chambre. Son expression '*na niye wakongomani*', « et vous autres, les Congolais », faisait plus que nommer les Congolais, elle soulignait notre attitude enfantine, faiblarde.

*

Les Rwandais attaquèrent une semaine et demie après cette réunion. Très précisément le dimanche 15 août, aux environs de treize heures trente. Nous venions de déjeuner. Certains faisaient la sieste, d'autres jouaient de la musique dans leur chambre. Les obus se mirent à nous tomber dessus, cassant tout. Il ne faisait pas de doute que l'intention était de nous tuer tous. Les murs tremblaient, les roquettes et les obus démolissaient l'hôtel, les quelques gardes que nous avions tombèrent en premier. La panique fut complète lorsque des membres de l'équipe administrative, qui se trouvaient devant la baie vitrée du grand salon au rez-de-chaussée, perdirent la vie. J'avais quelques unités dans mon téléphone portable ; rassemblant tout mon courage, je pris une minute pour appeler ma sœur Mona aux États-Unis. Elle me demanda en criant ce que c'était que toutes ces détonations. Je l'informai que l'armée rwandaise allait nous tuer tous, que je voulais juste lui dire adieu, qu'il était presque impossible que nous sortions vivants de cet hôtel. Je n'attendis pas sa réaction. J'eus juste le temps de jeter quelques sous-vêtements dans mon sac à main puis je descendis en courant. Dans les escaliers, c'était le capharnaüm. On criait, on pleurait dans toutes les langues, mais personne n'entendait personne, les détonations étaient étourdissantes. Tout le monde se rua vers la cuisine pour emprunter la porte de service. Je trouvai la méchante Oda à genoux, les mains jointes en train de prier. Je ne pus m'empêcher de rire en entendant quelqu'un lui lancer : « C'est avant qu'il fallait prier, sorcière, au lieu de maltraiter tout le monde ! Maintenant c'est trop tard, on va tous mourir ! » Longtemps, je me suis demandée comment j'avais pu rire si près de la mort. J'ai fini par comprendre ce phénomène bizarre : lorsqu'on est déjà entre les crocs de la mort et qu'il n'y a plus rien d'autre à faire, on cesse en fait d'avoir peur, on est comme déjà mort, hors de soi.

Un mur de plus ou moins cinq mètres de haut séparait l'arrière de l'hôtel d'une petite rue résidentielle. Nous apprîmes bien tardivement que l'armée ougandaise avait secrètement fait fuir Wadiamba et les grosses légumes de son gouvernement en les faisant passer par-dessus ce mur au moyen d'une échelle. Celle-ci était encore appuyée sur le mur. La nouvelle de la fuite de nos dirigeants créa une panique générale. Les gens se ruèrent comme des mouches sur la petite échelle. Les plus athlétiques arrivaient à escalader le mur avec leurs mains et leurs pieds. Entre-temps, l'intensité des tirs rwandais s'était accrue. Les balles traversaient les vitres de l'immeuble de part en part et venaient en sifflant frapper le mur. Des roquettes lancées par-dessus le toit de l'hôtel venaient s'écraser dans la cour intérieure arrosant de balles et débris et l'immeuble et le mur salvateur. Cinq ou six cadavres gisaient au sol. Nous, les filles et quelques hommes de petite taille, nous trouvâmes ainsi coincés. Ironiquement, de toutes les femmes, seule la grosse Oda avait pu escalader le mur au moyen de l'échelle. Miraculeusement. Je l'avais vue, de mes propres yeux, se renverser par-dessus le mur, ses grosses fesses à découvert, sans sous-vêtement, échappant de justesse aux balles qui sifflaient à quelques centimètres d'elle comme des bouts de braises ardentes. La pauvre n'avait sans doute pas eu le temps de finir de s'habiller. Dieu seul sait ce qu'elle faisait au moment de l'attaque.

Oui, nous étions faits comme des rats. Je sentis mon corps se glacer. Un regard autour de moi me montra des collègues pétrifiés : le noir de leur peau semblait virer au gris. C'était incroyable, nous portions la mort inscrite sur nous.

Il se fit brusquement une accalmie suivie d'un ordre lancé par mégaphone :

« *Ebutoka inze, mikono juu,* 'tout le monde dehors, les mains en l'air' ». Nous nous regardâmes, délibérant sans nous parler, qui devait le premier ou la première présenter sa poitrine aux balles rwandaises. Comme personne n'osait sortir, les tirs reprirent. Ils tiraient sur les vitres de la porte d'entrée principale. Les rafales étaient si nourries que nous nous jetâmes tous à terre. Une autre brusque accalmie se fit, la vaste porte d'entrée n'existait plus. Il ne faisait aucun doute que quelque chose de plus meurtrier allait être lancé par là. Le mégaphone relança le même ordre dans ce swahili non congolais. Je me souvins de mon expérience lors de l'occupation de Bukavu en 1996. Rassemblant mon souffle, je criai aussi fort que je le pus : « *Sisi ni wa rahia, hakuna askari hapa* ! Nous sommes tous des civils, il n'y a aucun soldat parmi nous ! » L'ordre de sortir les mains en l'air se fit entendre pour la troisième fois. L'un des hommes se porta volontaire pour sortir en premier, nous suivîmes en file indienne. Un total de sept femmes – mes deux amies, Philo qui travaillait au service du protocole et Sofia, la petite amie de Andy Wadiamba, Timba, qu'on appelait la « secrétaire » de la grosse Oda, Zigire, chargée de presse et la copine de Jimmy, Maggie, la cuisinière du président Wadiamba, Aurélie, la plus belle de nous tous, qui travaillait aux services de renseignements et moi – et deux hommes que nous connaissions toutes, mais dont aucune de nous ne savait exactement ce qu'ils faisaient au sein du mouvement. On les voyait dans tous les bureaux, faisant tout et rien. Toutefois, apparemment, ils étaient indispensables, car le président les avaient amenés de Goma et ne voyageait jamais sans eux, en plus de ses gardes du corps. Les mauvaises langues disaient qu'ils étaient ses féticheurs, mais personne n'avait de preuves là-dessus.

À part les morts qui jonchaient le sol de l'hôtel, deux personnes blessées étaient au sol, près de la réception : une femme qui avait littéralement perdu un sein et un homme qui avait le bras droit pulvérisé par les éclats d'un obus. Ils perdaient tous les deux énormément de sang.

« *Wadiamba iko wapi* ? Où est Wadiamba? » lança la même voix dès que nous fûmes dehors. Je levai les yeux et reconnus celui qui commandait : C'était le général Bebarebe, en personne. Le plus puissant général de l'armée rwandaise. Celui-là même qui en 1997 avait placé au pouvoir Laurent-Désiré et qui, après, avait osé la mission militaire la plus audacieuse de survoler le vaste pays de l'est à l'ouest pour aller prendre la base militaire de Kitona dans le bas-Congo, tout au bord de l'océan Atlantique. Pas étonnant que ce fût lui-même qui vînt en personne pour arrêter Wadiamba. Ma plus grande crainte, c'était d'être reconnue comme la fille qui avait volé pour Wadiamba les documents du mouvement. Ni le général, ni personne ne sembla me reconnaître. Philo répondit que Wadiamba avait déjà quitté l'hôtel, qu'il n'y avait plus que nous les femmes et ces deux hommes qui étions restés. Elle ajouta que deux personnes étaient grièvement blessées dedans et qu'elles avaient besoin d'aide. « Nous nous occuperons d'elles, ne vous en faites pas », promit le général. Je savais ce que cela voulait dire : ils allaient les laisser mourir. Sur ce chapitre ils n'avaient pas d'état d'âme, tout le monde savait ça. Bebarebe vint nous passer en revue tandis que, Kalachnikovs braqués sur nous d'un air menaçant, ses soldats n'attendaient que l'ordre de nous faucher. Le général aboya un ordre en kinyarwanda qui fut aussitôt exécuté, je parlais et entendais parfaitement leur langue. Il demandait que l'on aille perquisitionner l'hôtel de fond en comble. Une dizaine de soldats se rua vers la porte en braquant nerveusement les armes. Le général lui-même fit volte-face et alla reprendre sa place dans une des multiples jeeps qui côtoyaient les chars d'assaut. Entre-temps, nous remarquâmes un tas de Boyomais qui, se doutant que l'un des deux côtés avait perdu, étaient sortis de leurs maisons et nous observaient, nous, les captifs, avec des regards dénués d'expression. Je remarquai aussi un homme en train de filmer. Blanc. Il devait être avec eux. Il était trop libre de ses mouvements et sa caméra trop sophistiquée pour être un simple Boyomais curieux. Je crois que ce fut ces témoins qui nous sauvèrent des balles rwandaises.

« *Ebumuende zenu. Mumefunguliwa* . Vous pouvez vous en aller. Vous êtes libérés », nous dit le général Bebarebe à travers son mégaphone. L'injonction avait dans la voix une inflexion de suffisance, digne d'un libérateur. Il baissa son porte-voix et, les mains aux hanches, nous regarda partir comme s'il attendait nos applaudissements pour cet « acte de magnanimité ». Nous marchâmes lentement, nous attendant à être fauchés à tout moment par des balles. Nous étions tous du Kivu et nous connaissions la pratique cruelle que les occupants là-bas utilisaient avec une cynique complaisance : on vous laissait aller et, dès que vous aviez le dos tourné, on vous abattait en riant.

À notre grand soulagement, nous nous trouvâmes dans les rues de Kisangani. Hors de la vue de la bande à Bebarebe. En vie, tous les neuf. Mais les combats continuaient par-ci, par-là dans toute la ville. Des coups de feu s'entendaient sporadiquement. « Vous comprenez la stratégie ? fit Sofia. Officiellement ils nous ont laissé aller, mais ils vont nous faucher proprement loin des témoins ! » Les deux hommes se mirent à courir vers la commune de la Tshopo. Nous, les filles, décidâmes de rester ensemble. J'aperçus une église catholique et suggérai aux filles qu'on aille s'y enfermer en attendant que les coups de feu s'estompent. La porte d'entrée était entrouverte. Mais une surprise nous y attendait : des cadavres sanglants jonchaient le parquet, de l'entrée de la nef jusqu'au chœur. Il y en avait même sur l'autel, comme si quelqu'un les y avait placés délibérément pour envoyer un message à Dieu. Il ne faisait aucun doute qu'il y en avait beaucoup d'autres à l'intérieur. Nous avions déjà vu cela plusieurs fois au Kivu pour comprendre ce qui s'était passé : des civils allant chercher refuge dans la maison de Dieu, lieu sacré par excellence. Mais qui se font lâchement massacrer comme de vulgaires gibiers par les envahisseurs qui ont, eux, une cause bien plus sacrée à défendre...

Nous fîmes demi-tour et nous refugiâmes précipitamment dans un bosquet pour discuter de ce qu'il fallait faire. Sept jeunes filles seules dans une ville infestée de violeurs et tueurs, c'était une cible trop visible et trop alléchante. Mais seule ou à deux dans leurs mains, c'était bien plus dangereux. Nous fûmes d'avis qu'on avait plus de chance de survivre en restant ensemble. Mon amie Sofia dit qu'elle avait un cousin lointain. Elle se rappelait l'adresse mais n'y était jamais allée. Aucune de nous ne connaissait la ville. Il nous fallait donc aller, à pied sous des balles perdues volant de partout, chercher une adresse qui pouvait être à des kilomètres de là. Nous nous mîmes en route.

« Pourquoi pensez-vous que ces lâches nous ont abandonnées dans cet hôtel ? » demanda brusquement Philo, avec une frustration évidente dans la voix.

« Parce que, pour eux, nous sommes *sacrifiables*. Il n'y a qu'eux qui comptent. Le Congo a besoin d'eux », répondit Sofia avec sarcasme. Elle se mit ensuite à rire doucement. Je me surpris en train de répéter presque mécaniquement ces mots de Sofia : « Oui, *sacrifiables*. Eux seuls comptent. Pour le Congo. » Mais je ne ris pas. Nous pressâmes le pas.

Comme pour aggraver notre malheur, il fallait encore que le cousin en question habitât dans la commune de Mangobo ! Or, Mangobo avait comme surnom « Mathématiques ». Nous le savions par les présentations que l'on nous faisait sur la ville de Kisangani. « Mathématiques » parce que c'était la seule des six communes de Kisangani à avoir des rues sans nom – les cinq autres communes étant, sur la rive droite, Makiso (centre-ville), Tshopo, Kabondo et Kisangani, et, sur la rive gauche, Lubunga qui était relativement un peu plus rurale.

Avec des rues sans nom, c'était, en effet, un casse-tête de retrouver une adresse à Mangobo ou Mathématiques, même pour les Boyomais ou les « Mathématiciens » eux-mêmes. En effet, les adresses étaient administrativement organisées en numérotant chaque parcelle. Ainsi à chaque adresse étaient attribuées deux coordonnées. Quiconque s'était amusé à faire de Mangobo un jeu d'échecs n'avait sans doute pas pensé à la combinaison circonstancielle d'un groupe de filles congolaises, *sacrifiables* à souhait, fuyant les balles rwandaises dans une ville de Kisangani qui ne les avait pas vues naître.

Mais, qu'y pouvions-nous ? Il n'y avait qu'une alternative : s'attaquer aux « Mathématiques » ou affronter les violeurs. Nous semblions être seules sur ces routes désertées. Nous nous tenions la main comme des enfants d'école maternelle. Un désir de rester ensemble jusqu'à la mort nous unissait d'instinct, presque. Nous avancions en enjambant des cadavres. Beaucoup de cadavres. Tout frais. Militaires et civils. Civils surtout. Enfants, femmes et hommes.

« Si c'est nous qu'ils voulaient éliminer à l'hôtel Wagenia, pourquoi ces pauvres innocents devaient-ils mourir ? demanda Philo.

– Parce qu'ils sont les bêtes sacrificielles d'une Cause Supérieure, répondit Sofia.

– Tu veux dire une Cause Supérieure pour la Nation des « bêtes sacrificielles » ? s'enquit Philo.

– Tu veux rire, non ! dit tout simplement Sofia.

« – Merde ! Quel gaspillage de nos femmes et enfants pour une *Cause Supérieure* étrangère avec laquelle ils n'ont rien à voir ! » conclut Philo.

Un silence suivit. Nous, les cinq autres filles, nous avions écouté sans rien dire ces échanges de nos deux compagnes. Je fus surprise de cette conversation née spontanément, au cœur de la mort, dans la tête de jeunes femmes qui, comme moi, étaient des jeunes filles de rien du tout. Je me doutais bien que les quatre autres filles devaient être en train de faire le même constat que moi…

Main dans la main, donc, nous avancions par petites échappées. Nous nous cachions derrière une maison ou un buisson, nous nous assurions qu'il n'y avait pas de soldat dans les parages puis, nous étant fixé un prochain abri, nous y courions de toutes nos forces. Et nous nous y abritions encore, puis le même jeu reprenait. Personne dans les rues pour nous renseigner. Heureusement, les présentations sur Kisangani qu'on nous faisait à la Sotexki s'avérèrent fort utiles. Nous mîmes trois heures pour atteindre l'adresse en question.

Le cousin de Sofia et son épouse nous accueillirent chaleureusement. Il nous apprit qu'on aurait aussi bien pu s'abriter dans n'importe quelle maison privée, qu'une solidarité s'était installée spontanément entre Boyomais et que chaque maison s'ouvrait pour abriter quiconque était en danger dans la rue. On nous servit le reste du dîner. Les autres mangèrent mais je ne pus le faire. Les événements de la journée m'avaient retourné le système digestif. Il faisait déjà sombre et le couvre-feu allait commencer, nous dit-on, dans une quarantaine de minutes. Nous étions donc arrivées de justesse.

La brave femme n'avait pas beaucoup d'espace. Elle mit par terre des matelas mousse – qu'elle avait, en revanche, en grande quantité – comme pour prouver le principe de solidarité spontanée dont parlait son mari. Nous dormîmes mal à cause des coups de feu qui, bien que lointains, durèrent toute la nuit. Le lendemain matin, nous prîmes un petit déjeuner constitué de thé et de frites de bananes plantains. Nous décidâmes ensuite de partir pour la Sotexki où nous supposions que nos chefs s'étaient repliés. Le cousin de notre amie offrit d'aller voir d'abord si la voie était libre et sans danger. Il partit à vélo et revint une heure plus tard avec de « bonnes nouvelles » : l'armée rwandaise avait permis aux gens d'ouvrir le marché central de la commune de Makiso entre huit et quatorze heures. Il nous dit de prendre la route qui passait par le marché et d'éviter les routes secondaires. Sa gentille épouse nous prêta des pagnes et des foulards pour nous déguiser. Nous sortîmes, cette fois, avec un peu plus de confiance en nous. Nous venions de dépasser le marché lorsque nous croisâmes un des membres de nos services de renseignements, qui se promenait à vélo. Il nous dit que mon chef Delpin et quelques membres de l'équipe dirigeante, dont Andy Wadiamba, étaient dans une maison privée non loin de là, mais que Wadiamba et tous les autres étaient à la Sotexki. Sofia et moi choisîmes d'aller rejoindre, moi mon chef et elle son petit ami. Les autres filles continuèrent leur route vers la Sotexki.

L'agent de sécurité nous demanda de marcher devant lui. Il nous suivait à vélo en nous indiquant la direction au fur et à mesure. Nous arrivâmes à destination en dix minutes. Andy Wadiamba, Evar et Delpin, mon chef, étaient au salon. Ils faisaient tous les trois une tête de deuil, et ne se levèrent même pas pour nous accueillir. Pour Andy surtout, la dépression était manifeste. Prostré, le dos voûté, il semblait ruminer une défaite finale, la perte totale d'un rêve trop beau. Mon amie Sofia s'assit dans un coin, loin d'Andy et se mit à regarder le vide, l'air absent. Bizarrement, la vue de mon chef me remplit, moi, de joie. Je me disais que cette aventure avait enfin pris fin et que ce dernier allait m'aider à sortir de cette rébellion. J'allais déchanter dès le lendemain.

*

Je passai cinq jours dans cette résidence. Cinq longs jours pendant lesquels j'entendais péniblement nos chefs se plaindre que les Ougandais avaient failli les faire tuer à cause de leur négligence. « Vraiment compter sur l'armée d'autrui, ce n'est pas une bonne façon de faire la guerre », dit Wadiamba, la tête dans les mains.

J'écoutais sans rien dire ces grosses têtes radoter en me demandant, dans mon cœur de petite fille de rien du tout, comment des gens apparemment si bien instruits n'arrivaient pas à regarder la vérité en face et à se rendre à l'évidence que les envahisseurs des deux côtés étaient en train de se moquer d'eux. Je me dis qu'ils étaient, tous, à fouetter, dans leur rôle pathétique de lèche-bottes et de prostitués.

Mes préoccupations, cependant, étaient ailleurs. Je me posais sans cesse la question de savoir comment j'allais sortir de cette association dangereuse avec cette bande de ratés, de nuls, de bons à rien. Sortir. Cela devint mon obsession. Mais comment ? Cela faisait déjà plusieurs semaines que je vivais sans un sou. À présent, ayant tout abandonné à l'hôtel Wagenia, je me retrouvais avec, en tout et pour tout, le pantalon et la chemise que je portais et quelques sous-vêtements. J'étais plus prisonnière que jamais. Et, après le coup que nos chefs nous avaient fait en fuyant sans nous le dire, nous abandonnant à une mort certaine, après ce coup-là, j'avais plus que jamais perdu confiance en qui que ce soit. Même l'ombre d'espoir qu'avait fait naître en moi les retrouvailles avec Delpin venait de s'envoler.

L'hôtesse de la maison qui nous avait accueillis me prêta un pagne – nous avions retourné ceux empruntés à la dame de Mangobo – pour que je lave au moins mes sous-vêtements. La peur qui me prit, tandis que j'attendais en pagne, sans rien en dessous, que mes sous-vêtements sèchent, me surprit moi-même. Je dus m'expliquer le pourquoi de cette peur plus tard : j'étais sous le même toit qu'Evar, l'homme qui m'avait déjà violée une fois à Goma. Nous dormions au salon à quatre, sur des matelas séparés : Evar, moi, Andy Wadiamba et Sofia, sa copine. Celle-ci dormait dans le pagne emprunté à notre hôtesse. Pour moi, cela était hors de question. Je dormais chaque jour avec mon pantalon bien ceinturé. Je dormais par courts épisodes, d'un sommeil entrecoupé de cauchemars.

Au bout du cinquième jour, un communiqué se mit à passer, d'abord à la radio du RCD-Kisangani de Wadiamba, basée à la Sotexki, puis à la radio « nationale » contrôlée par les Rwandais. Il disait qu'un accord avait été trouvé des deux côtés, que l'armée rwandaise permettait à l'armée ougandaise de récupérer tous les Ougandais restés dans la ville de Kisangani. Il était demandé à chaque Ougandais d'aller le lendemain à l'hôtel Palm Beach. Mon chef Delpin me confia que les « Ougandais » dont parlait la radio, c'était nous. Nous nous retrouvâmes, donc, tous en ville devant l'hôtel Palm Beach. La peur se voyait sur tous les visages. Tout cela pouvait être un traquenard. Ainsi réunis, nous étions la cible idéale pour les balles rwandaises. Mais le fait de voir la plupart des chefs parmi nous nous rassurait un peu. Le bus promis par les Ougandais n'était pas là. Mais le bruit courait que c'était un bus d'à peine quinze places. Il fallait donc faire des listes parce que, disait-on, il allait y avoir plusieurs voyages vers la Forestière. Evar décréta que l'on devait d'abord emmener les membres de l'Assemblé Générale. « Suspect ! Suspect ! pensai-je, l'avion de l'autre côté n'attendra sans doute pas. Il ne fera certainement pas plusieurs tours. Surtout pas pour revenir nous chercher, nous les filles, nous les membres *sacrifiables*... » Je me dis dans mon petit cœur de fille de rien du tout que les femmes, pour ces hommes-là, n'étaient décidément que des esclaves sexuels, rien de plus. Mon amie Sofia, qui nous avait sauvées en nous abritant chez son cousin à

Mangobo, vint à la rescousse, encore une fois. Elle devait avoir eu la même idée que moi. Elle vint me souffler à l'oreille qu'il n'était pas question de laisser ces gens fuir en nous abandonnant à nouveau toutes seules dans cette ville.

« Nous partons tout de suite pour la Forestière ! chuchota-t-elle.

— Mais par quel moyen ? demandai-je toujours en chuchotant.

— Transport public !

— Transport… Quel transport public ?

— 'Toleka'. »

Toleka, mot lingala pour « passons » ou « allons-y », désignait les bicyclettes de transport. Dans cette ville sans bus et où les taxis et les taxi-bus étaient devenus rares et trop chers, le moyen de transport le plus usité, c'était le vélo, appelé *toleka*. Tout le monde s'était habitué à faire bondir, parfois pendant des heures, son derrière sur les petites barres métalliques du porte-bagages de vélos. Pour trois dollars, payés par Sofia, deux bicyclettes nous amenèrent jusqu'à la Forestière. À notre arrivée, Wadiamba était la seule autorité du RCD-Kisangani déjà en place. Nous le trouvâmes en pleine réunion avec le général Kazemi dans l'une des rares maisons modernes enfouies dans la forêt, au milieu de nulle part. Un de ses gardes du corps nous informa que l'avion qui allait nous emmener le soir même à Kampala, était déjà en route vers l'aéroport de Bangboka.

La Forestière, comme le dit son nom, est située en pleine forêt. Le sentiment qu'elle nous donna fut plutôt un sentiment de désolation. Ce n'était pas grand-chose en termes de modernisation : trois maisons modernes fortement délabrées, sans eau courante à l'intérieur ni électricité, dont l'une, perchée sur une petite colline, avait vue sur tout le camp. Un soldat ougandais nous apprit en swahili que c'était là que logeait le général Kazemi. Je ne pus m'empêcher de me demander pourquoi alors il recevait Wadiamba dans cette maison en contre-bas, qui devait servir de logement à ses sous-fifres.

Le soldat qui nous avait donné cette information s'était fait remarquer dès que nous étions descendues de bicyclette. Il claudiquait du pied gauche. Il passait et repassait devant nous en nous regardant intensément avec un large sourire. Nettement plus âgé que la majorité des soldats, et un peu plus potelé aussi, il portait plus ou moins négligemment son arme sur l'épaule droite, avec, entre les mains, ce qui semblait être une grosse Bible, et qu'il exhibait comme un trésor. Sofia qui lui avait posé la question sur le logis de Kazemi l'apostropha à nouveau et lui demanda ce que c'était que « ce livre important. » Il parut satisfait de la question ; presque reconnaissant que nous eussions remarqué son « trésor » qu'il portait pourtant avec une affectation exubérante. « C'est la Bible ! répondit-il en serrant le livre sacré sur son cœur. Je suis l'aumônier du camp ! » Il nous parla un peu de son travail « capital » et du fait que sans lui les « pauvres jeunes gens s'en iraient au Ciel sans carte géographique pour les guider vers la porte de Dieu. »

— Brave vieil homme ! fis-je, lorsqu'il s'éloigna.

— Un peu gaga, tu ne trouves pas ? répliqua Sofia.

— Un peu, oui. Mais c'est bon de voir un sourire dans cette forêt de métal !

Un grand hangar enfoui dans le bois, qui devait sans doute servir d'entrepôt du temps où l'usine de bois fonctionnait encore, séparait la maison où étaient réunis les chefs de celle du général. J'observai le nombre impressionnant de soldats armés qui le gardaient et conclus qu'il devait abriter les armes. Tout autour, un immense espace créé par le massacre des arbres commis par la Compagnie Forestière. Des hectares et des hectares de vide dû au déboisement. Couvrant cet espace se dressaient de petites tentes de couleur verte, elles-mêmes couvertes d'herbes et de branches d'arbres à des fins de camouflage.

C'étaient des *Ndaki*, les habitations des soldats ougandais. Il y en avait des milliers. Partout, on voyait des soldats. Ils se déplaçaient par petits groupes, silencieusement, et nous regardaient, Sofia et moi, comme si nous étions des animaux de zoo. Drôle d'impression parce que, ainsi dissimulés sous ces arbres, dans leurs uniformes mal entretenus, c'était plutôt eux qui ressemblaient à des animaux.

Assises sur les marches de l'escalier menant à la maison où Wadiamba rencontrait Kazemi, nous nous offrîmes en spectacle pendant deux bonnes heures. Le mini-bus affrété par les Ougandais arriva deux heures après nous. Il amenait Delpin et une bonne partie des membres de l'Assemblée Générale. Il était quatorze heures. Delpin, Sambuyi et Andy s'en furent rejoindre les deux chefs à l'intérieur, tandis que nous restions dehors, à regarder, avec curiosité, l'impressionnant camp de ceux qui ne nous avaient pas défendus. Andy sortit de la maison quelques minutes plus tard et dit en criant qu'il allait falloir faire des listes parce que l'avion qui venait d'atterrir n'avait pas assez de place pour tout le monde. Quelques instants plus tard, Wadiamba et son groupe sortirent derrière le général Kazemi. Andy et Delpin se joignirent à eux, puis ils se dirigèrent vers la jeep du général ougandais et prirent la route de l'aéroport de Bangboka. Le mini-bus fit deux autres tours, tandis que nous restions là, dans la plus grande confusion, car personne ne savait le programme de l'avion, ni l'ordre dans lequel on comptait nous évacuer. Evar, qui était au téléphone en conversation avec nos chefs, semblait prendre un malin plaisir à nous tenir en haleine. C'est lui qu'on avait chargé de dresser les listes. Je ne fus pas surprise de l'entendre lancer son habituelle et égoïste phrase : « On va d'abord faire partir les membres de l'Assemblée Générale ». En d'autres circonstances j'aurais ri d'entendre Sofia murmurer aussitôt : « Assemblée Générale de mon cul ! » Mais la situation était trop grave : nous ne pouvions plus rentrer dans la ville de Kisangani et le camp militaire de la Forestière ne semblait pas fait pour abriter les civils. Où allions-nous rester en attendant le deuxième voyage de l'avion ? Quand est-ce que cet avion allait revenir ? Personne ne sut répondre à ces questions capitales. Evar, à son tour, chargea la méchante Oda de dresser les listes. Elle le fit en secret comme si nous ignorions qui était membre de l'Assemblée Générale. Lorsque le bus vint s'immobiliser devant nous, Oda se mit à la porte et commença à appeler les noms, avec un petit sourire au coin des lèvres. L'aéroport était à moins de dix minutes en voiture de la Forestière. Le premier groupe partit. Le deuxième groupe partit. Lorsque le bus revint pour la troisième fois, il n'y avait plus grand monde. Oda et le reste des privilégiés prirent place. Je constatai avec surprise qu'elle avait ajouté sur sa liste deux des filles qui étaient avec nous : sa « secrétaire » Simba ainsi que Zingire, l'amie de celle-ci. Comme je faisais remarquer cette injustice tout en posant encore la question de savoir où nous allions résider, nous qu'on abandonnait dans cette forêt, Oda descendit et vint en tournant son gros derrière me souffler à l'oreille : « Toi, la Princesse, ne t'inquiète pas. On va sans doute envoyer un avion spécialement pour toi, toute seule. » Bien que cette boutade ne me surprît pas de la part de cette méchante femme, elle laissait cependant entendre beaucoup sur ce que la dame, et peut-être beaucoup d'autres gens, pensaient de ma position auprès de la Présidence du mouvement. Ainsi partit toute l'équipe de gens importants du mouvement, nous laissant là, complètement désemparés, devant cette résidence de com-mandement d'un camp militaire ougandais. Nous étions huit au total : cinq filles et les deux hommes, naguère captifs de l'hôtel Wagenia. À ce groupe, s'était ajoutée une femme un peu plus âgée, épouse de l'un des deux hommes.

Une demi-heure plus tard, le C-130 de l'armée ougandaise en partance pour Kampala survola le camp à basse altitude.

Le sentiment d'abandon et de panique se lisait sur le visage de chacun de nous. Je compris à ce moment précis le désespoir d'un naufragé accroché à une bouée de sauvetage trouée, dans un océan infesté de requins, qui voit s'éloigner le seul bateau qui pouvait le sauver. La jeep du général Kazemi revint quelques instants plus tard, avec, à bord, lui-même et deux autres officiers haut gradés. L'un d'eux, nous apprendra-t-on plus tard, était le général Kaleh, le propre petit frère du *Godfather* ougandais. Cette arrivée nous remonta un peu le moral. Nous, les filles, nous nous précipitâmes au devant de Kazemi pour lui poser les questions que les nôtres avaient ignorées. Notre espoir, c'était aussi que le général Kaleh parlerait à son frère, le président ougandais, de cette lâcheté de Wadiamba et de son équipe vis-à-vis des jeunes filles. Les trois généraux écoutèrent en silence. C'est Kazemi qui répondit :

« Ne vous en faites pas, mes filles, nous dit-il en riant. Vous voyez bien une maison en face de vous ! Vous êtes donc au bon endroit ! Vous y habiterez et mangerez avec mes soldats jusqu'au retour de l'avion ! » À la question de savoir quand l'avion reviendrait, il dit tout simplement que c'était pour très bientôt. Il nous invita dans la maison où ses soldats nous distribuèrent à chacun une couverture. Il n'y avait rien à manger. Les militaires avaient déjà fini de manger. Nous nous couchâmes donc à jeun, après une longue et atroce journée de faim.

Pour des raisons évidentes, le camp plongeait dans un noir total dès le coucher du soleil. L'aumônier, que nous apostrophâmes encore, nous expliqua que c'était la raison pour laquelle ils dînaient si tôt dans la soirée.

La scène à laquelle nous « assistâmes » indirectement après nous être installés dans la maison d'officiers nous choqua profondément. Nous étions couchés au salon, chacun sur sa couverture. Derrière la porte qui séparait le salon des chambres se déroulait une espèce de festin. Sur un arrière-fond de musique très dansante, des bouteilles de champagne s'ouvraient avec fracas, les unes après les autres. Des conversations sourdes mais animées étaient ponctuées de gros éclats de rire. De temps en temps, l'un des trois officiers venait au salon pour sortir d'une imposante armoire un immense registre du genre qu'utilisent les comptables et les magasiniers.

« C'est la fête. De gros sous s'y partagent ! » chuchota, Sofia.

« De grosses sommes rouges de sang congolais ! Après ces invasions, Kazemi et Bebareba seront les deux généraux les plus enrichis par la guerre. À part les deux *Godfathers* de leurs pays respectifs, bien sûr ! » répliqua Philo, toujours en chuchotant.

« Taisez-vous. Vous n'êtes plus chez vous ici, sachez-le ! » gronda l'un de nos deux hommes. Je ne sus lequel. On se tint tous cois.

Le large salon était quasi nu : une longue table à manger trônait au centre avec seulement deux chaises de styles différents. La lourde armoire jouxtait la porte qui menait aux chambres. De part et d'autre de ce salon, face aux bouts de la longue table, étaient les deux grandes portes qui donnaient à l'extérieur et que l'on ne fermait jamais.

Nous étions allongés sur nos couvertures, à même le sol en béton, l'un à côté de l'autre, le long du mur opposé aux chambres dans le sens de la largeur de la maison. J'étais troisième à partir de la droite lorsqu'on sortait des chambres, après Philo et Sofia, et suivie de Maggie et d'Aurélie. La dame mariée terminait la file des femmes à côté de son mari. Le deuxième homme fermait la file, à l'opposé de Philo. Dans cet arrangement fait tout à fait par hasard, Philo et le deuxième homme formaient nos boucliers et étaient, par conséquent, les plus en danger, étant les plus proches des deux portes ouvertes.

La fête d'affaires se prolongea jusque tard dans la nuit. Tout se tut brusquement vers 23 heures lorsque les généraux Kaleh et Kazemi sortirent pour monter, en jeep, à la résidence de commandement de ce dernier. La maison se fit silencieuse. Les chefs dormaient. Ce qui n'était pas le cas de leurs subalternes qui semblaient ne jamais dormir. On les entendait, là dehors, aller et venir toute la nuit, crier des choses dans leur langue, tirer un coup de feu de temps à autre... Ils ne tardèrent pas à nous faire sentir leur présence peu avant minuit.

À part nos couvertures qui nous servaient de couchette, nous n'avions rien d'autre pour nous couvrir. Heureusement, il faisait presque toujours chaud à Kisangani. Il restait le combat constant contre les moustiques. Je devais m'être assoupie pendant quelques minutes. J'eus d'abord l'impression de rêver. J'ouvris les yeux et je dus étouffer un cri de ma main : un soldat était penché sur moi et me faisait signe de le suivre. C'était une nuit de pleine lune et, à cause des portes ouvertes du salon, je pouvais bien voir l'ombre de la personne en uniforme mais pas son visage. Je voyais sa main qui m'invitait à me lever. Je fis non de la tête, et le soldat se fondit dans le noir. D'autres soldats vinrent plusieurs fois au cours de la nuit, sur la pointe de pieds, silencieux comme des serpents. Nous avions compris : ils avaient peur de leur chef qui dormait dans la chambre d'à côté. Dès qu'ils entraient, la première fille touchée réveillait les autres à coups de coude et nous nous redressions ensemble, mettant en fuite ce tas d'hyènes malodorantes. Nous finîmes par ne plus fermer l'œil, hommes comme femmes.

Le camp se réveillait au son du clairon dès cinq heures trente. Suivaient toutes sortes de manœuvres et d'exercices faits à lourds pas de course et en chantant. Ils finissaient par l'alignement de toutes les unités du camp et par le discours du général Kazemi ou de son remplaçant. En fait celui-ci ne s'acquitta de cette fonction qu'au matin de notre première nuit. Quatre des cinq matins que nous passâmes dans ce camp, le discours matinal fut fait par d'autres personnes. Cela fut pour nous une preuve de plus que les grosses pointures de l'armée ougandaise étaient prises par d'autres activités plus lucratives. Le commerce par exemple ?

Kisangani était rempli de bicyclettes, de motos et de beaucoup d'autres marchandises en provenance de l'Ouganda. Quant à ce qui quittait le pays dans les deux directions menant chez les deux *Godfathers*, l'histoire nous en donnera certainement un compte qui, même partiel, s'annonce effarant.

Le petit-déjeuner consistait invariablement en une bouillie de maïs à peine sucrée. Les soldats mangeaient à tour de rôle pour ne pas être tous occupés à se nourrir en cas d'attaque. Même ceux qui mangeaient le faisaient avec leur arme à leur côté. Dès la fin de leur repas, ils nous apportèrent notre bouillie. Une fois son petit-déjeuner terminé, l'homme marié raccompagna sa femme à Kisangani en disant qu'il n'allait pas la laisser passer une nuit de plus dans ce camp de bandits. Il ne revint pas. Je suggérai de nous plaindre auprès de l'autre général qui avait passé la nuit dans cette maison, et dont apparemment les soldats avaient si peur. Nous n'en eûmes pas le temps. Il fit la grasse matinée et, vers dix heures, Kazemi et Kaleh vinrent le chercher. Ils restèrent dans la jeep, qui s'était arrêtée bien loin sur la route. Deux soldats colossaux sautèrent du véhicule et se dirigèrent au pas de course vers la maison où nous logions. Ils étaient habillés de façon impressionnante : camouflages pimpant neufs, baïonnettes, cordelettes, revolvers, etc. leur allure était grave, presque hostile. Nous nous étions approchées de la porte pour pouvoir apostropher l'officier. Bagages du chef en main, les deux soldats passèrent devant nous, suivis de ce dernier qui ne nous accorda même pas un petit regard. Un grand nombre de soldats au garde-à-vous entouraient la jeep en un immense demi-cercle. Nous n'osâmes pas arrêter cet homme pour formuler nos griefs. Ni son attitude, ni les circonstances ne se prêtaient à l'accusation. Il ne nous restait plus qu'à attendre le retour du général Kazemi pour lui parler comme la veille au soir. Mais, à voir les petites valises qu'ils avaient, nous soupçonnâmes qu'ils partaient probablement en voyage. En effet, l'hélicoptère Hercule de Kazemi survola le camp une vingtaine de minutes plus tard. Tout ce que nous pouvions faire alors, c'était prier que ce fût un voyage d'une journée. Ils n'allaient pas revenir. Ni le lendemain, ni cinq jours après.

Nous passâmes cette journée dehors. D'abord parce qu'il faisait bien plus frais sous les arbres. Ensuite parce que cette maison vide et ouverte n'inspirait pas confiance, surtout après l'effrayante nuit d'avant. Un robinet dressé en plein air, à côté de la maison qui nous abritait, donnait de l'eau fraîche. Les militaires avaient aménagé par-ci, par-là des latrines assez propres. Mais, par peur, nous y allions toutes en même temps. Les autres attendaient devant la porte pendant que l'une de nous s'y soulageait. Peu après midi, le deuxième homme nous apprit qu'il rentrait, lui aussi, à Kisangani. Nous n'étions plus que cinq filles dans ce camp. Plus seules que jamais.

On s'inquiétait et on s'ennuyait. La scène des soldats courant, s'exerçant, chantant, ou faisant le va-et-vient devant quelque baraque de fortune n'était pas des plus divertissantes. Surtout lorsqu'on avait peur et que ce sentiment était causé par les soldats en question. La forêt invitait à la balade, à condition de rester ensemble toutes les cinq... Nous empruntâmes sans trop faire attention un des multiples sentiers qui traversaient cet immense camp. Nos pas nous menèrent comme par hasard devant le hangar que nous avions vu la veille du devant de la maison où nous logions. Il était immense. Il était ouvert.

Instinctivement nous nous arrêtâmes. Mais les militaires qui le gardaient n'avaient pas l'air hostiles. Cela nous encouragea à nous approcher. À notre grande surprise, ils nous laissèrent observer à loisir le hangar ainsi que le travail qui s'y faisait.

Tout le fond du hangar était occupé par des véhicules : une demi-douzaine de jeeps, cinq ou six camions et au moins cinq gros chars d'assaut. Tous ces véhicules de combat avaient l'arrière tourné vers l'entrée principale et semblaient prêts à partir à tout moment par la sortie arrière du hangar. De part et d'autre, dans le sens de la longueur du hangar, s'entassaient des centaines de caisses de munitions. Certaines étaient fermées et d'autres, ouvertes, laissaient voir des grenades, des roquettes et lance-roquettes et surtout des mines de toutes sortes, antipersonnel et antivéhicule. Nous savions les distinguer car nous en avions dans notre camp à la Sotexki. Le milieu du hangar grouillait de soldats en train de monter des AK-47, ces Kalachnikovs que nous connaissions bien également, et sur lesquels, moi, j'avais personnellement fait des recherches. Des milliers de AK-47, qu'ils empilaient systématiquement tels des stères de bois. En quantités vertigineuses. En si grand nombre que, d'après nos calculs, chacun des milliers de soldats qui campaient là aurait pu en posséder au moins sept. La question pour nous était de savoir ce qu'ils faisaient du superflu !

Nous retrouvâmes facilement l'aumônier quelques minutes plus tard. Sofia lui posa la question de ce qu'ils faisaient de ce trop-plein de AK-47. Jetant un coup d'œil à gauche et à droite en feignant d'avoir peur de quelque oreille indiscrète – en réalité ce vieux semblait n'avoir peur de rien –, il nous confia en chuchotant que ces armes étaient « à vendre à quiconque avait des dollars », et que c'était « pour les poches des gens ».

« Quels gens ? » demanda Philo. Le vieux haussa les épaules et, sans répondre, il s'en alla en claudiquant, avec sur les lèvres son éternel sourire de faux gaga. Cette question sur les « gens » fut l'objet d'une discussion qui nous occupa le reste de l'après-midi. Quelqu'un, quelque part dans le monde pompait la mort en Afrique à coups de Kalachnikovs, de munitions et de mines antipersonnel et antivéhicule. Des *gens* quelque part dans le monde se gonflaient ventre et joues en soufflant la mort sur le Congo, sur l'Afrique par cargaisons infinies. « Oui ! Infinies ! se révolta Sofia, car, même après le départ de ces pauvres cons, les Congolais seront en train de s'entretuer non seulement par les maladies sexuellement transmissibles que ces cons de merde ensemencent à dessein, mais aussi par cette autre maladie désormais endémique appelée AK-47 ! »

« Et les mines, n'oublie pas les mines ! » dit Philo à si haute voix que je dus lui mettre ma main sur la bouche.

Vers dix-sept heures le dîner fut servi. C'était des haricots, nous pouvions le dire de loin par l'odeur qui, du reste, ne donnait pas appétit. On nous servit vers dix-huit heures. Cinq soldats nous apportèrent notre part. Un fufu de maïs baignait dans des haricots noirâtres, avec un soupçon d'huile. Cela prit du temps pour voir qui, en premier, aurait le courage de porter à sa bouche une bouchée de ce repas qui ressemblait à des vomissures. Mais nous en étions à notre deuxième jour de jeûne forcé. Les filles se mirent bientôt à manger. J'ai toujours été la plus pointilleuse en matière de nourriture. Je fus, naturellement la dernière à mettre une boule de ce fufu dans ma bouche. C'était dégueulasse. Philo se mit à rire en disant : « Pour que Coco mette cette saloperie dans sa bouche, c'est qu'on a pu l'affamer à mort. » Pour toute réaction, des larmes se mirent à couler de mes yeux. Je dus m'excuser pour lui dire que ce n'était pas son commentaire qui m'avait fait pleurer. En effet, la question pour moi était plus importante que cette nourriture infecte. Je me demandais comment nos hommes, ceux-là même qui prétendaient lutter pour nous libérer et diriger notre peuple, avaient pu non seulement abuser de nous, mais abandonner ainsi des jeunes filles en forêt dans un camp de militaires – de militaires étrangers et irresponsables, en plus ! – sans argent, sans moyen aucun de trouver de l'aide, à dix kilomètres à la ronde. Je me disais : « Si cet autre membre du groupe a pu vite mettre sa femme à l'abri, c'est que ces imbéciles qui nous ont enlevées à nos familles pour nous abandonner à la première occasion, ne pensant qu'à leur propre peau, ces imbéciles-là n'auraient pas agi ainsi, si nous avions été leurs sœurs ou leurs enfants ». Je me disais que c'est justement à cause de cette pourriture qui remplissait leur être tout entier qu'ils n'hésitaient pas à vendre tout leur pays, y compris leur propre dignité, dans le seul but de pouvoir aller prendre la place des voleurs qui régnaient à Kinshasa, et de jouir comme eux des biens matériels.

Lorsque, m'étant calmée, j'eus communiqué ces sentiments aux filles, Sofia rétorqua tout de suite :

« Je suis d'accord avec toi à quatre-vingt dix-neuf pour cent. Mais je ne suis pas si sûre quant à ce qui est de leurs mères, sœurs et filles… Je crois qu'ils vendraient volontiers sœurs, filles, femme, et même mère si besoin était. C'est pourquoi nous devons désormais compter sur nous-mêmes. Il faut se défendre !

– La stratégie est simple, dit Philo : allons toutes passer la nuit chez Kazemi.

– Pas de chance, fis-je. Il est parti, tu le sais bien. On ne nous laissera pas entrer chez lui en son absence. Et puis c'est plus reculé ; rien ne prouve qu'on y serait plus en sécurité qu'ici.

– Qu'est-ce qu'on fait alors ? reprit Philo sur un ton découragé.

– Même stratégie qu'hier, dit Sofia. On ne dort pas. Et s'ils recourent à la force, nous leur tombons dessus toutes, en émettant des cris plus stridents que leur clairon matinal. »

Nous trouvâmes dans la maison un sous-officier qui semblait avoir de l'autorité sur les autres. Il avait accès aux chambres et donnait des ordres aux soldats et ceux-ci lui répondaient en claquant les talons. Il nous salua gentiment et nous dit avec un grand sourire : « Ne vous inquiétez pas, je ferai tout pour vous faire arriver à Kampala le plus vite possible ». Un peu réconfortée par son attitude, Philo lui posa la question de savoir si nous pouvions compter sur lui pour dormir en toute sécurité dans cette maison. « Aucun problème ! Calmez-vous et, encore une fois, je vous promets de vous faire partir d'ici le plus vite possible ! » Hypocrite ! Vers vingt-trois heures, je le reconnus très clairement, penché sur moi, en train de me faire, comme la nuit d'avant, un signe de le suivre. Je dis énergiquement « non » en bourrant mes camarades de coups de coude. Nous avions dû nous assoupir. Trop de fatigue : nous venions de passer une semaine en dormant très mal. Le sous-officier a battu en retraite par la porte de derrière.

Nous eûmes un temps de calme d'à peu près deux heures. La plupart des filles s'étaient rendormies. Je commençais, moi aussi, à m'assoupir lorsqu'un cliquetis me réveilla : cinq soldats se tenaient penchés sur nous, une arme collée sur la tête de chacune de nous. Le doigt sur la bouche, chacun d'eux faisait : « Chchchchchch !... » pour signifier que quiconque criait était morte. Ils nous empoignèrent rudement et nous traînèrent dehors à travers le camp, dans des directions différentes. Le ciel était nuageux. La nuit dans ce camp situé en pleine forêt, rendait la désorientation très facile. On me fit marcher une bonne dizaine de minutes, les bras solidement empoignés au niveau des aisselles par deux soldats géants. Nous nous arrêtâmes devant l'une de leurs habitations minuscules appelées *ndaki*. On m'y poussa brutalement. Il y faisait absolument noir. Mais eux savaient, de toute évidence, naviguer dans l'obscurité. Dès que je fus dedans, les deux soldats qui m'avaient amenée me fourrèrent un morceau de tissu dans la bouche. J'essayai de serrer les dents, mais l'un d'eux me pressa la mâchoire si fort que je crus qu'elle allait se casser. J'ouvris la bouche. Le tissu semblait être un lambeau de maillot de corps. Il était cotonneux, avait un goût fort de sueur et de vêtement sale ou moisi, et sentait terriblement mauvais. Ils m'en bourrèrent la bouche si abondamment qu'il était impossible d'émettre le moindre son. Ils me jetèrent rudement sur une espèce de sac de couchage et me déshabillèrent sans ménagement. J'étais sur le dos. Un soldat maintenait solidement mes avant-bras au sol, deux autres m'écartaient les jambes tandis qu'un troisième me pénétrait. Il le fit si brutalement que je sentis la déchirure. Il pompait en parlant dans leur langue, il pompait vite et fort. Il éjacula en moins de deux minutes. Je sentis un deuxième homme me pénétrer à son tour, puis un troisième, puis un quatrième, puis un cinquième. Certains éjaculaient plus vite que d'autres. Je crois que je perdis connaissance, mais je n'en suis pas sûre. Tout ce dont je me souviendrais après, c'est que mon compte s'était embrouillé au cinquième ou sixième homme. Je me souviendrais aussi que, à un moment donné, celui qui me tenait les bras se fit remplacer et vint me pénétrer, lui aussi. Combien de temps dura ce viol ? Je ne saurais le dire. Ni le nombre de mes violeurs. Quand ils terminèrent, ceux qui me tenaient au sol, ramenèrent mes cuisses l'une contre l'autre et mes bras le long de mon corps. Ils me maintinrent ainsi pendant une dizaine de minutes puis me mirent debout sans enlever le bouchon de tissu de ma bouche. Ils ne l'enlevèrent qu'après m'avoir rhabillée. J'eus bien du mal à refermer la bouche.

J'avais avalé leur crasse en grande quantité ; les nausées étaient telles que je vomis aussitôt qu'ils retirèrent de ma bouche ce linge infect. Je vomis là-même, sur leurs pieds, sur leur sac de couchage. Sur eux aussi, je crois. Je tenais à peine debout. Ils me ramenèrent, ou plutôt me traînèrent, jusqu'à la maison où nous logions. Philo, Maggie et Aurélie étaient déjà là, couchées sur le ventre. Elles pleuraient doucement. Presque instinctivement, je me couchai dans la même position et fit comme elles. Sofia revint une quinzaine de minutes après moi et se joignit à notre chorale de pleureuses silencieuses.

*

Nous eûmes beaucoup de mal à marcher le lendemain. Le sous-officier de la maison était encore plus jovial que jamais. « Ne vous inquiétez pas, mes filles. Je vous fais arriver à Kampala bientôt, vous verrez ! » dit-il sans préambule, avec un grand sourire, ignorant royalement nos visages de deuil. Philo lui demanda comment il s'appelait. Il répondit en riant que les militaires « s'appellent 'militaire', un point c'est tout ». Sofia nous dira plus tard dans la journée : « Il a beau s'appeler militaire, si la justice est de ce monde, celui-là on pourra l'identifier facilement en tant que gardien-chef de ce logis pendant notre captivité ici à la Forestière en ce mois d'août 1999. »

Nous ne discutions pas de nos misères nocturnes. Cette conversation fut le seul moment où l'allusion aux viols que nous endurions fut faite. Comme pour nous donner une preuve de la vérité de leurs menaces, nous apprîmes dans la journée qu'une famille de villageois d'à côté pleurait sa fille de dix-huit ans, tuée par balles sur le chemin de la source d'eau, après avoir été violée.

Et les viols continuèrent. À loisir. Comme si le camp entier s'était donné le mot sur ces jeunes femmes abandonnées sans défense dans leur forêt sauvage, les soldats nous violèrent chaque nuit. Nous savions que « notre gentil » sous-officier non seulement était dans le coup, mais y participait. Nous savions qu'il venait nous violer avec tous les autres dans une *ndaki* pour ne pas se faire identifier. Mais lui, semblait penser que nous ignorions son hypocrisie. Chaque nuit, chacune de nous était enlevée par un groupe différent. C'était facile de dire, d'après les mains qui vous conduisaient à travers la forêt, qu'on n'avait pas affaire aux mêmes soldats. De même, les *ndaki* n'avaient pas les mêmes odeurs. Le nombre des violeurs aussi variait, mais, en ce qui me concernait, je finissais par ne plus pouvoir compter, et sombrais dans une sorte d'évanouissement, une sorte d'« expérience hors du corps ». Mais il y en avait, j'en suis sûre, toujours une dizaine au moins. Ils étaient probablement bien plus nombreux. La nature du tissu qu'on me mettait dans la bouche pour la boucher aussi changeait. Ce qui ne changeait pas, c'était le goût infect de crasse et de sueur, et cette odeur nauséabonde. Le plus difficile c'était d'endurer cela nuit après nuit, alors qu'on avait les parties génitales blessées. J'ai saigné des semaines après avoir quitté ce camp. Une chose curieuse dont je me souviendrais bien aussi : ils me violaient en m'insultant. En effet, pendant cette série de viols, j'avais commencé à écouter ce qu'ils disaient, mais aussi à faire attention pour essayer d'identifier mes violeurs. Le kinyankore est proche du kinyarwanda que je parle couramment. Je pouvais donc les entendre me traiter, chacun, de « putain », de « salope », d'« idiote » de « *Kongomani* » tout au long de l'acte de viol. Il ne faisait aucun doute que ces hommes qui me violaient étaient pleins de haine et n'imposaient pas leur acte ignoble seulement pour assouvir leur besoin animal. Ils le faisaient trop méthodiquement, trop systématiquement, comme s'ils savaient la raison de leur crime. Sur le champ, je me demandais ce que je leur avais fait pour mériter et viol et insultes. Plus tard je comprendrais que les insultes n'étaient pas adressées à moi, Coco, à Philo, à Sofia ni à aucune de nous, de manière individuelle. Leur haine était contre la *Kongomani*, la femme congolaise de manière générale.

En tant qu'orpheline, j'ai toujours pu imaginer la situation de ces enfants qu'en Occident – et maintenant dans certaines parties de l'Afrique aussi ! – les bandes de pédophiles enlèvent à leurs parents. Une enfant sans défense, arrachée brusquement à ses parents qui l'aiment et obligée de passer toute sa vie à la disposition d'êtres terriblement malades dans leur tête, qui peuvent faire d'elle tout ce que leur inspirent leur perversité ! Cette situation m'a toujours aussi rappelé celle des esclaves arrachés de l'Afrique… À la Forestière, nous vivions ces deux situations. Ces soldats faisaient de nous tout, absolument tout ce qu'ils voulaient. Indéfiniment, parce que personne ne savait quand et même si l'on enverrait un avion pour nous prendre. Nous voyions venir chaque soir avec terreur. Ô la peur ! La peur de la nuit. La nuit noire de la forêt, qui transformait tous ces soldats en chacals, en hyènes anonymes qui savaient d'avance, à quelle *ndaki* ils allaient s'aligner pour nous violer à la chaîne. Horrible aussi était le fait de côtoyer toute la journée, et peut-être même d'être servie, par ceux-là même qui vous avaient violées la nuit d'avant et/ou qui vous violeraient celle d'après ! Insupportable, le fait de les voir sans pouvoir les identifier, lâchement camouflés qu'ils étaient dans la journée par les uniformes de soldats, et dans la nuit par les ténèbres et la forêt.

En réalité, de nuit comme de jour, elle dormait, cette forêt-là ; ou, plutôt, faisait semblant. Tout comme, là dehors, le monde faisait semblant de ne pas entendre nos longs pleurs nocturnes. Je me disais alors dans mon petit cœur : « Tu finiras par reprendre tes sens et sentir et voir et entendre ». Et nous laissâmes donc nos longs pleurs librement remplir la forêt au gré du vent, puis s'envoler par-dessus les arbres. Et je me disais aussi, toujours dans mon petit cœur de rien du tout : « Qu'ils marquent les cimes des arbres de la Forestière en rouge sang, qu'ils aillent marquer les cieux à l'encre de Chine. Que le monde, tôt ou tard, en voulant admirer le bleu du ciel, puisse y voir ce que la femme de l'Est du Congo a dû endurer tandis qu'il avait, ce monde, les yeux et le dos et les oreilles détournés. Et que la pluie de sang, que la pluie de nos sangs un jour lui dise, à ce Grand Monde, l'histoire de ces milliers d'hommes, venus d'ailleurs, violant des femmes et des fillettes qui ne leur avaient rien fait. Que chaque larme, que chaque corde liquide tombant du ciel chante nos pleurs et dise à tous ceux qui ont des oreilles pour entendre : *'Ci-gisent leurs sangs et leur dignité humaine ; et là descendent les pistes de ceux qui, là dehors, courent encore, criminels actants et criminels commandants, dans une totale impunité'* ».

*

Entre nous, les filles, cependant, le sujet était tabou. Ce n'est que bien plus tard, avec un peu de recul que je pus voir combien le fait d'être violées nous paralysait toutes et empêchait toute discussion. Nous savions exactement ce que chacune de nous venait de subir dans ces *ndaki* infernales, nous nous entendions pleurer silencieusement. Mais jamais nous ne nous parlâmes de nos différentes expériences.

Aujourd'hui encore, même Philo, avec qui j'échange des courriels de temps en temps, continue d'éviter le sujet. Je ne crois pas que cette gêne à parler du viol en tant que victimes, qui nous paralysait et nous paralyse encore, ait quelque chose à voir avec la culture. Je ne sais pas si mes quatre camarades ont pu s'ouvrir à quelqu'un. Moi-même, il m'a fallu dix ans pour pouvoir dire cette histoire. J'ignore aussi si mes camarades ont pu passer comme moi un examen médical. Mais nous ne sommes qu'un échantillon d'un désastre consciemment conçu de l'extérieur. Un désastre humain dont nos cris, perdus dans la forêt noire, sont un message dans une bouteille à la mer. Ou plutôt dans un ballon. J'espère qu'il finira tôt ou tard par tomber dans l'oreille de quelque gentil vacancier des plages lointaines. Cependant, le plus urgent pour moi, en attendant, c'est de me débarrasser des cauchemars qui me volent chacune de mes nuits.

Une savane boisée. Le feu de brousse tout autour. Incandescent mais il n'avance pas. Il lance haut des flammes rougeoyantes. Dans le cercle infernal nous tournons en rond. Nous sommes toutes là. Toutes les femmes du village. Aucun de nos hommes n'est présent. Des squelettes géants, d'au moins cinquante mètres de haut, nous font la chasse à pas de robot. Ils ont pour pénis des seringues en forme de Kalachnikovs, avec, en guise d'aiguilles, des canons immensément longs et pointus.

La crosse énorme et transparente contient le liquide du SIDA. Ils nous attrapent une à une et nous injectent du liquide infect qui sent terriblement mauvais. Nous essayons de fuir sous les arbustes de la savane, mais ils nous rattrapent toujours en quelques enjambées. De suite, ils nous pénètrent le vagin avec leur arme. Immédiatement, tandis que le sang coule le long de nos jambes, nous devenons énormément enceintes de SIDA. Beaucoup commencent peu après à mettre au monde des squelettes semblables. Ceux-ci atteignent vite la taille de leurs pères et se mettent aussitôt à l'œuvre... Je me réveille toujours à ce moment-là. Souvent en me cognant la tête, le pied ou le bras contre quelque chose. Les contusions sur mon corps ne se comptent plus aujourd'hui. La plupart ressemblent à des cartes ou des plans si épouvantables... on dirait que le diable lui-même les a dessinés.

L'avion vint au sixième jour. Non, il ne vint pas pour nous. C'était un avion cargo envoyé par le gouvernement ougandais pour chercher les corps des soldats tués aux combats contre l'armée rwandaise.

Alors que nous finissions la monotone bouillie matinale, le sous-officier hypocrite vint triomphalement nous annoncer qu'il allait nous faire partir « comme promis » : « L'avion n'est pas approprié pour les vivants, dit-il, mais c'est votre seule chance, croyez-moi. » Sofia lui demanda ce qu'il entendait par « pas approprié pour les vivants ». Il répondit, dans un gros éclat de rire, que l'avion était « loué » par ses « soldats qui voyageaient en position horizontale ». Il dut remarquer sur nos visages que nous ne trouvions pas sa blague amusante du tout. « Écoutez, fit-il, vos chefs vous ont abandonnées ici. Moi je tiens toujours mes promesses, vous voyez ? Alors, à vous de choisir : ou vous restez ici à attendre que vos chefs se souviennent de vous – ce dont je doute, franchement –, ou vous saisissez cette occasion et partez d'ici en même temps que nos morts. »

Il n'avait pas besoin de nous convaincre. Nous aurions pris une bicyclette volante pour quitter ce camp, si cela avait été le seul moyen disponible. Et puis, n'étions-nous pas en quelque sorte mortes, nous aussi ? Un bus arriva avec trois pilotes militaires. Ils disparurent à pied quelque part dans le camp pendant à peu près une heure. À leur retour, nous prîmes place dans le bus. Moins de dix minutes après, nous étions dans l'avion. C'était un C-130. Des cadavres en décomposition étaient entassés sur le sol de l'avion, attachés par des cordes. Ils n'étaient même pas dans des cercueils. On les avait tout simplement emballés dans des sacs en plastique et des couvertures. Ces corps avaient traîné trop longtemps. Et ils étaient mal emballés. Très mal emballés. L'odeur insupportable donnait des maux de tête. Nous cinq étions les seules passagères à bord. Les mouchoirs sur le nez n'aidaient pas à éviter de respirer ces émanations malsaines. Je ne pus m'empêcher de penser, avec une pointe de jalousie, aux pilotes qui, eux, respiraient tranquillement derrière leur porte fermée. Je leur en sus gré, toutefois, de m'emmener loin de l'enfer que les leurs avaient créé chez moi. Heureusement l'aéroport d'Entebbe est à seulement 734 kilomètres de Kisangani. Nous mîmes exactement une heure et sept minutes. La moitié du temps qu'il allait nous falloir pour aller de l'aéroport à la ville de Kampala.

*

Kampala. Bâtie sur une suite de collines, au sud du pays, non loin du lac Victoria, la capitale de l'Uganda regorge de santé. Elle a été construite dans la région la plus fertile. Les effets économiques positifs du café, du thé, du tabac et du sucre se voient sur son visage. Avec sa grosse industrie de montage de tracteurs, ses multiples entreprises de mobiliers – le bois congolais a sans doute eu quelque utilité ici ! – et de production de nourriture, ses immenses fermes tout autour, son grand Institut technique et son université de Makerere, performants tous les deux, Kampala avec tout cela emploie sans problème son million et demi d'habitants. Ses routes sont comme celles de toutes les grandes métropoles africaines, mais propres, bien entretenues. Ses habitants bien nourris se promènent en paix, heureux. À pied ou dans leurs taxis-bus blancs ceinturés de carreaux bleus. L'Ouganda a ses problèmes de rébellion due à une dictature qui ne s'ennuie pas d'avoir les fesses collées au Krazy Glue sur le siège du pouvoir depuis le 29 janvier 1986. Mais les habitants de Kampala mangent et dorment bien. Personne ne les inquiète. Les femmes sont belles. Elles se promènent en se dandinant, sans crainte d'être violées. Pas de chars de combat sur la chaussée. Ni de cadavres. Il n'y a pas de peur sur les rues, ni dans les yeux des enfants. Non, ni peur ougandaise, ni peur étrangère. Ni même peur congolaise. Kampala campe là, sertie sans heurts de mosquées, de temples hindous ou juifs et d'églises chrétiennes. Kampala campe heureuse et compte le rester.

J'avais lu ce paragraphe dans *Incorruptible*, le roman de l'écrivain congolais Ilaut Nawm, dont j'ai déjà parlé. La ville de Kampala m'apparut telle qu'Ilaut l'avait décrite. Je fus aussitôt prise de vertiges. En effet, étant donné ce que je venais de vivre, la description d'Ilaut Nawm créa un profond malaise dans mon face-à-face avec la capitale ougandaise. Ilaut a fait dans son roman une description tout aussi pittoresque de Kigali, la capitale rwandaise. J'avais mémorisé les deux passages presque sans effort. En tout cas, Kampala, en se présentant à moi, ignorait bien sûr qu'Ilaut me l'avait déjà disséquée, dessinée, *plus-qu'ana-lysée*. Je me promis de le lui dire dès que je serais seule, avec l'espoir que nous allions pouvoir alors réciproquement nous *plus-qu'analyser*, elle et moi. Car je n'avais pas de doute que, d'après ce qu'on lui avait dit de moi et de nous Congolais, elle devait avoir une idée tordue de moi. De nous. À commencer par croire que tous les Congolais étaient de petite taille. Voici une histoire que ma sœur Mona m'a racontée.

Washington, DC. Journée ensoleillée, beau ciel bleu. Une Ougandaise chauffeur de taxi, ayant déposé son client et reçu un beau pourboire, demande à celui-ci de quel pays africain il vient. En entendant qu'il vient du Congo, elle ouvre toute grande la bouche et ne peut s'empêcher de crier : « Oh, mon Dieu ! Je ne savais pas qu'il y avait des Congolais si grands ! » Je me souviens avoir alors dit à ma sœur qu'il n'y avait pas là de quoi se fâcher ; que la pauvre – sans doute très peu instruite – s'était fait une idée fixe d'après ce qu'elle avait vu du Congo de la frontière de son pays ; qu'elle regardait le Congo comme une personne qui, observant la mer à partir de la plage, la croirait partout aussi peu profonde que là où elle se tient. Si seulement la pauvre femme avait pu utiliser son imagination pour voir la diversité du Congo ! Si seulement elle avait su que de la frontière ougandaise où elle se tenait, explorer le Congo du Mai-Ndombe au Bas-Congo, du Kasai au Katanga, était semblable à l'exploration des plus profondes eaux de la mer !

Bref, nous *plus-qu'analyser*, Kampala et moi, c'était plus qu'une question de mieux nous connaître. C'était un programme de réparation des lésions que nous portions désormais toutes les deux dans nos cerveaux : moi en tant que victime, elle en tant que bourreau. Des lésions qui pouvaient, sans une *plus-qu'analyse*, se muer en cancer.

*

La voiture qui amenait les pilotes à l'hôtel International, au quartier Muyenga, nous déposa au Guest House, la maison d'hôtes confiée au RCD-Kisangani par le gouvernement ougandais.

Muyenga. Bâti sur la colline et couvrant une superficie de plus ou moins 39 km², ce quartier, malgré son surnom-oxymore de « taudis des riches », est le plus huppé de Kampala. On y trouve l'Université Internationale de Kampala, la fameuse avenue appelée « corridor Kabalega-Kasanga » et ses boîtes de nuits, ses dancings et ses restaurants « ouvert-la-nuit », ainsi que les magasins et hôtels de luxe. Mais Muyenga, c'est surtout le quartier de ceux qui sont au-dessus de la loi. Ce surnom de « taudis des riches », il le doit justement au fait que, commencé dans les années soixante-dix, il connaîtra son essor en 1986 lorsque les magnats et les privilégiés du gouvernement vinrent y construire des villas à coups de millions. Ils le firent sans respect aucun pour les lois de l'urbanisme. Ce qui donna un quartier cossu, mais aux rues mal tracées et ayant un système d'égouts qui, nous apprit-on, tenait d'un vrai bricolage. Qu'à cela ne tienne, en plus de l'ambiance festive permanente, Muyenga offre à ses habitants une vue imprenable sur toute la ville de Kampala, et surtout sur le lac Victoria.

Nous pouvions donc considérer comme un honneur le fait qu'on avait logé le RCD-Kisangani dans ce quartier des élus du pouvoir. La réception que nous réservèrent nos chefs fut des plus froides. C'était clair qu'ils ne nous attendaient pas. La villa était grande, avec plus de chambres qu'il ne nous en fallait. Presque tout le monde logeait là, excepté Wadiamba qui était dans une villa séparée, non loin de la nôtre. On nous donna des chambres individuelles. Propres avec de grands lits bien faits, baignoire avec eau chaude, et tout, et tout ! Ma toute première action fut de prendre un bain. Un très long bain chaud. Dès que je sortis de la salle de bains, je m'empressai d'improviser un journal intime à l'aide du stylo et des papiers duplicateurs qui traînaient sur la petite table de travail. Un désir pressant me poussait à m'attaquer au malaise qu'avait provoqué en moi la rencontre avec Kampala. Armée de ce stylo à l'encre rouge et d'un papier made in Uganda, j'allai à nouveau auprès de l'écrivain congolais Ilaut Nawm pour un emprunt. Parodiant un poème de lui que j'avais lu quelques mois auparavant, je produisis les vers suivants :

> *Kampala accueille-moi*
> *Je ne sais où aller*
> *J'ai donné mon chez-moi à des visiteurs d'ici*
> *Kampala accueille-moi*
> *Tu me dois au moins ça*
> *J'ignore si tu le sais : l'or, le diamant et le bois*
> *Que tu reçois gentiment*
> *Par cadeaux anonymes*
> *C'est moi qui les envoie, pour purger des péchés*
> *Que tu voudras bien me dire*
> *Et me dire aussi pourquoi*
> *Ces médaillés dits « la nouvelle génération*
> *Des leaders africains »*
> *Ont le sang de mon vagin*
> *Sur leurs mains impunies que les médailleurs serrent.*

Notre vie de rebelles oisives reprit de plus belle. Personne ne nous demanda comment s'était passée notre semaine à la Forestière. Ni comment nous avions pu voyager jusqu'à Kampala. Nos hommes avaient repris leur attitude de mendiants. Ils attendaient comme des gosses que le gouvernement de Kampala leur dise ce qu'il fallait faire. Pour moi, la vie devint d'autant plus précaire que, dans ce pays étranger, je me trouvais encore plus esseulée, encore plus vulnérable. Les autres filles s'étaient à nouveau blotties dans les bras de leurs « protecteurs ».

De temps en temps, nous tenions des réunions d'information dans la salle de conférences de l'Hôtel International. Lors d'une de ces réunions, on nous informa que, puisque nous n'avions alors pas grand-chose à faire, nous étions tous invités à partir dans un camp militaire ougandais pour y recevoir une formation d'officiers militaires. C'était le deuxième groupe que l'on envoyait en formation en Ouganda. Déjà, à Goma, peu avant la sécession de Wadiamba, un autre groupe était parti. Ils étaient revenus divisés : certains étaient rentrés à Goma et d'autres avaient rejoint Wadiamba à Kisangani. Il me sembla, en tout cas, qu'on invitait les gens à cette formation pour les occuper tout simplement. Car, aucun de nos « officiers » formés par Kampala n'avait pu avoir un quelconque rôle dans les opérations militaires. Le Président lui-même n'était rien devant le général Kazemi. Ainsi, personnellement, je ne voyais pas d'autres raisons valables pour cette formation.

Beaucoup de gens partirent, y compris presque toutes les filles. Moi, je refusai. D'abord parce que l'idée d'être une *kadogo*, enfant soldat, me répugnait. Ensuite parce que la seule pensée d'un camp militaire – camp militaire ougandais en plus ! – me rendait littéralement malade, en ramenant dans ma tête les horreurs que je venais de subir à la Forestière. Je me demande, aujourd'hui encore, comment les autres filles avaient pu surmonter tout ça, pour aller se faire entraîner par des soldats ougandais. Je refusais enfin parce que, de toute façon, je n'aurais pas été capable de survivre dans une formation militaire. En effet, comme je l'ai déjà dit, je suis très petite physiquement et pas du tout construite pour faire l'armée. Sofia aussi refusa, mais Philo se laissa enrôler en disant qu'elle avait « des comptes à régler avec des gens ». Étant donné ce que nous venions de subir, je compris tout à fait sa décision. Les jours qui précédèrent son départ avec le groupe, Philo adopta un comportement étrange : elle était devenue silencieuse, même avec nous, ses meilleures amies. Elle était incroyablement calme et répondait laconiquement lorsqu'on lui adressait la parole. Le jour où le groupe nous quitta je me dis qu'ils allaient créer un monstre en entraînant Philo.

Quant à moi, le drame continua. Isolée en terre étrangère, je vivais avec une effrayante sensation de rejet total. Je ne voyais même plus mon amie Sofia. Elle sortait tout le temps avec Andy Wadiamba. Je voyais à peine mes chefs directs, qui eux-mêmes semblaient perdus, laissés « en suspens » par l'Ouganda qui apparemment les faisaient poireauter à dessein. Eux, à leur tour, paraissaient nous en vouloir de rester là pour avoir refusé d'aller en formation militaire. C'est pendant cette période où, sans mes amies, je me trimbalais seule dans les rues de Muyenga, que Sambuyi me violera pour la deuxième fois, comme l'hyène dévore un agneau séparé du troupeau.

C'était lui le Secrétaire Général du RCD. Il n'avait plus de copine attitrée car Muji, la jeune fille-mère dont il abusait à Goma, avait choisi de se faire officier militaire. Elle avait fait partie du premier groupe envoyé de Goma. Après sa formation en Ouganda, elle avait opté pour la réintégration dans le RCD-Goma. Je suis sûre qu'elle l'a fait pour sortir des griffes de cet animal de Sambuyi. Est-ce que les prostituées de l'Hôtel International ne lui suffisaient plus ? Je n'en sais rien. Il vint dans le Guest House un jour en fin de journée, prétendument pour « chercher quelqu'un » et, me trouvant seule au balcon de l'entrée principale qui faisait face au lac, il me dit qu'il y avait une réunion d'urgence ce soir-là même à l'hôtel, et que ma présence était indispensable. Je le trouvai au grand salon de la réception. Il m'attendait. Tandis que je m'apprêtai à me diriger vers la salle de conférence, qui était au rez-de-chaussée, il me saisit le bras et m'entraîna vers l'ascenseur. Il y avait plein de gens à la réception. Je compris ce qui allait m'arriver. C'était du déjà-vu. Mais je n'eus même pas le temps de réfléchir à ce que je pouvais faire. Il me poussa « gentiment » dans l'ascenseur en disant, avec un sourire affecté : « On est en haut aujourd'hui. » Nous n'échangeâmes pas un seul mot jusqu'à sa chambre. Il la ferma à double tour dès que nous fûmes dedans.

« On n'est que deux à 'être en haut aujourd'hui', n'est-ce pas ? fis-je ironiquement, mais avec des larmes aux yeux.

– Tu as bien compris, fillette », répondit-il en se déshabillant.

Comme toujours, son pénis était en érection. « Déshabille-toi ! » ordonna-t-il tout en glissant un condom sur son membre rigide. Je me mis à me déshabiller. Cela ne valait pas la peine de me battre contre lui. Pas la peine.

« Tu avais raison de ne pas aller dans l'armée, tu sais ? fit-il en regardant mon corps comme le chien un morceau de viande saignant. Ton petit corps d'enfant n'est pas fait pour ça. Tu es faite pour bien d'autres choses, comme donner du plaisir. Allez ! Viens rejoindre papa au lit ! »

Je ne bougeai pas. Je restai debout à côté de sa table de travail, où je venais de poser mes vêtements. Non, ce n'était pas par rébellion. Mon corps s'était pétrifié tout simplement. Les larmes coulaient le long de mes joues. Il vint me prendre par le bras et me traîna vers le lit. Comme d'habitude, il alla tout droit au but. Il me pénétra fortement, me faisant crier de douleur. Plus je criais, plus il était déchaîné, s'acharnant sur moi avec une brutalité redoublée. Mon vagin n'avait pas cessé de saigner depuis la Forestière. « Tu as tes règles ? dit-il lorsqu'en se levant il constata du sang sur ses draps de lit. Pourquoi tu ne l'as pas dit !

– Non, je n'ai pas mes règles.

– C'est quoi, ça alors ?

– Vous m'avez fait mal. Très mal. »

Le lit était vraiment maculé de sang. Un gigantesque cercle de sang s'était dessiné, occupant presque tout le centre du lit. D'un air préoccupé, Sambuyi enleva les draps : le lourd matelas blanc portait le même grand cercle rouge, qui semblait continuer à s'agrandir. Je m'habillai et sortis sans rien dire d'autre, tandis qu'il restait là, debout, l'air bête essayant de comprendre ce qui venait de se passer et ce qu'il devait faire.

*

Heureusement le Guest House était seulement à quelques minutes à pied de là. S'il m'avait fallu chercher un taxi ou un bus, je ne sais pas ce que j'aurais fait. La personne qui était sortie de la chambre de Sambuyi, puis de l'Hôtel International, ce n'était pas moi. Pourtant je revois la séquence très clairement aujourd'hui comme dans un film. Je semblais m'observer comme si j'étais étrangère à moi-même. J'étais hors de moi.

Je marche en zigzaguant. Je me parle à moi-même. Je ne comprends pas ce que je dis, mais je m'entends parler. À voix basse, mais suffisamment haut pour faire se retourner les passants que je croise. Je ne les vois pas. Je ne vois rien, mais je suis correctement le chemin du Guest House. J'entre. Il y a des gens au grand salon. Ils me regardent avec étonnement. Je m'en fous. Je vais tout droit dans ma chambre, tout droit dans la salle de bains.

J'ai pris un bain. Trois fois de suite. Après la première fois, je viens devant le grand miroir de la salle de bains pour m'essuyer et me mettre de la lotion. L'image que me renvoie le miroir s'anime. C'est moi, mais en plus grande taille. Immensément plus grande. Presque trente mètres de hauteur. Un baobab. Une vraie géante. Monstrueuse. Le miroir semble avoir du mal à me contenir. Le miroir, il doit mentir. Je me regarde dans ma réalité. J'ai, au contraire, rapetissé. Je suis presque naine. L'âge aussi. J'ai à peu près cinq ans. Mes yeux semblent trop grands pour mon corps. Mes yeux, ils doivent mentir. Si le miroir ment et mes yeux mentent, qui donc dit la vérité ?

Là, n'est pas le grand souci, de toute façon. Le grand souci, c'est l'image animée du miroir. Je ne l'aime pas. Parce qu'elle me gronde. Pour rien. Elle tonne.

« Tu es sale, Coco !

– Je sais, dis-je.

– Quelle putain, tu es ! Pourquoi as-tu encore fait l'amour à cet animal de Sambuyi ?

– Mais je ne lui ai pas fait l'amour !

– Si, regarde-toi… tu es couverte de son sperme !

– Oui, mais s'il te plaît, ne me juge pas !

– Ne pas te juger ? Comment expliques-tu que tu sois tombée deux fois dans le même piège, si dans ton for intérieur tu ne voulais pas ?

– Je ne le voulais pas, essaie de voir le trou dans lequel je suis : ai-je choisi ce cul de sac ? Où voulais-tu que j'aille lorsque, dans les filets du pasteur Musafiri, je me découvrais prise entre Dieu qu'il disait représenter et le monde d'enfer de Bukavu où c'était la rue ou la mort ? Où voulais-tu que je j'aille quand, alors que je venais de fuir le Rwanda ensanglanté, le Rwanda me poursuivit chez moi pour me jeter aux Rwandais du RCD, avant de me donner à Sambuyi qui scella ma condition d'orpheline pour la troisième fois ? Hein ? Où voulais-tu que j'aille avec le ticket-aller-simple que le RCD de Wadiamba m'a donné pour les rejoindre à Kisangani en abandonnant ma région natale aux Rwandais ? Où voulais-tu que j'aille, hein ? Où ? Lorsque, non contents de tout avoir de ma région, les Rwandais me poursuivirent jusqu'à Kisangani pour me pousser entre les mains des soldats ougandais ? Où voulais-tu que j'aille dans un camp où, abandonnée par ceux-là mêmes qui prétendaient aller sauver mon pays, mais en réalité étaient incapables de sauver leurs femmes, je pleurais entre les mains des soldats ougandais bien conscients du fait que rien, personne, ni Dieu, ne pouvait les empêcher de me violer par dizaines, autant de fois qu'ils le voulaient, sans que personne ne les inquiétât ? Où, hein ? Où voulais-tu que j'aille dans une Kampala où, ne connaissant personne, sans argent, seule comme un agneau perdu dans le désert, je me retrouvai à nouveau, comme sous la malédiction, entre les mains de ce cochon de Sambuyi qui ne pense qu'à son vieux zizi au lieu d'aller réellement se battre pour son pays ? Où, dis-moi, où voulais-tu que j'aille ?

– D'accord. Va prendre un autre bain, défais-toi au moins de ces émanations poisseuses de Sambuyi. »

J'ai pris un deuxième bain bien long. Elle n'était toujours pas contente, la Coco du miroir. Alors j'ai pris un troisième long bain en moins de deux heures. Après quoi, je suis venue m'habiller sans jeter un seul coup d'œil au miroir. Je venais de décider de survivre. Pour moi, pour ma Mère, pour toutes celles qui à cette minute même, là-bas chez moi, se faisaient violer sans avoir rien fait pour le mériter. Sans pouvoir se défendre. Sans qui que ce soit pour les défendre. Alors je suis rentrée devant le miroir et j'ai hurlé en regardant la géante bien dans les yeux :

« D'ailleurs peut-on jamais mériter d'être violée ? Suis-moi, géante spéculaire, il y a un combat à mener, de vrais hommes à tirer de leur catalepsie. Et s'ils n'existent pas encore, ce qui est probable, eh bé, il va bien nous falloir les inventer ! Quant aux Sambuyi et consort, on en fera du fumier ! »

« Coco ! Coco ! Tu vas bien ? »

Me secouant, je me rendis compte que j'avais le visage tout contre le miroir de la salle de bains et que j'étais en train de hurler. Je ne savais pas pourquoi j'avais décidé d'aller régler son compte à la redoutable géante du miroir ! Cette fois c'était moi qui clairement lui cherchais noise. Certainement une rancœur à retardement, pour avoir été injustement jugée par le géant reflet. Heureusement, donc, je fus tirée de cette confrontation par un inconnu qui était en train de tambouriner furieusement sur ma porte. Je demandai ce qu'il y avait et il me répondit que je hurlais comme une folle. Je lui répondis que ce n'était rien, que je me racontais une histoire. Pour me divertir. Il passa son chemin. « Il doit se dire que je viens de disjoncter, celui-là », me dis-je. En fait, cela me donna une idée. Je devais me raconter l'histoire. Mon histoire. « Et non ! fis-je, rassurée. Je ne suis pas folle. Sinon, je ne me serais pas souvenue de l'histoire à me raconter ! »

Les amies m'ont souvent demandé comment j'ai pu garder ma santé mentale après toutes ces épreuves. Même mes meilleures amies, Philo et Sofia, me demandaient pourquoi je sombrais dans ce silence, dans cette espèce d' « ailleurs », chaque fois que nous venions de subir quelque horrible abus. Pour ce qui est d'avoir gardé ma santé mentale, je n'en suis pas sûre. Mais pour survivre ces tragédies, je m'étais créé une stratégie : « Afin de sortir sans être trop déchirée par les dents de ces hyènes, je me racontais une histoire », leur dis-je. En effet, je me racontais l'histoire du roman *Incorruptible* d'Ilaut Nawm, que j'ai déjà mentionné plusieurs fois. Cette histoire d'optimisme et d'espoir m'occupait alors l'esprit, et je m'y accrochais de toutes mes forces comme à une bouée de sauvetage, dans les flots mugissants d'une mer en furie. J'avais souvent soupçonné qu'il en était probablement pareil des deux autres filles du groupe qui, bien qu'intelligentes, gardaient, dans leur malheur, un silence de Bouddha. Alors que nous pleurions après avoir été violées, je me disais qu'elles devaient être, comme moi, en train de se raconter une histoire. Autrement, elles auraient craqué. Philo et Sofia, elles, étaient différentes. Elles parlaient. C'était une toute autre race de femmes. Nettement plus fortes, plus sûres d'elles. Dieu merci, elles étaient là pour nous. Pour ventiler nos ébullitions internes, mais aussi pour penser pour nous, alors que nous nous étions abîmées dans nos histoires intérieures.

Ilaut Nawm doit être de l'ethnie léga. Comme je l'ai déjà dit, je crois que son histoire me touche beaucoup parce qu'elle est solidement enracinée dans ma culture, la culture du peuple léga. Je me la raconte encore aujourd'hui, ici aux États-Unis, bien loin de mon Buréga natal. Elle m'y reconnecte comme un cordon ombilical éthérique, et donne un tant soit peu d'équilibre à ma vie qui, comme on le voit, est un bateau au bord du naufrage.

Couchée sur mon lit, cette nuit-là, donc, je me racontai cette histoire pour la énième fois, toujours avec la ferme conviction qu'elle allait m'exorciser des démons que Sambuyi en me violant venait encore d'injecter en moi. C'était la deuxième fois que je me la racontais contre Sambuyi. Je me la racontai lentement, encore plus convaincue que notre Congo et notre Afrique seraient bientôt nettoyés, débarrassés des pourritures du genre Sambuyi et de tous nos enfants pourris de son espèce. Ceux qui violent, ceux qui poussent à violer, mais aussi et surtout ceux qui envahissent les autres en causant toutes ces tragédies.

*

Hadisi njo !
Njo hadisi !

Il était une fois, un jeune homme appelé Kroma Wenge. Il n'avait pas de père et sa mère disait peu de choses sur sa conception. La rue, comme toujours, remplit les pointillés avec sa propre version des faits. Que Mama Wenge était une sorcière. Qu'un jour à minuit, elle s'était rendue en brousse pour couper du bois. « Tu imagines une femme seule à minuit en forêt coupant du bois ? » disaient encore les langues bien affilées, en frappant trois fois des mains. Eh bien, la vérité, disaient-elles encore, c'est qu'elle avait rendez-vous avec Mobiongani le diable géant. C'est ce diable qui lui fit ce monstre qui a du fer à la place des os.

Hadisi njo !
Njo hadisi !

Bien que cette version ne fût qu'affabulation, par Nzakomba ! la vérité lui ressemblait un peu. Kâbilé. C'était ça le vrai nom de jeune fille de Mama Wenge. Comme jeune fille, on avait commencé par l'adorer, ensuite on la détesta, puis on la craignit tout en médisant d'elle. De mémoire d'homme, jamais village n'avait vu plus belle fille. Elle brillait comme le soleil. Sa beauté débordante pouvait remplir mille seaux à eau, avec surplus. Elle était grande, à la fois forte et douce, avec la peau d'un noir d'aniline. D'un noir de silure, comme on dit à l'ouest du pays. Les appâts physiques, Hééé ! Nzakomba semblait les avoir mis à profusion sur elle ! Comme par impertinence à l'égard des hommes de tout le pays. Car, pour Kâbilé, il n'y avait pas un seul candidat qualifié pour l'épouser. Ils venaient cependant de partout. Certains parcouraient en vain des milliers de kilomètres. Tous étaient invariablement éconduits comme des gosses morveux. Pendant des années, les hommes, découragés, se contentèrent de regarder de loin ces beaux seins, ce derrière immense et bien proportionné au corps, qui chutait sur des jambes interminables. Ce visage aux traits d'enfant habité, néanmoins, par des yeux accusant une intelligence peu ordinaire, et dont un je-ne-sais-quoi commandait du respect même de la part des chefs.

Même son nom de Kâbilé, très peu de gens en connaissaient la signification. Mais les chefs coutumiers, eux, en savaient quelque chose, pour sûr, par Nzakomba ! C'est sans doute pourquoi, même eux, la laissèrent tranquille.

Lorsque, exaspérés, ses parents lui demandaient des explications, la réponse de Kâbilé était invariablement la même :

« Ils sont tous médiocres et indignes de moi, disait-elle. Il est hors de question que l'un de ces gueux ose venir injecter en moi sa semence inepte qui compromettrait davantage le futur de mon peuple. »

Hadisi njo !
Njo hadisi !

Les années s'égrenèrent. Pour tout le monde, excepté pour elle. Dix-huit. Vingt. Quarante. Soixante. Même à soixante-dix ans bien sonnés, Kâbilé aurait encore pu sortir Miss Univers. Sa beauté coulait toujours comme du miel. Mais alors, tous les hommes s'étaient découragés et on avait décrété qu'elle avait le diable au corps, qu'elle ne pouvait épouser personne, étant mariée à Mobiongani, le diable géant.

Or, tout brusquement, le ventre de cette septuagénaire et célibataire endurcie se mit à pousser au point d'atteindre une taille si énorme que les jeunes gens l'appelèrent Pic Everest. La grande question fut évidemment de savoir non seulement comment une septuagénaire avait pu concevoir, mais surtout qui était cet *élombé* qui était parvenu à battre Mobiongani, le diable géant.

Hadisi njo !
Njo hadisi !

En fait, voici ce qu'il en était :

Kâbilé, la Soma Prêtresse du Nyano, avait en effet un mari : Kimbilikiti, Esprit Suprême du Bwali, qui était aussi son frère. Devant un monde totalement dépravé par des hommes-ordures dans tous les cas de figures, Kâbilé s'entendit avec Kimbilikiti pour refaire le peuple du pays. Elle entra, en effet, en pleine nuit, soi-disant pour aller couper du bois. Par peur, aucun gueux n'osa aller voir. Le travail pouvait donc avoir lieu en toute sécurité. Elle marcha, marcha, marcha jusqu'à un cercle tapissé de mousse au centre duquel brûlait un feu incandescent. Là, en plein cœur de la forêt sacrée, la Belle des belles se déshabilla. Son beau corps apparut, éclairé par le grand feu de bois. Ah, ces seins ! Ces seins gros, beaux et souples comme des chikwangues[2] du Bas-Congo au sortir de la marmite ! Oh ! Les hanches ! Ces hanches qui chutaient en courbe de guitare depuis une taille de guêpe comme chez une femme Shi du Kivu ! Ah ! Les cuisses ! Ces cuisses musclées à la peau tendue comme les cuisses d'une femme Luba du Kasai ! Oh ! Les fesses ! Ces énormes fesses dodues, fermes, belles et *interdites*, oh si belles, si *interdites* … comme les fesses d'une femme du Mai-Ndombe ou d'une Magbétu ! Ah ! Cette peau d'un noir cirage contrastant tant avec ces dents blanches, comme chez une femme du Sahel !

---

2. Pain de manioc roui moulé dans une feuille de bananier et cuit à l'eau.

Hadisi njo !
Njo hadisi !

À soixante-dix ans Kâbilé avait gardé le corps d'une pucelle de dix-huit ans. Sa beauté défiait celle du feu d'en face. Elle finit de se dénuder en lançant des sons mystérieux. Et les dieux murmuraient d'admiration. Par Nzakomba ! Je sais tout ça parce que l'histoire m'a été confiée par des voix autorisées que pour rien au monde je ne trahirais ! Au bout de ses longs sons mystérieux, la belle Kâbilé fit neuf pas et entra dans le cercle incandescent. Elle tendit les bras. Là, près du feu, à exactement zéro heure, Kimbilikiti la rejoignit en lançant, lui aussi, des sons mystérieux ; des sons si puissants que toute la forêt en trembla !

Elle était prête. Kimbilikiti ne la quittait pas des yeux. Il se mit à genoux et attendit le signe. Kâbilé fit le signe et Kimbilikiti avança vers elle à pas feutrés. Bientôt elle ferma sur lui ses bras de lianes. Les deux divinités s'enlacèrent. C'était la permission qu'attendait Kimbilikiti. Il la pénétra en chantant. Elle lui rendit l'octave. À l'union, le couple mystique se mit à jouir dans un long cri repris en trémolo par tous les djinns de la forêt équatoriale. Ceux de la terre et ceux de l'air. Ceux de l'eau et ceux du feu. Kroma Wenge, l'enfant mystère était conçu.

Hadisi njo !
Njo hadisi !

La grossesse fut à maturité trois mois après. Trois mois bien comptés. Trois petits mois qui normalement, pour nous mortels, font des enfants moins

que prématurés, avortons, c'est bien ça, avortons-
et-n'en-parlons-plus. Mais il n'y avait rien de normal
en cet enfant-là. Eheee ! Nzakomba, le Grand Plan,
Toi qui planifias les rivières et les fleuves ! Dieu de
nos ancêtres, Esprit omniprésent ! Tes mystères
sont insondables ! L'enfant naquit. Tout ce qu'il y
avait de plus mûr, vrai produit des génies. Il naquit
costaud, avec des cheveux si luxuriants qu'on l'appela Kroma Wenge, bois noir, enfant de la forêt.

Kâbilé éleva son bébé toute seule, en changeant
constamment de lieu d'habitation comme une fugi-
tive. En fait, c'était une errance auto-imposée dont
elle seule savait la raison. Si bien que, lorsque l'enfant fut adolescent, Kâbilé avait déjà fait le tour du
pays. Elle préférait les villages. Elle arrivait, allait
voir le chef coutumier et lui disait : « Je ne vais pas
tourner autour du pot : je suis là pour échanger mon
bout de culture avec le tien. Nous devons rebâtir le
Temple cassé. Et, comme elle choisissait toujours
les chefs dignes de ce nom, ceux-ci adhéraient sans
hésiter au projet. Travail terminé, Kâbilé prenait son
fils et s'en allait. Elle boucla la boucle dans le village
où elle avait conçu Kroma. Un village de la forêt
équatoriale aux us et mœurs terriblement abîmés, il
fallait bien finir là, dans ce village sien, son village
initial. En s'y installant, Mama Wenge savait aussi
que c'était là qu'elle allait devoir se séparer de son
fils. Elle le mit à l'école moderne et attendit patiemment le jour où l'enfant devait partir pour la ville,
continuer ses études. Lorsque vint enfin ce jour,
elle le laissa partir comme un oiseau lâche son petit
dans l'immensité du firmament. « Va, vole, dit-elle,

vole, va au-delà de toutes les eaux, transperce les frontières, ramène nous d'autres feux, d'autres fers et d'autres façons de les battre. Reviens encore plus grand, pour faire dans cette mer de larmes ce pour quoi tu es né. »

Depuis, on ignore ce qu'est devenu cet enfant. Mais Mama Wenge, qui est morte depuis longtemps, l'avait prédit ! Que l'enfant prédit allait disparaîtrait, qu'il finirait ses études supérieures civiles et militaires, ici et ailleurs. Qu'il serait d'une race telle qu'on en a jamais connu dans ce siècle malade. Qu'il serait incorruptible. Et qu'il reviendrait faire remplacer l'imposture de cette « nouvelle génération de dirigeants africains » par une vraie de vraie.

L'Ouganda décida de nous installer à Bunia. Le RCD de Wadiamba – ou devrais-je dire « de l'Ouganda » ? – avait perdu Kisangani mais gardait encore tout le Nord-Est du Congo. Ainsi, si pour le RCD-Kisangani la perte politique était désastreuse, l'Ouganda pouvait toujours continuer l'exploitation des ressources du côté de Watsa ou de Mungbere – où les mines industrielles travaillaient nuit et jour –, et de toutes les forêts denses de la région de l'Ituri. De cette région, qui a toujours eu un statut de district, l'Ouganda avait fait une province, avec Bunia comme chef-lieu et y nomma comme gouverneur Mme Abel Love de l'ethnie hema. Pendant que nous vivions tout ceci, l'Ouganda – tout comme le Rwanda, d'ailleurs – criait au monde qu'il n'avait pas d'armée au Congo, que le monde l'accusait injustement d'un conflit intra-congolais dans lequel il n'était pour rien. C'était hallucinant ! Et mes petits yeux de jeune fille de rien du tout regardaient avec tristesse l'incroyable colonisation d'un pays africain par ces deux autres pays africains, le Rwanda et l'Ouganda, en raison de la mauvaise gestion stupide du gouvernement du dictateur Mobutu qui avait laissé le pays sans armée organisée. En s'écroulant, Mobutu quitta le pays comme on laisse une banque sans gardes et non cadenassée. Le vieux Kabila qui l'avait chassé fit pire encore. Il vola même les portes de la banque en question. Ce que faisaient ces pays étrangers était un vol international à grande échelle, un pillage éhonté et accompagné de crimes dont ma propre expérience n'est qu'un petit échantillon.

Nous ne pûmes pas partir pour Bunia tout de suite. Abel Love, Mme le Gouverneur implantée par Kazemi, refusait catégoriquement notre installation dans son fief. Cela prit trois mois de négociation entre la bonne dame et Wadiamba, par Kampala interposée. J'ignore les accords trouvés, mais les Ougandais vinrent nous dire brusquement un bon matin que nous allions finalement pouvoir partir pour Bunia dans deux semaines.

À Bunia, nous occupâmes un joli petit hôtel, avec chacun une chambre. La situation que nous trouvâmes en Ituri était des plus critiques. Les Hemas et les Lendus s'entretuaient. Ils ne s'entendaient pas, pour des raisons d'occupation de la terre. J'appris que cela datait du temps de la colonisation belge. Mais depuis assez longtemps ils avaient vécu ensemble et s'étaient mis à se mélanger. Les Hemas, peuple pasteur, sont minoritaires avec une ethnie de cent soixante mille membres, et les Lendus, agriculteurs, sont majoritaires avec sept cent cinquante mille membres, auxquels il faut en ajouter dix mille vivant en Ouganda. Il ne faisait aucun doute que quelqu'un avait agité le monstre du conflit ethnique, mettant à couteaux tirés deux groupes ethniques qui avaient tant bien que mal appris à vivre ensemble. Nous héritions donc d'une situation dangereuse qu'il fallait gérer avec intelligence et scrupule, surtout après ce qui s'était passé au Rwanda en 1994. Or en arrivant à Bunia, nous eûmes tout de suite l'impression qu'il y avait quelque part une intention délibérée d'attiser les haines au lieu de les apaiser. Incroyable mais vrai ! Après le Rwanda 1994, quelques animaux doublés d'humains, tapis dans l'ombre, étaient en train de souffler le feu dangereux du « nous » ethnique. Non seulement Kazemi avait nommé une Hema comme gouverneur, mais il armait les milices des deux côtés, avec un appui militaire plus musclé pour les Hemas !

Pour une fois, j'ai vu Wadiamba faire un semblant de politique. Il organisa une mission de sensibilisation et de réconciliation entre les deux groupes ethniques. Il nous y envoya, Delpin et moi, dans une équipe forte de vingt-huit personnes, civils et militaires. Je constatai de mes propres yeux de petite fille de rien du tout, le déséquilibre des forces militaires et financières entre les Lendus et les Hémas. Ceux-ci avaient l'argent, les terres, le pouvoir politique, et semblaient décidés à déplacer le plus de Lendus possible de leurs villages. Beaucoup de villages avaient été incendiés et détruits. Mais systématiquement nous constatâmes que les villages totalement détruits étaient lendu. De même, les populations déplacées étaient lendu. Les villages hema avaient sans aucun doute été saccagés aussi, mais avec des dégâts limités, et avaient leurs populations toujours en place. Nous remarquâmes aussi que la destruction totale des villages lendu avait été effectuée à l'arme lourde, dont, en principe, aucun de ces deux groupes ethniques ne disposaient. C'était clairement le travail d'une armée équipée.

La mission fut difficile. L'équipe eut à faire face en particulier aux blocages des routes mis en place par Mme le Gouverneur, si bien que nous dûmes faire de longs trajets à pied. Nous fûmes également objets de menaces de mort, faites par voie de tracts. Nous étions bien au courant des efforts de Mme Abel Love, et d'autres hommes riches et influents, de nous empêcher d'effectuer cette mission. La découverte de ces villages décimés ou vidés de leur population, ainsi que des charniers, nous en donna l'explication. Il y eut même un incident assez grave à Fataki : quelqu'un vint jeter en pleine nuit une bouteille d'acide sulfurique sur le toit en tôles ondulées de l'hôtel où nous logions.

*

Quant à moi, je faillis être violée à nouveau à Djugu, dans un scénario qui rappelait péniblement mon expérience de la Forestière. On nous donna une maison de trois chambres et salon. Or, nous étions quatre « officiels » : mon chef Delpin et moi comme secrétaire de la mission, un officier militaire ougandais, commandant des militaires qui nous accompagnaient, et monsieur Tom Luka, membre de l'Assemblée Générale et nouvellement investi officier militaire, après une formation d'officier faite en vitesse dans l'armée ougandaise. Je connaissais Tom Luka depuis Goma, il était l'un des trois chefs qui partageaient la maison de Sambuyi, mon violeur de premier patron.

Les hommes, comme toujours, se partagèrent les trois chambres à coucher et me demandèrent de coucher au salon sur le canapé. Le voyage avait été harassant, surtout le tronçon fait à pied. Blottie dans mon canapé, sous le drap de lit que m'avait prêté mon chef, je m'endormis presque aussitôt. Vers minuit, je fus réveillée par quelqu'un qui essayait d'arracher mon drap. Ce que je vis en me réveillant m'arracha un cri : l'officier ougandais penché sur moi, complètement nu, pénis en érection, me faisait, de la main, signe de le suivre dans sa chambre. La scène ne m'était que trop familière. Mon cri l'avait sans doute désemparé, car il courut vite dans sa chambre et referma la porte. Je restai assise sur ce canapé pendant plus d'une heure, puis je m'assoupis. Je fus à nouveau réveillée par le même homme, toujours nu, toujours en érection, m'invitant sans parler pour ne pas se faire entendre. C'était incroyable. Tout se passait comme si pendant tout ce temps l'homme avait gardé cette érection, que celle-ci l'empêchait de dormir et que, par conséquent, il épiait mon assoupissement. Il n'y avait pas de doute dans ma tête que toute cette animalité chez ces hommes tenait d'une maladie psychologique dangereuse. Victime de fréquents viols, j'en étais venue, comme je l'ai déjà dit, à ne plus dormir qu'habillée, excepté lorsque j'avais une chambre personnelle que je pouvais fermer à double tour. Je dis à cet officier que s'il venait me toucher encore, j'allais ameuter tout le monde, à commencer par ses collègues qui dormaient dans les chambres d'à côté. Il ne revint plus me toucher, mais ouvrit sa porte deux ou trois fois, m'invitant de la main. Ce harcèlement eut comme conséquence de m'imposer une nuit blanche par peur d'être violée.

De retour à Bunia, je faillis être violée, cette fois par monsieur Tom Luka. C'était dans la résidence qu'il partageait avec d'autres membres du mouvement – tout le monde ne logeait pas à l'hôtel. Nous finissions de préparer le rapport de la mission de Djugu, ainsi que le voyage à Kampala où le président Wadiamba résidait encore. Pour une fois, nous avions quelque chose de valable à aller présenter au président et à ses « bienfaiteurs » ougandais, en faveur du peuple congolais.

Nous venions de nous mettre d'accord sur la version finale du rapport. Mon chef Delpin sortit pour aller se coucher tandis que je finissais d'imprimer le document. Tom Luka m'interpella par derrière : « Eh, Coco, dit-il, regarde ce que j'ai pour toi ! » Je me tournai et restai bouche bée : Tom Luka était devant moi, totalement nu, son énorme pénis dressé comme un serpent boucané. Je m'étonnais d'abord, parce que réellement je n'arrivais pas à comprendre que tous ces hommes s'exposent ainsi excités devant une femme avec qui aucune conversation sexuelle ou même lointainement amoureuse n'avait préalablement eu lieu. Je m'étonnai ensuite de la taille du pénis que je voyais devant moi : je n'aurais jamais imaginé un pénis si énorme. Tout d'un coup je fus prise d'une peur incontrôlable : étant donné ma petite taille, si cet homme-là me prenait, il m'endommagerait mortellement. Pire encore s'il le faisait par force comme cela avait été le cas pour tous les viols que j'avais subis. Mais son approche quasi badine m'encouragea à le raisonner.

« Tom, je ne peux pas coucher avec toi.

— Pourquoi ? Moi j'ai envie de toi depuis que tu es arrivée dans le mouvement !

— Je ne coucherai jamais avec toi.

— Tu n'as pas dit pourquoi, tu n'aimes pas ce que tu vois ? En as-tu jamais vu de pareil ? Celui-ci te ferait jouir comme tu ne peux l'imaginer !

— Tom, tu as une femme en Belgique et tu as une copine ici, cela ne te suffit pas ?

— Là n'est pas la question, je ne peux pas dire à mon cœur de cesser de te désirer. Tu ne vois pas ce que tu lui fais, à mon cœur ?

— Ce n'est pas ton cœur, c'est ta tête.

— Ma tête ! Quelle tête ?

— Puis-je te poser une question ?

— …

— Tu ne vas pas me violer, n'est-ce pas ? Je te respecte trop pour ça.

— Non, je ne suis pas un violeur, mais je dois absolument t'avoir. Comprends-moi, je meurs d'envie de toi.

— Merci de ne pas me violer, je t'en sais vraiment gré. Mais franchement, sache que je ne coucherai jamais avec toi. »

Je crois que cet échange sur le viol me sauva, je vis le gros pénis courber l'échine et son propriétaire le ramasser dans ses grosses mains puis s'en retourner dans la salle de bains. « Ce n'est que partie remise, souviens-t-en ! » dit-il avec un petit rire gêné. Je n'en revenais pas : c'était la deuxième fois en deux semaines que j'étais parvenue à dissuader les violeurs ! « Peut-être ai-je fini de franchir l'étape des viols ! » pensai-je. Hélas, comme je me trompais ! …

Je mis rapidement les copies du rapport dans les différentes fardes[3], dis bonsoir et courus vers ma chambre d'hôtel, qui était non loin de là. J'étais plus que jamais convaincue que quatre-vingt dix-neuf pour cent des hommes du RCD réfléchissaient avec la tête de leur pénis. Tristement, je savais aussi que leur intrépidité et leur manque de moralité allaient les mener aux hautes fonctions politiques. Le courage du voleur le fait jouer à quitte ou double, comme on dit dans ma région. Je voyais de l'intérieur les rejetons de cette race de voleurs et de maffiosi qui nous dirigent depuis les indépendances. Deux ans durant, j'avais vu à l'œuvre des hommes malades, viscéralement atteints, pourris jusqu'à la moelle des os, et qui cherchaient par tous les moyens à aller prendre en charge plus de soixante millions d'âmes ! Cela aussi m'effrayait terriblement. Oui, ils étaient éduqués ; beaucoup avaient fréquenté les meilleures écoles de l'Occident. Mais mon petit cœur de petite fille de rien du tout me disait qu'ils étaient déjà malades au départ du Congo ; qu'aucun savoir, fût-il de la meilleure école du monde, ne pouvait guérir une telle pourriture. Et mon petit cœur de rien du tout concluait que c'était de l'exorcisme qu'il leur fallait.

Je parlai à mon chef Delpin des deux tentatives de viols à Djugu et dans la chambre de Tom Luka afin de prévenir d'autres risques pendant le voyage de Kampala. Il me répondit, avec un air sincèrement désolé, qu'il m'avait entendue. Je

---

3. Terme belge pour dossier.

serais, en effet, tranquille pendant tout notre séjour à Kampala. Pour une fois, mon chef avait réservé une chambre pour moi. Je ne pus, entre-temps, m'empêcher de me demander pourquoi il avait fallu une requête spéciale et deux risques de viols pour que la chose la plus naturelle me fût accordée comme si c'était une faveur que l'on me faisait.

*

Notre recommandation principale dans le rapport était de prendre immédiatement des mesures préventives d'urgence pour parer à un génocide plus que certain qui pouvait résulter du conflit entre Hemas et Lendus. Il fallait, entre autres, créer des réformes foncières équitables, désarmer toutes les milices, et mettre à la disposition des deux ethnies une armée non partisane.

Une des mesures prises par Wadiamba fut de remplacer Mme le Gouverneur Abel Love. Il demanda ensuite à l'Ouganda de remplacer les militaires ougandais par des nationaux, et, en attendant que les soldats congolais soient prêts, d'amener un nouveau « bataillon d'encadrement » à Djugu pour remplacer l'ancien qui n'avait plus de crédibilité auprès des Lendus. Il n'eut pas de militaires congolais, mais l'Ouganda changea effectivement le bataillon de Djugu. Malheureusement, ceci ne résolut pas du tout le problème, car nous apprîmes que le nouveau bataillon était tout aussi corrompu que le premier. Dans mon petit cœur de petite fille de rien du tout, cela n'était pas surprenant, tant que l'armée restait une armée étrangère, ne faisant aucun mystère sur les intérêts qu'elle défendait, c'était bête de s'attendre à un résultat différent.

Peu avant notre départ pour Kampala, nous eûmes des problèmes à l'hôtel où nous logions. Le paiement avait pris du retard. On nous pria poliment de « chercher un autre hôtel ». Nous déménageâmes dans un hôtel appelé Musafiri. C'était vrai que le paiement avait pris du retard ; mais, vu l'état de guerre qui régnait dans la région, nous soupçonnâmes le gouvernorat d'être derrière cette éviction. Car eussions-nous été dans les bonnes grâces de Mme Abel Love, une telle éviction aurait été impensable.

Nous partîmes pour Kampala avec pratiquement toute l'équipe de l'Assemblée Générale. J'étais le seul « petit poisson » du groupe, mais mon rôle de secrétaire de la mission me donna un peu de poids, car l'équipe reconnut le bon travail que j'avais fait. Cependant, mon petit « plaisir » était ailleurs, je me fichais en effet éperdument du mouvement. Cela faisait longtemps que je m'en fichais et que, comme la plupart des filles du RCD-Kisangani, je n'attendais que l'occasion de me tirer de là. Depuis mon arrivée à Kampala, ma sœur Mona mettait de l'argent de côté pour me faire voyager aux États-Unis. Ce voyage était devenu l'espoir qui m'aidait à continuer à supporter l'existence impossible de cette galère du RCD-Kisangani. Mon petit plaisir dans cette mission de Djugu fut de sentir, pour la seule et unique fois, depuis que je m'étais associée à ce groupe de nuls, que je venais de contribuer un tant soit peu à quelque chose de constructif.

Les préparatifs du dialogue inter-congolais de Sun City en République Sud-Africaine se poursuivaient. L'Ouganda jouait donc son jeu avec finesse. Mon petit cœur de petite fille de rien du tout voyait bien ce jeu. Nos recommandations semblèrent être prises en compte, mais c'était seulement pour la forme. À part le bataillon d'encadrement qui fut remplacé comme un bonnet blanc par un blanc bonnet, Mme le Gouverneur fut rappelée à Kampala. Ce serait aussi la fin de Wadiamba et de son éphémère RCD-Kisangani. Le plus drôle, c'est que la petite que j'étais les en avait avertis et, comme je vais le raconter tout à l'heure, ils préférèrent leurs grosses cervelles endormies plutôt que de m'écouter, moi.

*

Dans l'avion qui nous ramenait à Bunia mon siège était juste derrière celui d'Andy Wadiamba. Nous avions à peine pris de l'altitude qu'il me glissa une note par derrière :

« *Querida*, tu me fais mourir d'amour ! » disait la note.

« Merci, mais tu cites mal Molière », dis-je dans ma note en retour, prenant un peu plaisir à ce qui d'abord me sembla être un jeu de la part d'un ami, et le copain de ma meilleure amie.

« Molière ? » fit la note suivante en retour.

« Oui, Monsieur Jourdain, tu t'en souviens ? »

« Tu m'as perdu ! »

Cette remarque me fit tiquer. Andy semblait ignorer la fameuse phrase de Monsieur Jourdain : « Belle Marquise, vos beaux yeux me font mourir d'amour. » C'était incroyable. Cet universitaire, cette éminence grise de l'intelligence du mouvement ignorait ces mots de Molière que tout lycéen savait !

« ?!! » écrivis-je.

« ???? » écrivit-il en retour.

« 'Belle Marquise', etc. ? » dit ma note.

« Non, pour toi, je préfère *querida* », dit sa note.

« Mais, ce n'est pas ça qu'a dit Molière ! » renvoyai-je.

« Mais de quoi parles-tu ? »

« De la phrase de Monsieur Jourdain ! » répondis-je de plus en plus étonnée.

« Je ne la connais pas, et puis je m'en fous. Je veux que tu comprennes ce que je te dis ! » écrivit-il.

J'étais effarée que cette tête pleine ignorât ce texte scolaire connu de tous. Plus effarant encore était le fait qu'il avait l'air d'être sérieux. Franchement j'ignorais ce que voulait dire le mot « *querida* », mais j'assumais le pire.

« Que veux-tu que je comprenne ? » demandai-je.

« Que ta beauté m'a toujours fait mourir, mais je n'ai jamais su comment te le dire. »

« Merci, mais tu as ta femme aux USA, je sais que tu as une autre fille à Kampala, et n'oublie pas que tu couches avec ma meilleure amie !!!!! » écrivis-je.

« Je te demande pardon, mais il me faut absolument goûter à cette beauté-là. »

« Qu'est-ce que tu vas faire de Sofia ? »

« Elle est remplaçable. »

Cette dernière réplique me dégoûta. Elle me rappela le terme « sacrifiable » que Sofia, justement, avait trouvé pour nous. Andy estimait sa copine « sacrifiable » comme nous toutes dans leur mouvement imbécile. Je décidai de ne plus continuer cet échange stupide et dangereux. Mais il revint à la charge, cette fois avec une mise en garde.

« Il ne faut absolument pas que tu parles à ton chef de mes sentiments pour toi, ni à qui que ce soit. Sinon, la maman présidente peut me faire mal. »

La « maman présidente », c'était mon amie Sofia. Je m'étais toujours amusée de ce sobriquet que ce vantard avait donné à sa copine, et qui trahissait ses ambitions politiques démesurées. D'autant plus démesurées que j'eus envie de lui dire qu'il devait commencer par savoir qui était Monsieur Jourdain s'il tenait à être différent de celui-ci pour prétendre à un poste de président. Mais je jouai le jeu.

« Tu l'aimes, 'la maman présidente' ? »

« Oui, mais toi, tu me tues plus. Nous pouvons nous arranger pour que je goûte à cette beauté à Kampala. »

« Jamais de la vie. Et, ne t'inquiète pas, je promets de ne dire ceci à personne. Et toi tu dois promettre de ne plus jamais me faire de telles déclarations ! » écrivis-je.

« Je goûterai à cette beauté, même si je dois m'agenouiller ! » dit sa note.

« Je répète : JAMAIS. Et, s'il te plaît, n'en parlons plus. Je ne te répondrai plus si tu écris encore. »

Il n'écrivit plus. Mais je constatai dès lors que nos rapports habituellement chaleureux avaient pris un bon coup de froid.

*

Le nom de l'hôtel Musafiri, où l'on nous avait déménagés, était pour moi ironique autant qu'il était de mauvais augure. Ironique parce que ce mot swahili veut dire « voyageur ». Et, « voyageur » ou, encore mieux, « nomade », c'est bien cela qu'était notre gouvernement sans pouvoir ni chef-lieu. Mauvais augure, parce que c'était le nom du pasteur pédophile qui m'avait volé mon enfance à Bukavu. Malheureusement pour moi, mon pressentiment se réalisa dans toute sa gravité : l'hôtel Musafiri verra la fin du régime fantôme de Wadiamba, tout comme il sera le lieu de mes dernières épreuves dans le RCD-Kisangani.

L'hôtel Musafiri, qu'on aurait dû appeler motel, était constitué de bungalows séparés, la plupart d'une seule pièce avec un coin toilettes et baignoire. Le seul bungalow différent avait été attribué à Andy Wadiamba. C'était, en effet, une espèce de suite avec une chambre séparée, une cuisine, et une immense salle faisant à la fois office de salon et de salle à manger, meublée d'une longue table et d'une trentaine de chaises. Je crois qu'on lui avait donné cette unité-là du fait qu'il vivait quasiment en couple avec mon amie Sofia. Sa fonction de chef du service des renseignements et son état de frère du chef y aidèrent aussi, sans doute. Mon bungalow, à moi, était juste à côté de celui d'Andy Wadiamba. Dans un premier temps, cette proximité m'arrangea. Je pouvais fréquemment aller leur parler, à lui et, surtout, à Sofia. Mais les choses allaient vite changer, surtout après le dernier voyage de Kampala.

Tout commença, comme je l'ai dit, avec notre échange de petites phrases dans l'avion. Dès l'atterrissage de l'avion à Bunia, Andy Wadiamba, changea complètement. Il ne me parla plus que de sujets professionnels, avec une condescendance humiliante. Vint ensuite le deuxième harcèlement de Tom Luka. Ce dernier entra dans ma chambre un matin en déclarant qu'il avait des choses d'une grave importance à me dire. Il ferma la porte derrière lui, s'assit sans permission sur mon lit. Par prudence, je m'étais mise sur la seule chaise disponible, à la petite table de travail.

« Nous avons décidé de remplacer Wadiamba, dit-il. Comme tu vois, cet homme est fort incompétent et le mouvement ne va nulle part. À cette allure, nous n'arriverons jamais à Kinshasa. Les négociations s'annoncent avec les autres groupes armés à Sun City, et il nous faut un homme fort qui puisse nous donner du poids. Je te le dis pour que tu sois prête à te joindre à l'équipe gagnante lorsque la scission sera proclamée. »

Je lui demandai qui allait diriger le nouveau groupe. Il me dit que leur groupe avait choisi Namisi, notre ministre des Finances. Namisi passait, en effet, pour l'homme fort du mouvement à plus d'un titre. C'est lui, comme je l'ai déjà dit, qui traitait avec l'Ouganda directement en matière d'argent. Il avait aussi avec lui, depuis Kisangani, une trentaine de militaires amenés de son fief de Beni dans le Nord Kivu. Nous savions tous – et lui-même ne s'en cachait pas – qu'il avait, dans ce fief-là, plusieurs centaines de miliciens qui lui étaient fidèles et qu'il payait bien. Ceci était un autre aspect qui montrait l'impotence de Wadiamba, car lui-même avait à peine quatre gardes du corps. Namisi aurait pu le faire arrêter sans aucun problème s'il avait voulu prendre le pouvoir. Mais cela évidemment n'aurait eu aucun sens car le pouvoir, Wadiamba, à proprement parler, ne l'avait jamais vraiment eu. Je remerciai poliment Tom Luka et lui dis qu'on allait voir cela au moment opportun.

Alors que l'esprit ailleurs, je réfléchissais à ce qu'il venait de me dire, Tom se déshabilla en un tour de main, exposant encore son gros sexe dur et menaçant. Je me mis debout, la peur dans les yeux, et je lui dis de ne plus jamais y penser. Je lui dis en pleurant que je ne pouvais pas faire cela, et le priai d'aller rejoindre sa copine. Mon air terrorisé était sincère. Je crois que Tom vit ma panique. Il s'habilla et sortit de ma chambre sans rien dire. Je restai assise la tête dans mes mains. Les idées de ce que pensait Tom de sa « défaite » et d'une éventuelle revanche de sa part s'y bousculaient avec celles du « coup d'État » qu'il venait de m'annoncer. Je pensai au nouveau chef que les dissidents s'étaient choisi.

Namisi, nous le savions tous, s'entendait bien avec Mme le Gouverneur Abel Love. Ma petite tête de petite fille de rien du tout pensa vite. Je compris tout de suite l'équation : Wadiamba maintenant inquiète Mme le Gouverneur, hema, protégée de l'Ouganda. Il a demandé que l'armée ougandaise soit remplacée par une armée nationale, etc. L'envahisseur va s'alarmer. Il se dira : « Cela sent un désir d'émancipation ! Il est temps d'émasculer ce jeune pubère avant qu'il ne soit capable de procréer ! »

Aussi, dès la fin du petit-déjeuner, j'attendis que nous restions à trois, mon chef Delpin, Andy Wadiamba et moi, pour leur parler du coup qui se fomentait. Quelle ne fut pas ma surprise de provoquer la colère des deux hommes !

« Tu dois t'occuper de tes fonctions de secrétaire au lieu de faire de la politique, tu as compris ? fit mon chef. Les racontars et les on-dit, c'est cela qui crée la zizanie dans un groupe. Ils n'ont pas de place dans un mouvement en guerre ! »

Andy, qui déjà ne pouvait plus me sentir, fut encore plus acide : « Petite fillette, laisse-moi t'expliquer ce que j'appelle notre 'philosophie de la guerre'. Tu sais ce que nous faisons des traîtres ? Gare à toi si tu racontes des mensonges et des choses non vérifiées ! Je ne sais pas ce qu'il y a entre Tom Luka et toi, mais ne mélangeons pas les questions de cuisses avec la Cause Supérieure ! »

Il avait insisté sur les deux derniers mots. Les deux hommes sortirent et se mirent à se parler à voix basse devant la porte. Je restai là, l'air bête. Je m'en voulais d'avoir été aussi naïve. « À présent, j'aurais à subir les foudres des deux côtés : celles de Tom Luka, puisqu'ils allaient le confronter, j'en étais sûre, et celles d'Andy », me dis-je. Sofia était dans sa chambre. Elle avait certainement tout suivi. Mais elle ne sortit pas. Je sortis à mon tour, passai devant mes chefs qui m'ignorèrent, et allai m'enfermer dans ma chambre. Je me mis à repasser dans ma petite tête de petite fille de rien du tout la scène qui venait d'avoir lieu : « Qu'ai-je fait de mauvais ? Andy et Delpin seraient-ils dans le complot contre Wadiamba ? Non, c'est absolument impossible. Seraient-ils stupides au point de ne même pas essayer de vérifier une information gratuite qui pourrait devenir un renseignement important ? Ces abrutis ne voient-ils pas le jeu des Ougandais ? Ils avaient commencé par créer deux fronts d'invasion : le RCD-Kisangani et le MLC, qui occupait la province de l'Équateur, avec les bases arrière sur Kampala via Bunia. Maintenant ils veulent faire éclater le RCD-Kisangani en deux. Le calcul est pourtant simple : Namisi est plus pratique, plus fort de caractère et a plus de capacité d'exécution. À la tête d'un mouvement dissident contre Wadiamba, il prendra le pouvoir des mains de ce dernier comme on subtilise le bonbon à un bébé ! Et cela, sans préjudice pour les intérêts de l'Ouganda au Congo… Mais qu'en sais-je, moi qui ne suis rien du tout ! » L'élimination du mouvement de Wadiamba me sembla alors de plus en plus probable. Je haussai les épaules et décidai de m'occuper de ce qui me regardait comme on venait de me le demander, en souhaitant que ma petite analyse fût erronée. Malheureusement, elle ne l'était pas. Les choses se passeront telles que je les avais vues dans ma petite tête d'analphabète politique. Aujourd'hui encore, Wadiamba, là où il se terre, n'a plus que ses deux yeux pour pleurer son incompétence et son incroyable faiblesse en tant qu'homme, alors que ceux contre qui je les avais mis en garde ce matin-là sont au pouvoir. Et vive la pourriture du Congo ! De toute façon, Wadiamba et les siens n'auraient sans doute pas fait mieux …

En tout cas, les deux jours qui suivirent cet incident furent durs pour moi. J'étais chargée des achats de la nourriture et je devais chaque matin aller chercher l'argent auprès d'Andy Wadiamba. Il m'avait imposé de reporter dans un cahier d'écolier chaque petite chose achetée. Au lieu de dire par exemple que j'avais acheté des tomates fraîches à tel ou tel prix, il voulait savoir exactement le nombre de tomates, même les plus petites que nous achetions pour la salade. Il profitait de la moindre erreur pour me gronder, m'humilier en présence de mon amie Sofia. Celle-ci s'était mise à me répondre du bout des lèvres. C'était pénible. Je savais que cela venait de mon refus de donner à Andy ce qu'il voulait, mais comme naturellement j'ignorais ce qu'il avait pu raconter à mon amie, j'étouffais de frustration car je ne pouvais pas dire la vérité à Sofia par crainte des représailles de la part de monsieur le chargé de la sécurité. Cet homme était capable de me faire disparaître. Je l'avais vu faire torturer un de nos membres pour des accusations non fondées. Du jour au lendemain, d'ami débonnaire, Andy Wadiamba était devenu farouche chef-ennemi, me privant, du même coup, de la seule amie qui me restait au RCD-Kisangani. Avec mon chef direct, les choses étaient revenues à la normale, mais je ne pouvais pas lui confier ces soucis-là, non plus, car cela aurait mené à lui rapporter le harcèlement sexuel dont j'avais été l'objet dans l'avion. Je passai trois jours à tourner et retourner dans ma tête ce que je devais faire pour que la paix revînt entre ces deux amis et moi. La catastrophe finale se déclencha dans la nuit du troisième jour. Surprenante. Choquante même. Par une fugue d'Andy Wadiamba en pleine nuit.

Minuit trente. Je suis réveillée par des coups légers mais répétés sur ma porte. Je demande qui c'est, mais n'obtiens pas de réponse. Les coups reprennent. Je me lève et je vais regarder par la fenêtre jouxtant la porte. La tête d'Andy Wadiamba s'y encadre. Il fait clair dehors. L'ampoule devant ma porte me le montre qui me fait signe d'ouvrir. J'ouvre et c'est le premier choc. Andy Wadiamba est en caleçon. Un minuscule caleçon, porté à l'envers, et rien d'autre. Il se charge de fermer ma porte à double tour en me faisant comprendre le doigt sur la bouche qu'il ne faut pas faire de bruit.

« Qu'est-ce qui se passe Andy ? dis-je, il y a un danger ?

— Non. Pas de danger. Je ne pouvais pas dormir. Mon amour pour toi me tourmentait. J'ai vraiment envie de toi.

— Mais, voyons, Andy, tu es fou ou quoi ? Où est Sofia ?

— Je l'ai laissée au lit. Ne t'en fais pas, elle est profondément endormie.

— Andy tu as laissé ta « femme » au lit la nuit, toute seule dans une maison pas fermée ?

— Ne discute pas, tu perds du temps. Viens au lit, faisons vite avant qu'elle ne se réveille.

— Ce n'est pas possible, Andy, tu le sais bien, dis-je, entamant la stratégie qui avait marché avec Tom Luka.

— Non, j'en ai marre de me faire humilier par une petite fille. Déshabille-toi tout de suite ! »

Je me mets à trembler. Il est fâché. Il va être violent. C'est l'approche de lâche qu'utilise Sambuyi. Mes yeux sont remplis de larmes. Je vais être violée. Je le sais. C'est à ce moment qu'une voix de femme déchire la nuit comme un tonnerre :

« Andyyyyy ! Où es-tu ? Réponds-moi, Andy. J'en ai marre de tes enfantillages ! »

C'est la voix de Sofia.

« J'en ai marre, j'en ai maaaarrre ! J'en ai marre de vous tous, les hommes de ce mouvement, bandes d'animaux qui passez votre temps à aller de femme en femme au lieu de vous battre ! Réponds-moi, Andy Wadiamba. Je te trouverai, dussé-je faire du porte à porte. Sors pour que je te dise ce que je pense de toi ! »

Je demande à Andy de sortir et d'aller calmer sa copine. Honteux, Andy refuse. Il essaie de se cacher sous mon lit. Mais le lit est trop bas. Pendant ce temps, tout le monde est dehors, ameuté par les cris de Sofia. Ne voulant pas que les gens pensent ce qui ne s'est pas fait, je sors moi aussi.

« Sofia, dis-je. S'il te plaît, va sortir ton mari de ma chambre, et, s'il te plaît, rends-moi service, dis-lui de me laisser tranquille. Maintenant, j'espère que tu as compris ce qui se passe ici ! » Sofia va ouvrir la porte. Je la suis ainsi qu'un bon groupe des membres du mouvement, y compris mon chef Delpin. Andy est là, debout derrière mon lit du côté du mur, près de la fenêtre par laquelle il veut sauter pour fuir. Mais elle est trop petite. Andy, les bras ballants, n'essaie même pas de couvrir le devant de son slip toujours à l'envers. Il sourit bêtement. Mais dans ma petite tête de petite fille de rien du tout, je sais qu'il sourit pour ne pas pleurer. Le roi est nu.

« C'est avec ça que nous gagnerons ? fait Sofia. Je ne crois pas. Je ne crois pas du tout ! Allez viens. Allons tirer tout ça au clair chez toi. Ce n'est pas moi qui vais continuer à supporter de telles idioties ! »

Ils sont partis, l'un derrière l'autre. Tout le monde, sans dire un mot, est rentré se coucher. Dans les allées de l'hôtel Musafiri l'obscurité a repris le dessus. J'ai entendu Sofia crier toute la nuit. Andy la battait. Je peux imaginer ce qu'il disait en la battant : il lui expliquait sa « philosophie de la guerre ». Il lui disait qu'elle ne devait pas oublier le fait qu'il avait la sécurité en charge, que son travail mettait en lui un stress que son corps ensommeillé ne pouvait pas assouvir tout seul et que si elle ne voulait pas comprendre ce fait pourtant bien simple, il pouvait la faire disparaître pour de bon et personne ne pouvait la sauver. Je peux aussi imaginer la réponse de Sofia : elle lui a balancé son nouveau vocabulaire qu'elle a créé l'autre jour en parlant de l'idéologie de ce mouvement et qui m'avait fait tant rire. Oui, elle a sans doute répliqué : « c'est pas de la philosophie, ça ; c'est de la *philidiotie* ». Et, lui, il s'est enflammé davantage. Il l'a battue longtemps. Personne n'est allé intervenir. Elle pleurait encore quand je me suis endormie.

*

Sofia prit le bus très tôt ce matin-là. À ceux des membres du RCD qui la virent partir, elle refusa de dire où elle allait. Je priai alors, en entendant cela, que Dieu la protège. Je la cherche encore à ce jour. Personne n'a de ses nouvelles. Je continue à prier pour que la Providence permette à nos chemins de se recroiser un jour.

Toutefois ce départ de Sofia me rendit, moi, encore plus vulnérable. Andy laissa passer une semaine, sans m'ennuyer, sans me gronder. Il était même gentil avec moi, moins chicanier avec les achats que je faisais et, de temps en temps, soucieux de savoir comment j'allais. Tout changea au premier week-end qui suivit le départ de Sofia. Lorsque, à la fin du petit-déjeuner, je lui demandai l'argent pour le marché, il me dit sur un ton que je trouvai un peu trop sérieux, qu'il allait me l'apporter dans un instant. Il vint, en effet, quelques minutes plus tard. Il déposa l'argent sur la table et tourna le dos. Mais ce n'était pas, comme je l'avais cru, pour rentrer chez lui. C'était pour fermer ma porte à clé.

« Madame la Présidente est partie, tu sais ! fit-il. C'est un peu aussi par ta faute.

— Comment ça, par ma faute ?

– Écoute, petite, ce n'est plus nécessaire de jouer ce jeu avec moi. Tu m'as fait trop de mal comme ça. Maintenant, tu dois résoudre mon problème. »

En disant cela, il se déshabillait. Avec des gestes et l'attitude d'un homme qui va se battre. Dès qu'il fut complètement nu, il vint se planter devant moi et dit avec fermeté : « ton tour ! » Il a un tout petit pénis. Celui-ci était encore plus minable dans son préservatif qu'il remplissait mal et qui menaçait de tomber incessamment. Ainsi mal « habillé », son petit pénis contrastait drôlement et ridiculement avec l'air dur-à-cuir que se donnait mon violeur. Comme tous les hommes qui m'avaient déjà violée ou qui avaient essayé de me violer, son sexe était déjà solidement en érection avant même qu'il ne m'approche. Arrivé devant moi, il s'attaqua à mes vêtements. Je le laissai faire.

« Fais de moi ce que tu veux, petit frère du futur président du Congo. Futur président du Congo. Tu es le plus fort. Je suis complètement à toi. Je suis déjà morte en toi, en vous. Prends. Prends tout ce qui reste. S'il reste quelque chose. Prends ce qui t'appartient. Prends ce qui te revient de droit. Prends-moi. Je ne me défendrai pas. Cela n'en vaut pas la peine », me disais-je intérieurement.

Il me poussa sur le lit et me pénétra à sec, comme les autres avant lui. Il se mit à pomper en criant : « *Querida, querida*, quels petits seins doux et jeunes ! Quel petit corps svelte ! » Il ferma les yeux quelques deux minutes après en grognant comme un porc. Il me vint bien sûr l'inévitable envie de tuer. Mais je n'en fis rien. Je n'en ferais rien. Il se vida comme dans la toilette. Dans la capote ses spermes et en moi ses miasmes invisibles à l'œil physique. Il remit ses vêtements, un sourire narquois au coin des lèvres, l'air satisfait. « Voiiiilàààà ! » fit-il en finissant de s'habiller. « Je ne me trompais pas. Je te savais délicieuse, douce à croquer ! Je reviens ce soir, *querida*. N'oublie pas ça ! » Il sortit sans me regarder, comme si mes yeux larmoyants pouvaient lui jeter un mauvais sort. Il vint me violer encore pendant les deux nuits qui suivirent.

Entre-temps, je reçus une bonne nouvelle, une très bonne nouvelle : mon chef vint m'annoncer que le billet d'avion pour les États-Unis envoyé par ma sœur Mona venait d'arriver chez Ethiopian Airlines. J'étais si joyeuse que je faillis embrasser cet homme. Le seul de tout le mouvement qui n'ait jamais cherché à abuser de moi sexuellement. Je lui dis que je voulais voyager immédiatement. Mais il se posait un problème : il fallait prévoir de passer environ une semaine à Kampala. Le temps de trouver un visa américain – ce qui n'est jamais facile –, de confirmer le voyage, etc. Or je ne connaissais personne à Kampala, je n'avais pas un sou en poche. Comment survivre, même pendant trois jours, en faisant toutes ces courses, toute seule dans la grande métropole ougandaise ?

Mon chef, après avoir discuté avec Wadiamba au téléphone, m'appela chez lui pour me donner la solution : « Coco, tu as bien travaillé pour nous. Tu mérites ces vacances. Andy a accepté de t'accompagner. Il adore passer du temps à Kampala. Nous lui avons donné l'argent nécessaire pour qu'il t'aide dans tes courses. Il dormira à l'hôtel, mais toi, tu iras chez mon ami Rudolph. Quant à moi, personnellement, je n'ai pas d'argent, mais voici une petite enveloppe. Elle contient cent cinquante dollars en cash et en chèque. Voici aussi une lettre pour Rudolph. Elle l'informe que tu vas passer la nuit chez lui et je lui demande de te donner un peu d'argent que je rembourserai à mon prochain voyage sur Kampala. C'est pour les cas d'urgence. On ne sait jamais… Pour tes démarches Andy s'en occupera. »

Je connaissais Monsieur Rudolph. Un Allemand. Grand et roux, la soixantaine et des poussières. Il gérait l'Hôtel International du quartier Muyenga, dont j'ai déjà parlé. Il avait aussi un restaurant non loin de cet hôtel. Grand ami de mon chef, monsieur Rudolph insistait pour que Delpin habite chez lui chaque fois qu'il venait à Kampala. Mon chef et moi allions souvent à son restaurant où l'on nous servait comme des VIP. Je connaissais aussi sa maison car j'allais souvent y rendre visite à mon chef. Il n'était pas marié, mais vivait avec deux jeunes Congolaises, qu'il appelait simplement « mes belles ». Il les logeait gratuitement dans sa grande maison. Mais c'était facile de deviner, à partir de leur langage corporel mutuel, comment ces belles « payaient » au vieil homme ses largesses… En tout cas le fait d'être au courant de leur présence dans cette maison me donna un peu d'assurance du point de vue de ma sécurité. Le plan de mon chef était donc bon. Très bon même. Je le remerciai vivement. Mais dans ma petite tête de jeune fille de rien du tout, je savais que l'homme se rachetait. Il se sentait coupable de m'avoir humiliée en me grondant en public alors que j'essayais de protéger le mouvement. Coupable de ne m'avoir pas protégée même pendant les missions dangereuses comme celle de Djugu. Coupable de m'avoir offerte en esclave sexuelle à son chef et ami. Mais surtout coupable de m'avoir menti en disant qu'il n'avait pas d'argent pendant ces durs temps passés à Kisangani, où je le servais, moi, gratuitement, dans la plus abjecte pauvreté.

En effet, dès mon arrivée à Kampala, de mon enfer de la Forestière, j'étais allée le voir chez monsieur Rudolphe. Comme il me raccompagnait dans la rue, il me fit cette curieuse mise en garde : « Coco, je te préviens que tu entendras parler d'une histoire qui s'est déclenchée ici. Tu entendras les gens dire que dans ma fuite de l'hôtel Wagenia à Kisangani, j'ai perdu de l'argent. Il y en a même qui avanceront de gros chiffres imaginaires. N'en crois rien. J'ai perdu quelques dollars, c'est tout. »

J'apprendrais, effectivement, que mon boss avait perdu plus de trois cent mille dollars et que cela avait eu comme conséquence que les autres ministres n'avaient pas été payés pendant le premier mois passé à Kampala, après la fuite de Kisangani, et que ceux-ci l'avaient accusé d'avoir empoché l'argent en prétendant l'avoir perdu dans sa fuite précipitée. Mais moi, dans ma petite tête de jeune fille de rien du tout, je savais que Delpin gardait toujours l'argent de Wadiamba. Je savais aussi qu'il n'était pas un voleur et que, s'il disait avoir perdu l'argent, il l'avait réellement perdu – ce qui était d'ailleurs vraisemblable, vu les circonstances de cette fuite. Mais je savais aussi, moi, une petite de rien du tout, que mon chef me mettait en garde pour éviter la gêne ou même une éventuelle confrontation, subséquente à la découverte que j'allais inévitablement faire. La découverte qu'il m'avait, lui aussi, exploitée comme les autres. Tandis que je travaillais gratuitement pour lui à Kisangani, sans même un petit dollar pour me protéger pendant mes règles, il me disait qu'il n'avait rien alors qu'il gardait des milliers de dollars dans sa chambre.

C'était le passé et, de toute façon, ce que je venais de perdre dans ce marché des dupes entre mes ratés de chefs et l'Ouganda, était bien plus cher que tout l'or du monde. Je remerciai donc vivement mon chef Delpin et je quittai son bungalow, contente. Mon vol Bunia-Kampala partait le lendemain, le 1ᵉʳ avril 2000, très tôt le matin.

Dès notre arrivée à Kampala, je compris que je n'étais pas sortie de l'auberge. Andy Wadiamba loua un taxi qui nous amena directement à l'Hôtel International. Lorsque j'objectai que l'on m'avait déjà trouvé une place chez monsieur Rudolph, il répondit qu'il le savait, mais qu'il était plus facile pour lui de me nourrir et de m'aider à faire ces courses urgentes si nous étions au même endroit, et qu'il allait m'amener chez Rudolph dès que j'aurais reçu tous les documents nécessaires. Tout cela sembla logique jusqu'au moment de prendre nos chambres à l'hôtel. Je m'aperçus alors qu'il n'avait réservé qu'une seule chambre en nos deux noms comme Madame et Monsieur. Je ne pus retenir mes larmes devant la réceptionniste qui n'y comprenait rien. Mais Andy les ignora royalement. Il savait qu'il m'avait dans sa main. Il avait l'argent pour mes dépenses et ma nourriture, et il connaissait la ville et les contacts du RCD. On m'avait confiée à lui comme si j'étais un enfant de dix ans. J'ignorais jusqu'au montant de l'argent qui avait été débloqué pour mon compte. J'étouffais de colère en prenant l'ascenseur.

J'avais mon rendez-vous à l'ambassade des États-Unis dans l'après-midi. Vers douze heures, Andy fit monter dans la chambre de la nourriture que nous mangeâmes en silence. Dès après le repas, il me donna de l'argent pour le taxi et pour le visa. Ensuite il fit venir un agent de sécurité ougandais pour m'accompagner. J'obtins le très recherché visa américain en moins de quinze minutes. En sortant de là je me sentais comme une princesse. J'étais déjà en esprit avec ma famille, loin de toute cette misère. Dans le taxi qui nous amenait chez Ethiopian Airlines, j'ouvrais sans arrêt mon passeport pour admirer ce visa américain, pour me rassurer qu'il était toujours là, qu'il n'avait pas disparu. Et je souriais de toutes mes dents. Un sourire véritable que je n'avais pas eu depuis plus de dix ans !

Je le perdrais, ce sourire, une demi-heure après, à l'agence de Ethiopian Airlines. Des soucis m'y attendaient. Il y avait d'autres frais et d'autres complications avec le billet que ma sœur Mona avait acheté. Il me fallait venir avec trois cent dollars en supplément si je tenais à voyager le 3 avril. La prochaine possibilité venait deux semaines plus tard. Je cherchai une cabine téléphonique et appelai bi'Mona pour lui annoncer à la fois la bonne nouvelle et la mauvaise nouvelle. Je la priai de m'envoyer les trois cent dollars requis. Je n'avais nullement envie de demander cet argent à Andy, qui allait certainement me le faire payer en nature. J'étais décidée à l'obliger à m'amener chez Rudolph dès que j'aurais, bien en main, mon passeport avec visa et mon billet confirmé. Je sentais mes pas sur la porte de la liberté. J'allais quitter la médiocrité du RCD, j'allais tourner le dos aux gueux qui le constituaient. Je me répétais intérieurement que plus jamais Andy Wadiamba ne me violerait. Je ne voulais plus rien avoir affaire avec lui. C'est ainsi que j'avais décidé d'appeler ma sœur.

Dans les pays appauvris comme le Congo, on n'a pas toujours une idée juste de ce que vaut l'argent en devises étrangères dans leur pays d'origine, en particulier si l'on n'a jamais été à l'étranger. L'inflation était telle que, moi, Congolaise, je pensais que trois cents dollars, ce n'était rien pour quelqu'un comme ma sœur Mona qui vivait au pays du billet vert. Au Congo, c'était certes un montant difficile à avoir, mais il n'achetait pas grand-chose. Il m'a fallu vivre en Amérique non seulement pour comprendre la valeur du dollar, mais également pour sentir par moi-même la peine que le travailleur ordinaire prend à gagner son dollar. – Je parle des vrais bosseurs. Pas des *diaspourris* qui vont en Occident pour chercher l'argent facile dans des *chekula* – ou chèques sans provision – et des *Cops* - ou des « *deals* » louches – pour revenir faire des jaloux au pays.

Grand fut alors mon étonnement lorsque bi'Mona faillit perdre la tête suite à ma demande pour « quelques simples » trois cents dollars de plus. « Trois cents dollars ! Trois cents dollars pour un voyage qui a lieu dans deux jours! Où veux-tu que j'aille trouver un montant pareil ! » fit-elle en hurlant. Elle me demanda de rentrer auprès de Andy Wadiamba, qui avait un téléphone, pour qu'elle nous parle à tous les deux. À mon arrivée à l'hôtel, bi'Mona avait déjà appelé. Je trouvai un Andy Wadiamba tout furieux. Il m'accueillit en hurlant lui aussi.

« Pourquoi as-tu appelé ta sœur pour demander de l'argent ? Hein ! Sais-tu qu'elle vient de me gronder comme un enfant, en nous traitant tous d'« exploiteurs » parce que, dit-elle, nous sommes 'incapables d'ajouter trois cents dollars sur un billet d'avion de mille trois cents dollars' payé par elle ! Ne t'a-t-on pas dit que nous avions de l'argent pour tes démarches ? »

Comme je ne répondais pas, il se calma et dit qu'il se faisait tard, et que nous allions retirer ce billet le lendemain matin. En apprenant que j'avais mon visa, Andy se mit à sautiller en criant en anglais « *we did it ! we did it !* » Je lui demandai ce qu'il disait et il traduisit : « Nous avons réussi », tandis que la petite fille de rien du tout que j'étais regardait cet hypocrite en se demandant pourquoi il me prenait pour une bourrique. « Nous avons réussi » ? « Nous » ? Qu'avait-il à voir là-dedans sinon le vol et le viol ? Croyait-il un seul instant que je ne savais pas qu'il faussait les comptes à volonté et que je n'ignorais pas que beaucoup de l'argent qu'il allait prétendre avoir dépensé pour mon compte serait probablement envoyé à sa famille aux États-Unis, tandis que moi, je partais mains vides après avoir travaillé en esclave pour eux pendant deux ans ! Il devait me croire vraiment bête pour ne pas se douter que je savais qu'il sautait de joie en raison de l'occasion qui lui était offerte d'avoir toute une autre nuit pour me violer. Effectivement, je dus endurer une nuit blanche de viols répétés, ponctués de « compliments » pour mon « corps d'enfant » et des « assurances », pendant ses pauses, qu'il le faisait pour « fêter » mon visa américain.

Au matin, j'insistai pour qu'il m'amène tout d'abord chez Rudolph afin de déposer le petit sac qui contenait le peu de vêtements que j'avais. En réalité, c'était pour ne pas avoir à revenir dans cette chambre de malheurs. Rudolph m'accueillit chaleureusement, mais me dit qu'il n'avait pas d'argent. Il me donna seulement cent dollars. Cela m'ennuya beaucoup parce que j'avais déjà dépensé le peu d'argent donné par Delpin, dans les courses et dans les petits cadeaux pour ma sœur Mona et ses enfants. Il me restait encore à me faire tresser les cheveux, et j'étais décidée à ne pas demander d'argent à Andy Wadiamba, s'il ne m'en donnait pas de lui-même.

Tout se passa bien à l'agence. J'eus en sortant de là, le même sentiment que la veille, après le visa, à l'ambassade américaine. Je me sentais comme la Reine de Saba. Pour un moment, toute la saleté dont j'étais couverte avait disparu. Je me voyais, je me sentais déjà toute habillée de liberté. Je sentais mes jambes naturellement courtes se rallonger à l'infini et fouler le sol américain, alors que Kampala tenait encore les rênes de ma honte. Le compte à rebours avait commencé. « Dans quelques heures, je vais laisser cette honte qui me couvre pour ne plus jamais regarder derrière moi », me disais-je. C'est d'un pas léger que j'allai héler le taxi pour aller chez la coiffeuse.

*

Andy Wadiamba vint à temps me chercher chez la coiffeuse. Il m'informa que Rudolph lui avait dit au téléphone qu'il n'allait revenir chez lui qu'en fin d'après-midi. Je n'avais pas mangé de la journée. Andy me dit qu'il avait déjà fait monter le dîner dans sa chambre. J'hésitai un peu avant de monter mais je crevais de faim. Je me promis de descendre aussitôt le repas fini. À la fin du repas, ce que je craignais arriva. Tandis que je terminais mon dessert, Andy alla s'étaler sur le lit et ouvrit la fermeture éclair de son jean. « Viens dire au revoir à ton bébé », dit-il, avec ce sourire narquois que je détestais, tout en caressant de manière obscène son minuscule pénis en érection. L'image du « bébé » me dégoûta encore plus. Je me levai, allai reprendre mon sac avant de répondre :

« Non, Andy, je n'ai pas de bébé. Je dois m'en aller à présent. C'est fini. Tu ne vas plus jamais me faire ça. » Je me dirigeai calmement vers la porte agréablement surprise qu'il ne fît aucun effort pour m'en empêcher, lorsque je l'entendis m'interpeller en riant : « Eh ! Cooocoooh, regarde ! Tu ne croyais pas que tu allais me quitter comme cela, petite ingrate, après tout ce que j'ai fait pour toi ! » Il agitait gaiement mon passeport et mon billet d'avion. Il les avait subrepticement volés dans mon sac à main pendant que nous mangions. J'ouvris la bouche pour protester, mais avant que je ne prononce une parole, il prit son air menaçant que je connaissais bien :

« Bon écoute, fillette, tu vas faire plaisir à ton bébé et à Papa et puis on se sépare en beauté, ça va ? Moi, je ne veux pas d'histoires. Terminons tout ça en beauté et séparons-nous en amis. Demain je viens t'accompagner à l'aéroport, j'ai déjà arrangé pour que Rudolph nous y emmène. Tu vois ? Je m'occupe bien de toi, moi, et toi tu veux jouer aux méchantes avec moi ! Ingrate jusqu'à la fin, hein ! Tu n'es pas encore partie, tu sais ! … On est en terre étrangère, ici ! »

Je fus à nouveau prise de la même lassitude et du même découragement qu'au jour où il m'avait violée pour la première fois. Je laissai tomber mon sac, là même où je me trouvais, devant la porte. Je m'approchai de lui sans parler. Il m'observait, toujours étalé sur le dos, un peu décontenancé par ma réaction. Arrivée près du lit, je me mis très calmement à me déshabiller. Dès que je fus complètement nue, je m'allongeai sur le dos en le regardant dans les yeux.

« Voilà ! fit-il. C'est comme cela que se comporte une petite fille bien élevée. Merci *querida* ! Merci, mon bébé ! » Il poussa précipitamment son pantalon jean en pédalant des pieds, tout en me broyant les seins. Puis, s'étant rassuré qu'il avait bien ses genoux entre mes jambes, il enleva sa chemise et me viola brutalement en disant ses habituelles âneries jusqu'au moment où, les yeux fermés il se mit à se vider de ses saletés en moi. C'était le moment où je le dévisageais le mieux, car ayant diminué sa violence, il me faisait alors moins mal physiquement tandis que le mal psychologique me submergeait. Chaque fois que j'y pense aujourd'hui, je me dis qu'ils avaient de la chance lui, son frère et tous leurs pairs qui m'ont violée, qu'il n'y ait jamais eu de couteau à portée de ma main à ces moments-là, car, je ne suis pas sûre que j'aurais résisté à la tentation de trancher cette gorge idiote. C'est en me levant que le mal physique reprit. Je m'habillai lentement, toujours sans parler. Mais intérieurement je me posais tout un tas de questions : comment quelqu'un peut-il garder une érection pendant toute une discussion au cours de laquelle la femme lui signifie qu'elle ne l'aime pas, qu'elle ne veut pas de lui ? Comment peut-il continuer à jouir de rapports sexuels au cours desquels, les bras le long du corps, la femme n'a pas bougé un seul instant ? N'aurait-il pas mieux fait d'aller violer un cadavre ? Et mon petit cœur de petite fille de rien du tout me répondit en me demandant si je ne savais pas déjà que tous ces hommes-là étaient de vrais malades, semblables à ces autres drogués qui violaient indistinctement les femmes, adultes, vieilles et fillettes, sous le ciel assombri de l'Est du Congo. Ma petite tête moins intelligente que les sommités qu'étaient mes chefs qui, eux, avaient étudié dans le monde du Blanc, ma petite tête de petite fille de rien du tout me demanda si je ne savais pas déjà que ces seigneurs de guerre et leurs gangs se battaient tous pour aller, eux aussi, une fois à Kinshasa, violer la mère-patrie en compagnie des envahisseurs.

Dès que j'eus fini de m'habiller, j'allai ramasser mon passeport et mon billet d'avion qui traînaient à terre sous le lit. Je les mis dans mon sac et sortis, talonnée par Andy Wadiamba, qui n'arrêtait pas de parler depuis la fin du viol. Aujourd'hui encore je n'ai aucune idée de ce qu'il a dit ce soir-là. Je ne l'écoutais pas. Pour moi, il venait de mourir. Deux phrases remplissaient ma tête et mes oreilles : « C'est fini. Je rentre en famille. »

*

Nous trouvâmes Rudolph en train de finir son dîner avec les deux Congolaises. Ils nous invitèrent à table mais nous déclinâmes. Andy ne s'assit même pas. Il dit bonsoir et disparut. Je pus faire la connaissance des deux jeunes filles. L'une d'elles avait fait ses études supérieures en France. Elle était venue travailler dans une compagnie qui avait fait faillite et cherchait à retourner en France. L'autre était là depuis longtemps, à la recherche d'un visa pour l'étranger. N'importe quel pays étranger. Cela me désola quand même que leur désespoir fît le bonheur de ce vieux lézard qui, j'en étais persuadée, leur faisait faire des choses peu catholiques à toutes les deux.

Vers dix-neuf heures, les deux filles vinrent me souhaiter bon voyage. Elles s'étaient endimanchées. Elles me dirent qu'elles travaillaient de nuit en temps partiel dans une compagnie de la place. Tout d'un coup, j'eus peur de me retrouver seule avec Rudolph. Je lui demandai quand les deux filles allaient rentrer et il me répondit simplement qu'elles rentraient « tard ». Ce qui ne me plut pas du tout. Rudolph parlait à peine français. Et son anglais, même moi qui ne le parlais pas encore, je pouvais voir qu'il le bricolait.

Son salon était immense. Un gros canapé et des fauteuils de velours faisaient un demi-cercle en face d'une station contenant une grosse télévision et tout un tas de matériel audiovisuel. Au milieu trônait une table basse en verre clair, dont le pied unique au centre était constitué par trois énormes bouts d'ivoire pur et collés ensemble. Rudolph couvrit le canapé d'un édredon aux couleurs vives et m'expliqua à force de gestes que c'était là que Delpin passait la nuit lorsqu'il venait. Je compris que c'était là aussi que j'allais dormir. Il sortit une bouteille de Whiskey, m'en offrit mais je lui dis que je ne buvais pas. Il s'en servit et alla me chercher du jus de pomme. Je tombais de sommeil, mais par politesse, j'acceptai. C'était la première fois que je lui parlais. Souvent quand nous étions chez lui, mon chef Delpin et moi, les deux parlaient en anglais et moi, je restais silencieuse. Les échanges entre lui et moi s'étaient donc jusque-là limités à des salutations monosyllabiques. Il vint s'asseoir à côté de moi sur le canapé et me demanda de lui parler de ma famille aux

États-Unis. J'étais en train d'expliquer que ma famille était au Kivu et qu'aux États-Unis je n'avais qu'une sœur, lorsque je me rendis compte que le vieux lézard s'était serré tout contre moi et me caressait la cuisse.

J'avais tout au long de cette aventure tragique dans le RCD, maudit Dieu plusieurs fois. Mais cette nuit fut le seul moment où réellement j'eus envie de l'insulter. Quoi ! N'allait-Il donc jamais me protéger ? J'avais chanté pour Lui toute ma jeunesse. J'avais été rendue orpheline dès l'âge de cinq ans. Alors que je chantais Ses louanges, Il laissa Son pasteur me voler ma jeunesse. Cela ne Lui suffit pas pour me faire payer une dette que je semblais avoir contractée auprès de Lui, et dont j'ignorais jusqu'au montant exact. Il fallait encore qu'Il me jette d'abus en abus, de travail gratuit en travail gratuit, de viol en viol. Et, alors que finalement j'avais dans mon sac les clés de sortie de cet Enfer, non seulement Il me mettait trois jours durant entre les mains d'un violeur, mais voilà que, à la fin du dernier jour, Il me laissait seule dans une villa isolée, pour y être violée par un vieil Allemand, abuseur de femmes noires, moins d'une heure seulement après m'avoir laissé subir un autre viol ! « Mais il n'y a aucune raison pour que ça s'arrête ! », pensai-je.

À l'Hôtel International géré par ce vieux colon d'Allemand, Dieu avait placé Andy Wadiamba, et dans la villa, le vieux colon allemand, lui-même. Là-bas comme ici, des deux côtés de ce tunnel infernal créé pour moi, Il avait placé des hyènes. Un vrai traquenard. C'était ça la foutue vie qu'Il avait ingénieusement construite pour me torturer. « Mais tue-moi, donc, Dieu. Tue-moi tant que Tu y es, tue-moi, qu'attends-Tu donc ? »

Pendant que, les yeux, fermés, je « criais » silencieusement ces plaintes envers Dieu, complètement absente de mon corps physique, le vieux Rudolph s'était enhardi, croyant que je l'encourageais. Lorsque je revins à moi, je me rendis compte que sa main avait atteint mon entre-jambes. Je me mis debout brusquement et lui demandai pardon. En mauvais français il me fit comprendre qu'il devait absolument coucher avec moi. Il expliquait que « chez lui » serait désormais « chez moi », qu'il m'aurait donné plus d'argent le matin s'il en avait eu sur lui, qu'il allait m'emmener le lendemain à l'aéroport à cause de mes « *petites hyeux* très *joliz* » et de mes « *very belles petites* seins ».

Évidemment ma petite tête de femme noire qui n'est rien d'autre qu'une paire de fesses, cette petite tête-là savait traduire ce que disait ce vieil Allemand en mauvais français. En clair, il me demandait de payer pour les cent dollars du matin, pour le logement de cette nuit et pour le trajet de demain à l'aéroport dans sa voiture.

Tout en chantant mes beautés irrésistibles, le vieux salaud me saisit assez vigoureusement les épaules, me força à m'asseoir tout contre lui et se mit à me peloter les seins sous la chemise. Lorsque sa main revint entre mes jambes, je lui fis comprendre par gestes que j'étais blessée à cet endroit et que cela me faisait très mal. Je disais la vérité. Mes yeux pleins de larmes l'en convainquirent, car il n'insista plus. Il baissa son pantalon et sortit un petit pénis rouge, court et ridé, prit ma main et me fit comprendre ce qu'il voulait. Acculée, je me mis au travail tout en me demandant ce qu'il voulait au juste car cet organe-là était visiblement fatigué. Il avait du mal à répondre à mes frottements. Rudolph tenta de pousser ma tête vers ses cuisses pour une fellation, je résistai. Ce pénis était vraiment repoussant. S'en rendant compte, il devint méchant : il me prit la tête de ses deux mains et la rabattit vigoureusement sur le petit pénis rouge et fatigué. Je m'y mis en souhaitant mourir. Et, effectivement, il y eut un semblant de vie. Lorsqu'il atteignit une érection moyenne, Rudolph me fit comprendre qu'il fallait repasser aux frottements manuels. Les yeux fermés, il émettait des grognements lubriques et fort écœurants qui ressemblaient au jappement d'un chiot. Le travail fut long et pénible. Chaque fois que je m'arrêtais pour me reposer le bras, il le reprenait et le posait précipitamment sur son pénis. Au bout d'une demi-heure environ, il me serra les seins si fortement que je criai de douleur. Rudolph émit un long râle, me salissant les mains de son liquide immonde. « *Very good ! Very nice !* » fit-il. Il ramassa son pantalon et son sous-vêtement et, pressant le tout des deux mains sur son gros ventre ballonné, il se dirigea vers sa chambre sans cesser de sourire. Je regardai disparaître son derrière plat, aussi rouge, aussi fatigué et ridé que son petit pénis. Je me dis alors que les fesses de Dieu devaient ressembler à celles de Rudolph. J'entrai dans la salle de bains pour me rincer la bouche et prendre un bain chaud. Je mis plusieurs vêtements sur moi. Au cas où Rudolph reviendrait la nuit pour me violer. J'allai enfin me blottir sur le canapé, bien emmitouflée dans l'édredon. Je m'endormis aussitôt.

Le reste de la nuit fut tranquille. Nous devions partir pour l'aéroport très tôt. Je fus debout dès cinq heures du matin. Je pris un autre bain. Lorsque Rudolph se réveilla, j'étais prête pour le voyage. Je déclinai poliment le petit-déjeuner qu'il m'offrit. Nous partîmes de chez lui à six heures trente, via l'Hôtel International pour chercher Andy Wadiamba. Je poussai un gros soupir lorsque la voiture de Rudolph s'engagea sur la Kampala-Entebbe Road, l'autoroute menant à l'aéroport international d'Entebbe. Je me disais intérieurement : « Même ainsi enfermée pendant cent-vingt minutes environ dans la voiture avec mes deux violeurs, ceux-ci ne pouvaient plus rien contre moi... ». Mais tout au fond de moi subsistait un sentiment de crainte. La crainte qu'il arrive quelque chose : une panne de voiture, un accident, une grève à l'aéroport, etc. Jusqu'à notre arrivée, cette crainte suivit la voiture en planant comme un mauvais nuage au-dessus de la tête d'un dépressif.

*

Tout se passa bien. J'eus le cœur serré jusqu'au moment où je bouclai ma ceinture dans mon siège. Je pouvais voir Andy et Rudolph par le hublot. Je poussai un autre soupir. Plus profond. Soulagé. J'allais enfin être chez moi, entouré des gens qui m'aiment. J'allais enfin pouvoir me reposer…

III

Je crus que j'allais défaillir de joie lorsque le gros Boeing 737 d'Ethiopian Airlines décolla. Je regardais, émue, Kamplala disparaître sous les nuages. Kampala et tous ceux dont je ne voulais plus me souvenir.

"Do you want something to drink ?"

C'était une belle hôtesse de l'air, une Éthiopienne très classe, qui demandait si je voulais boire quelque chose. C'est alors seulement que je m'aperçus que nous volions depuis trois bons quarts d'heures et, pendant tout ce temps, moi, j'étais restée collée au hublot à converser avec les nuages !

La tentation me vint de répondre : « Oui, je voudrais boire de la Paix, s'il vous plaît. » Mais je m'abstins. Car, bien évidemment la gentille hôtesse m'aurait mal comprise. N'importe qui dans cet avion m'aurait mal comprise. Il aurait fallu avoir vécu ce que je laissais derrière les nuages de Kampala pour comprendre. De fait, je voulais réellement que l'on me servît de la Paix. Dans le plus gros verre trouvable chez Ethiopian Airlines. Pour être « réaliste », je me contentai d'un verre d'eau fraîche, que je bus à petites gorgées, en pensant aux beaux vieux jours où l'Ethiopie indomptable sauva la dignité nègre en refusant de se soumettre à la colonisation. De beaux vieux jours… car depuis, elle avait engendré ses Kazemi, ses Babarebe, ses Wadiamba et sa « jeune génération de dirigeants africains ». Cette pensée me surprit, moi-même. Une folle envie de rire me prit. Ma voisine était une Américaine. Blanche. Elle me regarda comme pour se rassurer que je n'étais pas cinglée. Je lui dis en kirega que je venais de me rendre compte que cette dure expérience avait fait de moi une militante. « *Excuse me !* » fit-elle, étonnée. « Ce n'est rien. Pardon », répondis-je en français. Elle haussa les épaules et se replongea dans le journal, *The Boston Globe*, qu'elle lisait. « Elle doit probablement se dire 'quelle malchance ! Je vais faire ce long voyage à côté d'une dingue' ! », pensai-je. La raison pour laquelle je lui avais parlé en kirega m'échappe jusqu'à présent. J'aime bien cette langue de mon village, mais je ne la parle presque jamais. En famille nous parlons essentiellement le swahili. « Intéressant, très intéressant ! » me dis-je par-devers moi. Je haussai les épaules à mon tour, inclinai mon siège et me laissai aller à la rêverie. Je laissai faire le sommeil que je sentais furtivement me voler la conscience. Libéré, mon subconscient prit ses propres ailes et me fit précéder l'avion au pays d'Abraham Lincoln.

∗

La décision de me suicider a commencé par mes pieds. Littéralement ! C'était le 14 mai 2006. La veille au soir déjà ma sœur Mona et moi, nous nous étions disputées parce qu'elle et son mari, Déo, m'avaient traitée de menteuse lorsque je leur avais dit que je ne pouvais pas les aider à garder les enfants, ni tresser ses cheveux à elle, parce que j'avais mal aux pieds. « Alors il ne fallait pas nous amener ici ton *kasura* renfrogné », me dit furieusement bi'Mona. Le mot swahili *sura* veut dire « visage ». En parlant de *kasura*, ma sœur voulait dire que j'avais un « tout petit visage », avec tout le mépris et toute la connotation négative que pouvait apporter le diminutif *ka*. Cette injure non seulement me rappela bi'Gemanie, l'autre sœur, dont j'ai déjà parlé, qui à Butare, au Rwanda, m'avait traitée de *katoto ka masikini*, « minuscule fillette de pauvres », « la minuscule *petite chose* de pauvres ». Nous étions toutes les enfants d'un homme polygame et irresponsable. Mais, étant donné que la mort de ce dernier nous avait rendus également orphelins de mères pour les raisons que j'ai déjà données, le principe avait toujours été que nous serions tous des sœurs et frères, qu'il n'y aurait pas parmi nous la notion de demi-sœurs ou demi-frères. Évidemment, en grandissant, chacun de nous finit par savoir qui était son frère ou sa sœur « même mère, même père ». De toute façon, comme nous avions grandi séparés, dispersés, ces affinités spéciales n'existaient pas. Cependant, je dus découvrir péniblement que, au moment des crises, les insultes et les traitements que je recevais de mes demi-sœurs rétablissaient l'ordre des choses entre nous. La part des choses se faisait alors entre « sœurs, même mère, même père » et « sœurs, même père, pas même mère ». Ces circonlocutions, créées pour exprimer les concepts de « demi-sœur, demi-frère ou cousin », qui n'existent pas chez nous, prouvaient-elles en réalité la fragilité de cette valeur de parenté élargie ? En tout cas les abus de mes « sœurs » semblaient constamment confirmer sinon cet état fragile, presque faux, du moins la gangrène d'une famille bâtie dès le départ sur un mal terrible : le manque d'amour.

Cette distanciation, ce clivage de parenté, fut irrémédiablement creusé par « l'insulte du *ka* », lancée sur mon visage par Gemanie et Mona, respectivement. Oui, je suis très petite. Mais je ne suis pas anormale. J'ai vu des familles chérissant leur enfant nain. J'en ai vu qui chérissaient leur enfant handicapé, physique ou mental. Je ne pense pas que ces familles-là créeraient des termes amoindrissant l'humanité de leur enfant, simplement parce qu'il est différent. Non, je ne suis pas handicapée, je suis jolie. Je suis petite, mais je me sens, je me sais belle. À part les salauds qui m'ont violée, j'ai souvent eu des avances des hommes qui me trouvaient belle. Or pour Mona et Gemanie, les deux personnes de toute la famille qui me servaient de modèles, losrqu'elles m'en voulaient, je n'étais plus Coco : j'étais *kaCoco* ; je n'avais pas de « *sura* » ou visage, comme tout le monde : j'avais une *kasura* ; je n'étais plus « *mtoto* » ou l'enfant, comme tout le monde : j'étais *katoto* ou, mieux, *katoto ka masikini* – littéralement, donc : « *petite chose sans parents* ». Devrais-je ajouter que même à vingt ans et plus j'étais encore *katoto* ? Et cela de la part des seules personnes que je plaçais au plus haut dans le monde. Cela comme reconnaissance du travail de « bonne, doublée d'au pair » que je leur avais fourni sans demander de salaire. Cela de la part des seules personnes auprès de qui j'espérais trouver refuge après avoir subi les viols répétés des pédophiles et criminels de guerre. C'était trop.

L'insulte *kasura* sortant de bi'Mona, me fut triplement dévastateur du point de vue psychologique. D'abord parce que, quelques jours seulement après mon arrivée, ayant invité toute la communauté congolaise pour un pot de l'amitié à l'occasion de ma venue, ma sœur déclara, devant tous les invités, après que le verre de vin lui eut monté à la tête, que, moi, Coco, j'étais la seule fille laide de toutes les filles de notre père. Ensuite parce que je leur ai consacré, à elle, à son mari et à leurs enfants, les deux premières années de ma vie en Amérique, en faisant les travaux que j'ai déjà décrits. Sans salaire. Et lorsque, deux ans après, je voulus continuer mon chemin de vie, je devins pour elle une *katoto kabaya*, « une mauvaise petite fille ». Connotation : « une mauvaise petite chose ». Finalement parce que, plus même que Gemanie, ma sœur Mona avait été jusque-là, de toutes mes sœurs, celle qui m'avait le plus inspirée. À mes yeux, elle avait été la perfection incarnée. Forte de caractère, intelligente, indépendante et, du moins à mon égard, la bonté même. Grande fut ma déception de la voir régentée, manipulée, freinée même, par un homme qui rêvait le soleil et la lune, concevait des projets monumentaux, mais n'accomplissait jamais rien, se comportait comme le villageois traditionnel que la femme doit servir, même quand c'est elle qui travaille tandis qu'il reste, lui, à la maison, plongé dans ses rêveries impossibles. Que celle qui avait été mon héroïne pendant toute mon enfance me livre ainsi au service de son « empereur » de mari et à ses enfants comme la bonne à tout faire pour rien me blessa irréparablement. Bien pire encore, elle disait à toute la communauté congolaise que j'étais une *katoto kabaya* pour avoir déménagé. Tout devenait alors clair pour moi : le couple m'avait aidée à sortir de mon Enfer de l'Est, surtout parce que, ayant fait des enfants de manière incontrôlée, ils étaient confrontés à la réalité américaine : un enfant aux États-Unis, ça coûte extrêmement cher. Une réalité bien différente des amis en Europe par exemple, qui se permettent de ne pas travailler pendant que le gouvernement du pays d'accueil prend en charge leurs multiples gosses.

Le rêve américain, ce n'est pas tout à fait ce que j'avais trouvé ma sœur en train de vivre. Elle se débattait entre deux emplois et quatre gosses, à peine soutenue par un mari peu entreprenant et manipulateur. Elle me fit pitié. Quoi qu'ils en disent, je sais que les deux ans que je leur ai consacrés les ont énormément aidés.

Même partie, et malade du VIH, j'avais continué à aller leur donner un coup de main quand je le pouvais. Souvent aussi j'allais chercher leurs enfants et faisais du baby sitting dans mon appartement. Mais il vint un moment où la douleur dans mes pieds fut tout simplement intolérable. La raison, dirent les médecins, était à trouver dans l'un des multiples médicaments que je prenais deux fois par jour. Je souffrais donc des effets secondaires d'un médicament. Mais lequel ? Les médicaments du SIDA changent d'un individu à l'autre, car nous réagissons différemment, selon notre organisme. Cela faisait longtemps que j'étais ainsi torturée, en attendant que les médecins finissent leurs tâtonnements thérapeutiques. Il leur fallait, en effet, procéder par élimination, en remplaçant méthodiquement les médicaments un à un. Malheureusement chaque nouveau médicament venait avec ses propres effets secondaires et devait s'harmoniser avec toute la panoplie de pilules que je prenais déjà.

Je travaillais comme vendeuse dans un grand magasin de vêtements. Juste l'emploi qu'il ne fallait pas, car on était debout un minimum de douze heures par jour. Ce matin-là, donc, le 14 mai 2006, je me réveillai à l'agonie : mes pieds refusaient de me porter. Mais il fallait tenir si je voulais garder mon appartement. J'endurai la torture pendant quatre heures, de huit à douze. Puis la souffrance devint insupportable. J'en parlai au patron qui me permit de rentrer chez moi.

*

Mon cerveau disjoncta à partir de ce moment. Aujourd'hui encore, avec le recul, je revois cette page de ma vie avec effroi.

Je sors du magasin, les pieds endoloris, en marchant comme si j'étais ivre. Je cherche pendant une dizaine de minutes ma voiture qui est pourtant bien devant moi. Quand finalement je la vois, j'ai du mal à mettre la clé dans le trou de la portière. Une fois dedans, je démarre le moteur mais je ne peux pas partir. Je pleure. Je mesure encore mieux en moi l'effondrement du fameux « American Dream ». Je suis payée à l'heure. Je viens de partir à midi, n'ayant donc fait que quatre heures au lieu de douze. J'ai déjà perdu par-ci par-là d'autres heures. Toujours à cause de ces maudits pieds. Je suis inscrite aux cours du soir à la Fac de commerce, à l'Université du Sud du New Hampshire. Il devient de plus en plus probable que non seulement je ne pourrai plus payer mon appartement, mais que je vais également devoir laisser tomber mes études. Sans salaire, je vais bien sûr perdre l'appartement. Où irai-je ? Il est hors de question de rentrer vivre avec bi'Mona et son mari. Les études m'ont déjà fait contracter une grosse dette sur mes cartes de crédit. Elles sont chargées au maximum. Un total de quinze mille dollars.

C'est donc ça la liberté que je chantais à bord de mon Ethiopian Airlines, quand je me disais, dans l'extase de la fuite, que j'allais enfin me reposer en famille ? En famille, je n'ai fait que continuer mon éternel travail de bonne et de mère des enfants des autres. Sans compter les abus de toutes sortes. Ici, comme avant, il n'y a pas eu de salaire, même pas de reconnaissance. Deux ans de service gratuit, ce n'était pas assez pour ma sœur. J'étais encore une *katoto kabaya*, à qui il ne restait plus qu'un *kasura*, « visage minuscule et moche », puisque les pieds m'avaient lâchée. Là, dans le magasin où je travaillais, tout le monde m'appelait Halle Berry. Je sais, bien évidemment, que je ne pourrais, même dans mes rêves les plus fous, prétendre avoir la beauté de l'actrice africaine-américaine, mais je me sais belle. Je ne suis pas la plus laide des filles de notre famille. Ma sœur n'aurait pas dit de moi en public une telle abomination, si je n'avais pas été aussi démunie matériellement ! Ils auraient dû me tuer, ces violeurs de la Forestière. Cette mort en sursis ! Ô cette vie arrêtée depuis Mapimo ! En finir. Mais oui, c'est ça ! En finir. On va l'aider à prendre fin, cette vie de merde ! Je sors mon mouchoir de poche. Je m'essuie les yeux. Je peux voir la route. Un peu. J'enclenche le levier de vitesse sur « drive » et la voiture se met à rouler …

Je n'ai aucune idée de comment je suis arrivée chez moi. J'allume l'ordinateur et j'écris. Je pianote comme une folle sur le clavier. J'écris sans arrêt. J'écris, je crie l'histoire de ma vie. Des pages et des pages se suivent, s'allongent presque sans mon contrôle. J'écris en franglais et en d'autres langues. Il y a des paragraphes entiers en swahili. J'écris comme ça vient. J'écris sans accents. Il y a certainement plein de fautes de français. Je m'en fous. La majorité des pages s'adresse à Celui que nous appelons Dieu. Je Lui répète ce que je Lui avais déjà dit oralement à Kampala. Je Lui rappelle les services que je Lui ai rendus, en chansons, en croisades, en chansons surtout. Tant de travail fait pour Lui simplement pour constater Son absence quand j'ai eu le plus besoin de Lui. Je me souviens qu'un jour, je L'ai même insulté chez Rudolph. Oui, je l'avoue, je L'ai maudit encore plusieurs fois à travers ces pages que je confiais à l'ordinateur. Je Lui ai dit que je ne comprends pas comment Il peut laisser des choses aussi horribles arriver aux bonnes gens. J'ai dit clairement que je me fichais des raisons qu'Il pouvait avancer, qu'Il devrait avoir honte de laisser des horreurs arriver aux enfants, à une orpheline, sans répit de neuf à vingt ans et plus, tandis que les bourreaux semblent continuer à jouir de leurs forfaits. Je n'ai pas non plus hésité à Lui dire qu'en tant que Dieu, Il devrait trouver au moins un meilleur mensonge que Sa vieille histoire de Jugement dernier qui soutient que la Justice n'est pas de ce monde et que l'enfant abusé devrait attendre d'arriver au Ciel pour avoir la sécurité et la vie heureuse. Je Lui ai dit d'arrêter de telles farces. J'ai même menacé que s'Il était incapable de protéger Ses propres créatures contre Ses propres créatures – ce qui, ai-je ajouté, était d'ailleurs une contradiction qui remettait en question Son Être même –, eh bien nous allions chercher quelqu'un d'autre pour prendre la relève. Je Lui ai rappelé que j'avais lu, je ne savais plus où, qu'Il n'éprouvait jamais quelqu'un au-dessus de ses forces. « Qu'est-ce que je suis en train de vivre alors ? N'ai-je pas été abusée au-delà, bien au-delà de mes forces ? La preuve c'est que je n'en peux plus. Je n'en peux vraiment plus. Je vais mettre fin au calvaire. Je n'attendrai pas Ton Mont Calvaire que Tu sembles repousser par un évident cynisme. Moi, je dépose ici Ta croix. J'arrête tout et tant pis si Tu n'es pas content ! » J'ai dit beaucoup de choses. Beaucoup. Je m'arrête ici. Mes doigts me font mal.

Et il est vingt heures. Depuis quand suis-je sur ce clavier d'ordinateur ? Mes pieds. Ils recommencent à me faire mal. Je les avais oubliés, ces deux-là. Il me faut prendre mes médicaments. Je n'ai pas faim, mais il faut, selon les médecins, toujours avoir quelque chose dans l'estomac avant de les prendre.

Je mange vite la moitié d'un sandwich qui trainaît dans le frigo, puis je reviens. Je sors les médicaments en suivant mon rituel habituel : flacon par flacon, un comprimé à la fois. Comme à chaque fois que je les sors pour les prendre, leur trop grand nombre m'estomaque. Il m'estomaque même plus aujourd'hui. Dès que j'ai pris la dose normale, j'étale devant moi tous les flacons. Je ne les avais jamais regardés de si près. J'en fais un inventaire d'experte.

> *Prednisone* : 20 mg pour mes maudits pieds – *Hydroxychloroquine* : 200 mg , encore pour mes fichus pieds – *Zoloft* : 100 mg, pour la dépression – *Lorazepam* : 1mg, pour l'insomnie – *Genasyme* (*Simethicone* = laxatif) : 80 mg, pour les problèmes de constipation causés par les effets secondaires d'autres médicaments – *Epivir* (Lamivudine) : 300 mg, contre le virus du SIDA (VIH) – *Viread* (Tenofovir disoproxil fumarate) : 300 mg, aussi pour le VIH – *Norvir* : 100 mg, également pour le VIH – *Reyataz* : 150 mg, encore pour le VIH, deux comprimés par jour pour faire une dose complète de 300 mg par jour – *Ferrous Sulfate*: 325 mg, pour un supplément en fer. Deux fois par jour – *Advil* : pour les maux de tête. Il y en a une bonne dizaine d'autres pour un tas de petits soucis. La plupart pour neutraliser les effets secondaires de tel au tel autre médicament. Je les ai ignorés ce soir.

Je fais vite un calcul mental. Merde ! Je n'ai jamais ingurgité autant de médicaments de ma vie. Le plus horrible, c'est qu'il faut prendre tout ça pour le reste de ma vie, avec ces pieds qui me tuent ! Demain ce seront peut-être les doigts ? La langue ? Les yeux ? C'est drôle, les effets secondaires des médicaments. La bouche boit, les pieds en souffrent. Les pieds ! Même pas le cou ou le ventre ! Et dire que l'une de ces maudites pilules en est responsable ! Et dire qu'un jour – je ne serai sans doute plus de ce monde – quelqu'un trouvera la cure magique, un seul comprimé à prendre pour guérir ! Ou un vaccin ! Ces soldats ougandais qui me violaient en m'insultant et qui savaient ce qu'ils faisaient, c'est donc ça qu'ils voulaient ? C'est donc ça qu'ils escomptent, leurs collègues du Rwanda qui en ce moment même font le même travail du côté de Goma et de Bukavu ? Ô Ciel ! Chaque fois que j'ai à avaler ces multiples pilules, je pense à ces violeurs. Je sens ces violeurs prenant plaisir à ensemencer la mort en moi. Je les vois ensemençant la mort dans d'autres femmes qui plus tard continueront pour eux le travail d'extermination. Non, j'en ai marre. J'en ai vraiment marre. Qu'ai-je fait pour mériter tout ça ? En fait, pourquoi ai-je pris ma dose normale ce soir, alors qu'il est question d'en finir ? Aurais-je peur du dernier saut ? Bon ! Les prendre toutes en même temps, oui ! Avaler toutes ces fichues pilules en même temps ! La meilleure solution pour en finir vite ! C'est ça. Je vais les prendre toutes en même temps. C'est bien ça ! Oui. Merde, pourquoi n'y avais-je pas pensé plus tôt ! Eh oui ! Mieux vaut tard que jamais. En finir. Me débarrasser de cette maudite vie de merde, mourir avec cette saloperie de virus...

Me laver d'abord. Ensuite, m'habiller comme au jour de mon arrivée dans ce pays...

C'est parfait. Écrire une note de suicide ? Non. Les cinquante et quelques pages que j'ai pondues cet après-midi suffiront. Enfin... si quelqu'un se donne la peine de savoir ce que pensait la petite Coco. Bon ! Sortir à nouveau la boîte de médicaments.

« Coco, tu dois appeler ta sœur. On ne part pas comme ça ! Tu ne dois pas partir comme ça. Appelle-la tout de suite ! »

Je ne sais pas qui a parlé. Une voix de femme. Très forte. Très autoritaire et douce tout à la fois. Je ne la reconnais pas. Je ne l'ai jamais entendue de ma vie. Pourtant elle me semble si proche... Si... familière. J'ai pris le téléphone. Mécaniquement. Je me rappelle composant le numéro de bi'Mona. Mais je n'ai aucune idée de ce que j'ai dit. J'ai parlé un bon bout de temps. Mais j'ignore ce que j'ai dit. Peut-être est-ce elle qui parlait et moi j'écoutais ? Je raccroche et me donne une demi-heure. Le temps qu'il lui faut pour aller de chez elle à chez moi en voiture. Tant pis si elle n'est pas là dans trente minutes. Je laisserai l'ordinateur allumé…

*

Ma sœur vint vite. Non par sourci pour mon état de santé, pour ma vie. Non. Elle vint pour me gronder. Elle s'était déjà fait son idée de la situation. Pour elle, Coco cherchait à attirer son attention. Coco jouait aux capricieuses. Cela sentait le cynisme de son mari qui est un *je-sais-tout*. Il avait déjà cerné et mis dans la tête de bi'Mona le profil psychologique de sa *katoto kabaya* de sœur.

Elle se mit à tonner en swahili dès qu'elle entra : *Utaniambia yote leo !*

« Tu vas tout me dire aujourd'hui. Je ne pars pas d'ici sans que tu m'aies dit qui t'a filé le SIDA. Tu vas tout me dire cette nuit. Tu m'entends ? »

Elle ne se doutait sans doute pas, combien ses questions retournaient le fer dans la plaie. C'était l'approche qui était mauvaise. Je n'avais pas trouvé, chez elle, la paix dont j'avais tant besoin et la famille que j'avais tant espérée, et maintenant son manque d'empathie et sa condescendance repoussaient dans mon ventre la corbeille de démons dont l'accouchement exorcisant aurait nécessité l'accolade de bras amis. Des bras ouverts, des bras intelligents et désintéressés, qui ne jugent pas.

« Ne me pose pas de questions, bi'Mona, dis-je. Je veux simplement que tu restes avec moi. Je veux que tu m'empêches de faire une bêtise.

– Tu dois prendre la responsabilité de ta vie, rétorqua-t-elle. Tu ne peux pas rester là à te morfondre dans tes soucis, au lieu d'agir en commençant par faire face à la vérité : Qui t'a contaminée ? Quand ? Dis-moi tout, c'est tout ce que je demande cette nuit. Tu m'entends ? »

Je n'écoutais plus ma sœur, je pensais au vide qui m'entourait. Personne à qui me confier. Personne sur qui compter. Je m'apercevais que je vivais abandonnée depuis l'âge de neuf ans. Depuis l'heure où l'on m'avait séparée de Zaza. Abandonnée par mes sœurs pour qui je n'étais bonne que comme servante. Abandonnée par les hommes du RCD, qui ne trouvaient en moi qu'une « fillette innocente et délicieuse » sachant manier l'ordinateur, mais qu'ils oubliaient dès que leurs têtes pleines devaient s'occuper des « choses plus importantes ». Abandonnée par le monde plus disposé à écouter les mensonges des gouvernements rwandais et ougandais, tandis que moi je me faisais violer par des centaines de soldats. Abandonnée par Dieu, Lui-même, qui s'arrangeait pour aller se promener aux moments cruciaux où je L'appelais à mon secours. Le vide. Le grand vide créé autour de moi par la communauté congolaise de Manchester, dans le New Hampshire, par crainte que je les contamine eux-mêmes ou leurs enfants, en les touchant ou, pire en mangeant chez eux avec leurs assiettes et leurs couverts.

La demande de ma sœur devint une rengaine. « *Coco unanisikia ? Uniambie yote* », « Tu m'entends, Coco ? Dis-moi tout. »

Je répondis encore en la suppliant à nouveau de rester avec moi cette nuit. La réponse qu'elle me donna alors fut des plus surprenantes : « Je ne peux pas passer la nuit hors du foyer conjugal. Demain matin, la baby sitter viendra tôt dans la matinée, je ne veux pas qu'elle pense qu'il y a un problème entre mon mari et moi, et que je me suis mise à découcher. » Et voilà. Rien de neuf. C'était la énième fois que le couple Mona et Déo me donnait la preuve qu'ils me prenaient pour une idiote. « Ne pouvait-elle pas au moins trouver un prétexte moins tordu ? » pensais-je.

« Oh oui ! Vas-y, dis-je. C'est important de bien soigner l'image de son mariage », ajoutai-je, sarcastique. Elle s'en alla, en me promettant de m'appeler le lendemain. Je la regardai partir en me disant : « Da'Zaza et da'Tina sont mes seules vraies sœurs. Je viens d'en avoir l'assurance aujourd'hui. Jamais elles ne m'auraient laissée seule en ce moment », murmurai-je sous mes sanglots. « Et toi, la Voix, toi qui venais de je ne sais où pour arrêter un processus qui était bien en cours, tu vois ce que tu as fait ? Tu as introduit une fausse note dans mon requiem. Tu m'as forcée à repenser l'acte. Hors d'ici, s'il te plaît ; tu as causé assez de problèmes déjà. La petite Coco doit s'en aller ! »

Il était minuit quarante. J'allai à la cuisine chercher un grand verre d'eau, et revins m'agenouiller devant mon cocktail de médicaments. Puis, pour une raison que j'ignorais, j'eus envie de demander pardon à Dieu. – La station à genoux peut en avoir été l'élément déclencheur.

« Mon Dieu, je Te demande pardon de T'avoir *maudite* tout à l'heure. Je regrette aussi mon insulte chez Rudolph. Je n'aurais pas dû. Je vais venir Te voir cette nuit. Je reconnais que je ne vois pas tout le plan de ma vie. Si je mérite cette croix que j'ai dû porter dès ma naissance, soit. Mais je me permets de dire que je vais finir ce que j'ai commencé ce soir. Je plaiderai coupable à mon arrivée. Je me permets également de Te prévenir que Toi et moi, nous aurons toutes les deux des explications à nous donner tout à l'heure. Mais, pardonne-moi de T'avoir *maudite*. Tu sais que j'étais hors de moi lorsque j'ai dit toutes ces hérésies. C'est exprès que je me permets de m'adresser à Toi maintenant comme si Tu étais une femme. Pardonne-moi au cas où Tu serais un homme. Je Te prierais alors de prendre ce féminin comme mon ultime et plus profond souhait. Je promets de ne plus blasphémer. Cette nuit, si Tu veux bien le permettre, je vais enfin voir ma mère… Ô Toi, Dieu Toute Puissante ! Merci d'avance de bien vouloir dès à présent aplanir pour moi le sentier qui mène à Toi. Je Te vois déjà d'ici : Belle des belles… Beauté Suprême… Ô comme il va me tarder de finalement comprendre ! De finalement voir justice faite ! J'arrive, Belle des belles. J'arrive cette nuit. Au bout du temps. Au bout de l'espace. Au début de l'infini et de l'instantané. J'arrive ce… »

*

La sonnerie bruyante de la porte de mon appartement me fit sursauter. Je me réveillai en me demandant si j'étais dans l'au-delà, mais constatai avec une grande déception que j'étais toujours de ce maudit monde. Je m'étais endormie là, par terre. Devant mon cocktail de médicaments. Le verre d'eau, dont je devais me servir, s'était renversé et avait mouillé mes vêtements. La Voix raisonnait encore dans mes oreilles : « … On ne part pas comme ça… Tu ne dois pas partir… » J'ai raté mon suicide à cause d'elle. En me poussant hier soir dans l'altercation avec ma sœur, Elle m'a fait repousser le passage à l'acte. Puis, tandis que je mettais de l'ordre dans mes affaires avec Dieu, le somnifère a agi. Le puissant miligramme de *Lorazepam* que j'avais préalablement pris dans ma dose quotidienne normale. La fois prochaine, *Lorazepam* fera encore partie du cocktail. Seulement en quantité si grande que j'arriverai dans l'au-delà à moitié endormie.

Mona est entrée. Elle est plus gentille qu'hier soir. Mais elle a gardé son attitude condescendante : « Tu dois me donner le numéro de téléphone de ton psy. Nous sommes obligées de l'informer de ce qui s'est passé ici hier. » Je lui dis qu'il ne s'est rien passé hier. Elle insiste que « si ». Je lui réponds par un sourire. En ce qui me concerne, elle et moi, on n'a plus rien à se dire. Je lui donne sans hésiter ce qu'elle veut, consciente du fait que cela ne change absolument rien. Je sais que la prochaine fois je ne vais pas rater mon coup. Avec une totale indifférence, je regarde Mona appeler mon psy et parler de moi. Je me sens tout à fait éloignée, tout à fait détachée de tout cela. Pour le moment, je ne demande qu'à dormir. Car j'ai mal dormi là sur le parquet humide. J'ai froid et j'ai le corps courbaturé.

La sonnette d'alarme de Mona a provoqué dans ma vie un branle-bas que je ne souhaitais pas. Une ambulance est venue me chercher pour m'emmener à l'hôpital, où j'ai dû subir tout un tas d'examens médicaux. Ensuite on m'a enfermée à l'unité des suicidaires, au pavillon de psychiatrie, où l'on m'a mise en garde à vue pendant trois jours. Ils ont diagnostiqué que je souffre de « désordre psychotique post-traumatique ». Ils ont certainement raison. Ce que j'ai enduré dans la guerre d'invasion de chez moi m'a certainement détruite pour de bon, je le sais. Ma modeste opinion reste cependant que, logiquement, une machine cassée irréparablement a sa place ou dans la poubelle, ou dans la corbeille de recyclage. Je suis plus que jamais déterminée à me « recycler » par un suicide plus sûr, dès que toute l'attention que Mona a attirée sur moi aura baissé d'intensité.

*

Les surveillants des suicidaires à l'hôpital psychiatrique connaissent leur travail. À ma sortie, trois jours plus tard, j'avais complètement changé d'avis : je n'allais plus me suicider. Longtemps, j'ai pensé et repensé à la Voix qui était venue me parler pendant cette nuit de grande solitude. J'en suis arrivée à la conclusion que cette Voix était la même qui, quatre ans auparavant, était venue, sous les traits d'une policière américaine, m'empêcher de me jeter dans la rivière Merrimack.

Avec cette révélation est venue une autre épiphanie : je me suis soudain souvenue du message qu'un jour à Kisangani j'avais donné à l'enfant-soldat ougandais mourant dans mes bras : « *Tu diras à ma mère que je me bats, et que je me battrai pour moi et pour elle ; que je me battrai pour toutes les femmes. Tu le diras à ma mère textuellement.* »

Le *kadogo*, le petit Kitu avait-il transmis le message ? Est-ce possible ? Je n'en sais rien. Tout ce que je sais, c'est que par deux fois je fus sur le point de faillir à cette promesse et, par deux fois, celle que je crois être ma mère est venue personnellement me la rappeler.

Non. Je n'attenterai plus à ma vie. J'ai compris l'erreur de vouloir faire de moi-même une « sacrifiable ». J'ai trop connu la souffrance et la dévaluation de l'être humain pour partir de ce monde à si bon marché. Beaucoup de bonnes personnes m'ont aidée à arriver à cette compréhension.

Ici en Amérique, je me suis fait quelques vraies amies. Mais il y a particulièrement Madame Kathy Allden, ma première psy. Elle a dû se décharger de ses fonctions de psy auprès de moi pour m'adopter. Oui ! Cette brave dame m'a surprise un jour au bout de la session de thérapie en m'annonçant qu'elle ne pouvait plus être ma psy.

Comme je me lamentais en lui disant mon attachement pour elle, elle m'a expliqué que c'était exactement la raison qui l'avait poussée à cette décision car, m'a-t-elle dit, « l'attachement est mutuel. Je voulais te demander si tu veux bien que je devienne ta mère adoptive ». Je me souviens que je me suis jetée dans ses bras en pleurant comme un bébé. J'étais adoptée ! J'avais finalement une mère ! Mama Allden m'a trouvé un autre bon « *shrink* », le terme populaire ici pour psy. Depuis ce jour-là, cette dame a réellement changé ma vie. Si je mourais aujourd'hui, je m'en irais heureuse d'avoir enfin goûté au bonheur d'avoir l'affection désintéressée d'une grande âme.

En Afrique, j'ai bi'Zaza et et bi'Tina. Mais, les pauvres, elles ont été, elles-mêmes, tellement chicottées par la vie que, lorsque j'appelle – faute d'argent, elles sont dans l'incapacité de m'appeler – nous nous parlons comme des malades qui se consolent les unes les autres. Il y a aussi Madame Jua, une espèce d'illuminée que je connais depuis le temps de mon séjour à Goma en 1998. Comme son nom swahili « Jua », qui veut dire à la fois « soleil » et « savoir », cette dame aurait, dit-on à Goma, des pouvoirs de guérison spectaculaires qu'elle puiserait, paraît-il, tout droit dans la Bible. J'avoue que je n'ai pas hésité à recourir à elle lorsque j'ai constaté que les médicaments me créaient tant de problèmes. Elle m'a, en effet, longtemps soutenue moralement avec des méditations matinales quotidiennes. Cependant j'ai dû dernièrement réduire celles-ci au minimun. D'abord parce qu'elle s'y abîmait tellement qu'elle oubliait pratiquement que j'écoutais à des milliers des kilomètres. Ce qui commençait à sérieusement consommer le strict budget qui me nourrit ici, en frais de téléphone. La seconde raison pour laquelle j'ai dû réduire ces méditations est plus sérieuse encore : Madame Jua croit passionnément que la science et la religion ne peuvent pas se combiner. Elle me dit sans cesse que si j'ai la foi, je dois arrêter de prendre mes médicaments pour permettre à ses prières d'agir. Les effets traînent, dit-elle, parce que mon « manque de foi » fait obstacle. Un autre pasteur m'a déjà fait ce coup. J'ai failli y laisser la vie.

J'ai beaucoup d'affection pour toutes ces amies qui ne m'ont pas lâchée, ou qui m'ont tendu les bras au moment où tous les autres m'avaient tourné le dos. Mais la personne qui m'a le plus profondément touchée, c'est ma nièce Vita Ushindi, la fille de Léonie. Celle dont j'ai dû littéralement écouter les ébats de procréation dans l'enfer de Ndosho, et qui est allée naître à Goma, dans la petite maison que j'ai pu louer. Vita Ushindi a presque douze ans aujourd'hui. Exactement l'âge de ma vie tragique au moment de mon implication dans la guerre rwando-ougandaise au Congo. Vita Ushindi. Ma sœur ne coyait pas si bien faire en nommant ainsi cette fille. Ces deux mots swahili signifient respectivement « guerre » et « victoire ». « Fille de la guerre », elle l'est pour sûr. « Victoire » devrait être son destin. Un destin auquel nous nous devons tous d'aider. À cette tâche cruciale, je n'ai pas, pour ma part, le droit de faillir. Cette petite est mon inspiration. Elle m'a écrit dans les semaines qui ont suivi ma tentative de suicide. Son français vacillait encore, mais il tenait sur ses pieds. Dans l'état moribond où l'on a laissé l'éducation au Congo, c'était plutôt encourageant. En tout cas, elle a tenu à m'écrire en français pour prouver ses ambitions d'aller loin avec ses études. Même ses questions accusaient indéniablement une maturité précoce. Elle me demandait ce que c'était que le SIDA. Elle aurait appris aussi que j'ai failli mourir encore à cause d'une « histoire de baisse de cellules », elle voulait savoir si j'avais fait baisser celles-ci exprès pour mourir. Elle me disait enfin qu'elle savait que ma mère me manquait beaucoup, mais qu'elle avait appris en classe que notre Mère la plus immortelle, c'était l'Afrique. Aussi me demandait-elle de revenir à cette « Mère », un jour, avec « plein de cadeaux d'*Ulaya* », l'Occident. La lettre que je lui ai envoyée, et que bi'Mona qui voyageait devait lui remettre en mains propres, m'a pris deux semaines à écrire. Tellement il me fallait y mettre tout le soin nécessaire.

*

Ma très chère nièce et petite sœur Vita Ushindi,

Merci bien de te soucier de la santé de ta grande « sœur » qui t'aime infiniment. Je commencerai en te félicitant d'avoir survécu aux difficultés et dangers de la vie sous l'occupation et aux crimes de toutes sortes face auxquels tu es obligée de jouer à cache-cache tous les jours. Tu es une dure à cuire. Merci aussi pour tes questions pertinentes. Je vais à présent essayer d'y répondre avec soin.

Pour ta question concernant ce que c'est que le SIDA et comment il attaque le corps, il convient que je te raconte une parabole. J'espère qu'après avoir lu cette petite histoire que j'ai créée pour toi, tu comprendras mieux cette maladie.

Il était une fois un pays appelé Mwili. Il avait comme voisin un pays appelé Sida, gouverné par un jeune roi qui portait le nom de Tesa et qui s'était érigé en implacable ennemi de Mwili. Safi, la reine de Mwili, était honnête et femme de parole. Pendant longtemps, elle respecta de son côté le contrat de Paix et de respect mutuel signé par son grand-père et le grand-oncle de Tesa qui avait autrefois régné sur Sida. Mais le jeune roi était sans valeurs morales et complètement dénué de scrupules. Son envie des richesses de Mwili était sans mesure. Aussi décida-t-il un jour d'envahir Mwili avec l'aide de ses mercenaires appelés VIH. La reine Safi avait une armée organisée, constituée de vaillants et fidèle soldats appelés CD4. C'étaient des soldats d'une très haute intégrité. Ils ne volaient pas, ils ne désobéissaient pas et ils ne violaient absolument pas. Ils avaient prêté le serment de protéger la reine et le royaume de Mwili au prix de leur vie.

Les VIH de Sida, en revanche, étaient bien connus pour leur cruauté, leur tendance à massacrer les innocents, et leurs tactiques de guerre diaboliques. Celles-ci consistaient, entre autres, à dévorer les CD4 et à se multiplier exponentiellement comme conséquence de ce cannibalisme. Ils pénétrèrent dans Mwili en si grand nombre que, en peu de temps, ils étaient partout : sur ses routes, sur ses rivières et sur ses rives. La bataille fut sans quartier. Plus les CD4 étaient dévorés, plus intrépides au combat étaient ceux qui restaient. Ils résistèrent pendant deux bons mois. Malheureusement les vilains VIH devinrent de plus en plus nombreux tandis que le nombre des CD4, au contraire, s'amenuisait considérablement. Hélas, inondé par ces maudits envahisseurs, Mwili tomba et fut déclaré territoire conquis. La reine Safi fut faite prisonnière et Mwili devint de force la propriété du roi Tesa. C'est dire que le roi du Sida régnait désormais sur Mwili, sur sa reine et sur son peuple. En d'autres termes, Mwili était dès lors sous l'occupation des envahisseurs. Ceux-ci n'ont pas tué la reine ou formellement colonisé Mwili. Non ! Ils n'opèrent pas ainsi. Leur procédé consiste à créer un chaos incontrôlable dans le pays occupé afin de rendre celui-ci aussi désorganisé que possible pour qu'eux-mêmes et tout autre pilleur, par leur truchement, soient capables de s'y servir à loisir. Comme tu peux bien l'imaginer, les pilleurs sont venus de toutes parts. Même à l'intérieur de Mwili, les petits pickpockets, que la police mwilienne habituellement maîtrisait facilement, tout d'un coup devinrent formidables en face de son état de faiblesse et de vulnérabilité. Voilà comment le roi du Sida a détruit Mwili, un beau pays où la richesse coulait à flot et où les gens vivaient en paix et heureux.

En réponse à ta question pour savoir si j'ai intentionnellement baissé le volume de mes CD4, ma réponse est oui et non. En fait, je n'ai jamais eu envie de voir mes CD4 diminuer. Je ne suis pas stupide. Mais ceci est arrivé à cause de notre prophète Raha, qui vit ici en ce moment et m'a demandé d'arrêter de prendre mes médicaments. Demande à ta mère. Elle te parlera du prophète Raha. Nous priions dans sa maison quand j'étais encore à Goma – tu avais environ trois mois. M. Raha est parvenu à me convaincre que les prières sont incompatibles avec les produits pharmaceutiques, parce qu'une telle combinaison témoignerait de la part d'un chrétien d'un manque de foi en Dieu et dans les prières. Je l'ai écouté, et, oui, là j'ai été sotte. Cette stupidité a, en fait, failli me coûter la vie. J'en étais si honteuse que je n'ai pas osé dire la vérité à mes pauvres médecins qui avaient du mal à s'expliquer une telle baisse du nombre de mes CD4. Cela m'a terriblement ennuyée ; d'une part parce que je déteste mentir et, d'autre part, parce que j'ai déjà trop souffert pour rester calme devant le désespoir de mes docteurs qui allaient et venaient en s'exclamant « Ceci est impossible ! Ceci est impossible ! » alors que moi, j'avais la clé du mystère. J'ai déjà dit au pasteur Raha de ne plus m'appeler.

Comme c'est gentil à toi d'offrir de partager ta mère avec moi ! Merci, ma chérie. Mais à présent j'ai ma propre mère ici. Dis à ta maman que, aussi longtemps que j'aurai encore un peu de force, je continuerai à me battre pour elle, pour toi et pour tous tes petits copains et toutes tes petites copines afin que jamais personne ne vous fasse du mal. Je viens de t'envoyer quelques cadeaux par l'intermédiaire de ta tante Mona. Ce sont des fournitures scolaires. Je suis sûre que cela t'aidera à devenir encore plus intelligente ! Il faut que je te dise au revoir maintenant. Je promets de tout te dire sur mon histoire un jour. Que Mungu te bénisse.

Ta tante et sœur, Coco, qui t'adore.

*

La vie de Coco connaît des hauts et des bas qui déroutent les spécialistes. Les épisodes se succèdent, de plus en plus étranges, de plus en plus inquiétants. Il y a eu d'abord le cas des vertiges qui la prenaient brusquement et la faisaient tomber constamment. Au point où aujourd'hui elle prend son bain assise sur un petit escabeau installé dans sa baignoire. L'autre jour, voulant voir ce dont elle était capable, elle a pris sa voiture pour faire un tour en ville. En moins de dix minutes sur la route, elle est allée emboutir l'arrière d'une autre voiture. Heureusement, c'était dans une rue à vitesse réglementée très réduite. Les dégâts ont été légers et personne n'a été blessé. La police, Dieu merci, ignorait que Coco n'est pas censée prendre le volant. Son médecin a été très mécontent. Coco ne conduira plus. Il y a eu ensuite ces vomissements qui n'en finissaient pas, mettant la jeune femme en danger d'inanition. La raison, a-t-on découvert, est psychosomatique. Elle s'est mise à littéralement sentir le goût de sueur et de crasse du tissu que les soldats ougandais lui fourraient dans la bouche pendant qu'ils la violaient cinq jours durant, à la Forestière. Cette sensation cause de fortes nausées qui finissent par provoquer des vomissements. À cela se sont ajoutées des plaies à l'estomac, qui à présent compliquent la digestion. Coco est en ce moment sous un régime alimentaire strictement liquide, minutieusement mis en place par les diététiciens. Une chose est certaine : Coco ne mangera plus comme avant. Elle a dû mettre une croix sur l'*ugali*[4], sur les bananes plantains et sur la viande boucanée aux *kokoliko*.

---

4. L'*ugali* (du kiswahili) est l'aliment de base traditionnel de l'Est et du centre de l'Afrique. C'est une pâte de farine de manioc, de maïs, de mil, ou de sorgho, cuite à l'eau et mangée de préférence à la main. Au Congo-Kinshasa, on l'appelle aussi, entre autres, fufu (lingala), luku (Kikongo), bidia ou nshima (ciluba).

*

Le téléphone a sonné, me tirant d'une rêverie profonde comme seuls les hivers de l'UpState New York savent en créer. J'avais à peine fini mon « hello ! » lorsque Coco m'a annoncé à brûle-pourpoint qu'elle était en train de sombrer dans la folie.

« Pourquoi crois-tu cela ?

– Je viens d'être à nouveau hospitalisée.

– Encore ! C'est quoi, cette fois-ci ?

– J'ai lu avec intérêt la première partie de ton roman sur mon histoire.

– C'est pourquoi tu appelles ?

– Qui est ce personnage, ce vieux monsieur que tu appelles Nganga ? Je ne connais personne de ce nom ici, et je n'ai jamais parlé de cette histoire à personne d'autre qu'à toi !

– N'oublie pas que…

– Qui est Nganga ? Qui est ce vieux médecin à la retraite ?

– Il a toujours existé.

– Où ?

– Partout où il y a des sans-voix.

– Sans blague… l'as-tu inventé ?

– C'est lui qui invente l'écrivain et lui évite d'écrire en vain.

– Que vient-il faire dans mon histoire ?

– C'est un exorciste.

– Tu crois que j'ai besoin d'exorcisme ?

– Tu ne le crois pas ?

– Je viens d'être à nouveau hospitalisée.

– Oui. De quoi s'agit-il, cette fois ?

– Il paraît que je vois des choses, je parle en langues.

– En langues !

– Je suis dans une unité psychiatrique et je subis tout un tas de manipulations qui ne semblent rimer à rien. Peut-être devrais-tu m'envoyer ton Nganga… J'ai peur… je sombre dans la folie, je t'assure !

– Comment cela ?

– Où en es-tu avec le roman ? Il faut que nous le terminions avant que je perde complètement la raison ou que je meure.

– Que t'est-il arrivé cette fois-ci ?

– Il y a deux jours j'ai laissé deux messages successivement à deux de mes amies américaines. Le premier à une heure du matin, en français, le deuxième à trois heures, en kirega. Tu te rends compte ? En kirega ! Même pas en swahili, mais en kirega, sur le répondeur d'une Américaine à trois heures du matin !

– …

– Elles m'ont rappelée dans la journée et, vu que je n'en avais aucune idée, elles ont alerté mes médecins. Une ambulance est venue me chercher d'urgence. Il paraît qu'à mon arrivée ici, je me croyais à Bukavu, en 1990. Je suis en train de sombrer dans la folie, je te dis.

– Que disent les médecins ?

– Il faut que je sorte d'ici. J'ai envie de terminer mon discours.

– Quel discours ?

– Le discours que j'irai donner à l'ONU et, sans doute aussi à la Maison Blanche.

– Tu en es où, avec ton discours ?

– J'ai tellement de choses à faire avant de mourir : il me faut finir mon MBA. J'aimerais aussi avoir un enfant.

– Mais il faut que tu sois soignée d'abord.

– Les infirmières arrivent encore. Oh, comme j'aurais voulu plutôt une visite de ton ami Nganga, en chair et en os !

– Peux-tu me passer l'une de tes infirmières, Coco ? »

« *Close the door ! Please, close the door !* »

Elle a raccroché brusquement après avoir hurlé cette dernière requête. Évidemment ce n'est pas à moi qu'elle s'adressait.

Inquiet, j'ai rappelé aussitôt. C'est une infirmière qui a pris le téléphone. Je me suis présenté et, à ma grande surprise, elle m'a informé que tout le monde me connaissait dans le pavillon. « Nous savons tous ici que vous écrivez un livre sur elle. » J'ai demandé la raison pour laquelle la jeune femme hurlait que l'on ferme la porte.

« Elle tient à ce que sa porte reste fermée quand nous entrons et quand nous sortons », a répondu l'infirmière d'une voix très calme. J'ai naturellement demandé pourquoi. « Elle dit que les soldats ougandais attendent dehors et elle a peur qu'ils entrent pour la… pour la… » L'infirmière n'a pas fini. Je lui ai dit que je comprenais.

Coco va mal à l'heure qu'il est. Très mal. Cet empêtrement dans sa tête entre le passé, le présent et le futur inquiète tout le monde, y compris ses médecins. Mais, lorsqu'elle est au présent, il se dégage de son discours une volonté de survie impressionnante. La volonté d'une jeune femme de petite taille, mais puissante à l'intérieur. Je lui ai assuré que son discours serait entendu. Devant l'ONU ou non, car je me charge de l'exposer à un bien plus grand monde.

POSTFACE

J'aimerais dédier mon histoire à ma mère Régine Wamumbamba que je n'ai jamais connue. Je la dédie aussi à ma très belle sœur Mwamvuwa Monique Ramazani qui a quitté ce monde beaucoup trop tôt. Monique restera mon idole. Sa détermination à devenir une femme instruite continuera à me servir de source d'inspiration.

COCO

Achevé d'imprimer par CPI Bussière
à Saint-Amand-Montrond (18)
en juillet 2017
N° d'impression : 2031049

Imprimé en France